Conhecimento e imaginário social

David Bloor

Conhecimento e imaginário social

Tradução
Marcelo do Amaral Penna-Forte

editora
unesp

Direitos de publicação reservados à:
Fundação Editora da UNESP (FEU)
Praça da Sé, 108
01001-900 – São Paulo – SP
Tel.: (0xx11) 3242-7171
Fax: (0xx11) 3242-7172
www.editoraunesp.com.br
www.livrariaunesp.com.br
feu@editora.unesp.br

CIP – Brasil. Catalogação na fonte
Sindicato Nacional dos Editores de Livros, RJ

B616c

Bloor, David
    Conhecimento e imaginário social/David Bloor; tradução Marcelo do
Amaral Penna-Forte. São Paulo: Editora UNESP, 2009.
    287p.

Tradução de: Knowledge and social imagery, 2nd ed.
Inclui bibliografia e índice
ISBN 978-85-7139-979-2

1. Sociologia do conhecimento. 2. Matemática - Filosofia. I. Título.

09-4863.   CDD: 306.42
                                              CDU: 316.74:001

Editora afiliada:

Asociación de Editoriales Universitarias
de América Latina y el Caribe

Associação Brasileira de
Editoras Universitárias

Sumário

Prefácio à segunda edição (1991)

A segunda edição de *Conhecimento e imaginário social* tem duas partes: o texto da primeira edição e o acréscimo de um novo e substancial posfácio, no qual respondo a críticas. Resisti à tentação de alterar a apresentação original da causa em prol da sociologia do conhecimento, embora tenha aproveitado a oportunidade para corrigir equívocos menores, como erros ortográficos. Também fiz algumas alterações de estilo nos pontos em que a linguagem do livro se tornou datada. Fora isso, a primeira parte está inalterada. Quanto à segunda parte: os ataques dos críticos não me convenceram da necessidade de recuar em qualquer questão essencial. Aliás, sua incapacidade de fazer incursões reforçou minha crença no valor de um entendimento naturalista do conhecimento no qual a sociologia cumpra um papel central. Espero que os argumentos que ofereci no posfácio mostrem que isso constitui uma resposta arrazoada e justificada. Em virtude do grande volume da crítica, não pude me permitir seguir cada um dos detalhes sinuosos nos argumentos. Restringi-me, portanto, à discussão do essencial e evitei repetir respostas que apresentei em outros lugares. Não obstante, os tópicos abarcados pelo posfácio representam as principais áreas de disputa no campo. A única exceção foi ter deixado de lado a objeção usual de que uma sociologia do conhecimento relativista é autorrefutada. Isso é discutido no corpo principal do texto e os elementos adicionais necessários parecem-me que foram cogentemente expressos por Hesse (1980). Caso estivesse começando o livro hoje, eu poderia recorrer a um corpo substancialmente maior de trabalhos empíricos em sociologia histórica do conhecimento. A maior prova da *possibilidade* da sociologia do conhecimento é a sua *efetividade*. O admirável ensaio bibliográfico de Shapin, "History of Science and Its Sociological Reconstructions" (1982), estabeleceu-se como um recurso vital e um guia para ordenar a base empírica do assunto. Desde sua publicação, o campo tornou-se ainda mais rico. Contamos agora com realizações exegéticas notáveis como: *The Politics of Evolution* (1989), de Desmond; *The Great Devonian Controversy* (1985), de Rudwick; e *Leviathan and the Air-Pump* (1985), de Shapin e Schaffer. Além desses, tem havido contribuições empíricas importantes por parte dos próprios sociólogos do conhecimento, como o trabalho de Collins (1985) sobre a replicação de detecções da onda gravitacional; a análise sociológica de Pickering (1984) sobre a física de partículas elementares; e o relato de Pinch (1986) sobre a medição do fluxo de neutrinos solares. No campo intrigante da sociologia da matemática, poderia agora recorrer à poderosa análise histórico-filosófica de Kitcher, *The Nature of Mathematical Knowledge* (1984); ao *Statistics in Britain, 1865-1930*, de MacKenzie (1981); e às *Mathematical Visions*, de Richards (1988).

O efeito cumulativo desses e de muitos outros trabalhos similares tem sido o de alterar os termos do debate. Ele virou-se a favor do programa forte, apesar das inevitáveis e salutares diferenças de opinião e de muitos problemas não resolvidos. É claro que dados históricos e empíricos sozinhos nunca serão suficientes. O argumento completo deve ser desenvolvido empírica e teoricamente. Isso é reconhecido de forma integral pelos autores citados e, de diversos modos, está presente em seus trabalhos. Chamo a atenção para esse fato a fim de justificar o tratamento aqui oferecido. Não pretendo proporcionar novos estudos de caso, apenas uma defesa decidida de alguns argumentos teóricos importantes. Que ainda haja a necessidade de um trabalho desse tipo é aparente a qualquer um que estude as críticas filosóficas discutidas no posfácio.

Nem todas as avaliações filosóficas independentes da sociologia do conhecimento chegaram a conclusões negativas. Apenas ocasionalmente, e em diferentes graus, ocorre o oposto. Por exemplo, Gellatly (1980); Hesse (1980); Jennings (1984); e Manicas e Rosenberg (1985). Embora reconheça o débito a todos os críticos cujos ataques ajudaram a chamar a atenção para este trabalho, sou particularmente grato, é claro, a tais aliados. Devo também agradecer ao pessoal da University of Chicago Press e a seus parceiros por apoiarem a ideia de uma segunda edição e pela ajuda em prepará-la.

DAVID BLOOR
Unidade de Estudos da Ciência
Edimburgo

Agradecimentos

Estou impaciente para expressar minha gratidão a algumas pessoas que gentilmente leram rascunhos e partes do livro enquanto estava em preparação. São elas: Barry Barnes, Celia Bloor, David Edge, Donald MacKenzie, Martin Rudwick e Steven Shapin. Em todos os casos fui bastante beneficiado por seus comentários e críticas. Nem sempre meus prestativos críticos concordaram com aquilo que eu disse e, sendo assim, devo salientar que de modo algum são responsáveis pelo resultado final. Talvez tivesse sido mais sábio fazer alterações mais profundas à luz de seus comentários.

É apropriado apenas destacar nessa lista um de meus colegas na Unidade de Estudos da Ciência (Science Studies Unit), Barry Barnes. Isso a fim de expressar minha dívida muito especial para com seu pensamento e sua obra. Ela é por demais ubíqua para ser disposta em notas de rodapé, mas jamais deixou de ser lembrada. Do mesmo modo, em vez de fazer repetidas referências ao seu livro *Scientific Knowledge and Sociological Theory* (1974), espero que um reconhecimento geral seja suficiente. Seguramente, todos aqueles que se interessarem pelo ponto de vista a ser desenvolvido neste livro considerarão ser de grande relevância as suas discussões. Ainda assim, embora nossos dois livros partilhem um bom número de premissas importantes, eles desenvolvem temas bastante diferentes e levam o argumento para áreas ainda mais distintas.

Sou grato ao Hutchinson Publishing Group Ltd. pela permissão de utilizar um diagrama da p.13 do livro de Z. P. Dieness, *The Power of Mathematics* (1964). Devo ainda registrar o meu apreço aos historiadores da ciência cuja erudição foi espoliada para que eu me servisse de seus exemplos e ilustrações. Devo com frequência usar seu trabalho de um modo que não aprovariam.

CAPÍTULO 1

O programa forte na sociologia do conhecimento

A sociologia da ciência pode investigar e explicar o conteúdo e a natureza do conhecimento científico? Muitos sociólogos acreditam que não. Eles dizem que o conhecimento enquanto tal, distinto das circunstâncias ao redor de sua produção, está além de seu alcance. Voluntariamente, limitam o alcance de suas próprias investigações. Argumentarei que isso constitui uma traição ao ponto de vista de sua disciplina. Todo conhecimento, ainda que se encontre nas ciências empíricas ou mesmo na matemática, deve ser tratado, de modo exaustivo, como material para a investigação. As limitações que ocorrem aos sociólogos consistem em entregar algum material a ciências afins, como a psicologia, ou em depender das pesquisas realizadas por especialistas em outras disciplinas. Não existem limitações que repousem sobre o caráter absoluto ou transcendente do próprio conhecimento, ou sobre a natureza especial da racionalidade, da validade, da verdade ou da objetividade.

Seria de esperar que a tendência natural de uma disciplina como a sociologia do conhecimento fosse a de expandir-se e generalizar-se: passar de estudos sobre as cosmologias primitivas aos da nossa própria cultura. Esse é, precisamente, o passo que os sociólogos têm se mostrado relutantes em dar. Ademais, a sociologia do conhecimento poderia ter insistido mais em fixar-se na área ocupada hoje por filósofos, aos quais se admite tomarem para si a tarefa de definir a natureza do conhecimento. Os sociólogos foram, na verdade, muito ávidos em limitar suas preocupações com a ciência ao quadro institucional e aos fatores externos relacionados ao ritmo ou à direção de seu crescimento. Isso deixa intocada a natureza de um conhecimento assim criado (cf. Ben-David, 1971; DeGré, 1967; Merton, 1964; Stark, 1958).

Qual seria a causa dessa hesitação e pessimismo? Seriam as enormes dificuldades intelectuais e práticas que acompanhariam um programa como esse? Elas com certeza não devem ser subestimadas. Pode-se avaliar tal grandeza com base em esforços despendidos em trabalhos menos ambiciosos. Todavia, essas não são as razões efetivamente aventadas. Estaria o sociólogo desprovido de teorias e métodos para lidar com o conhecimento científico? É certo que não. A própria disciplina lhe proporciona estudos exemplares sobre o conhecimento de outras culturas que poderiam ser usados como modelos e fontes de inspiração. O estudo clássico de Durkheim, *The Elementary Forms of the Religious Life* [As formas elementares da vida religiosa], mostra como um sociólogo é capaz de adentrar as profundezas de uma forma de conhecimento. Mais que isso: Durkheim deixou várias sugestões sobre como suas descobertas poderiam ser relacionadas ao estudo do conhecimento científico. As sugestões encontraram ouvidos surdos.

A causa da hesitação em trazer a ciência para o âmbito de um escrutínio cabalmente sociológico é a falta de vigor e de vontade. Acredita-se que esta seja uma iniciativa fadada ao insucesso. É claro que a falta de vigor tem raízes mais arraigadas do que sugere essa caracterização puramente psicológica, que depois serão investigadas. Qualquer que seja a causa da enfermidade, os sintomas tomam a forma de uma argumentação filosófica e *a priori*. Os sociólogos expressam com isso a convicção de que a ciência é um caso especial e que, se ignorassem esse fato, absurdos e contradições fatalmente os seguiriam. É claro que os filósofos estão mais do que prontos para encorajar tal ato de abnegação (por exemplo, Lakatos, 1971; Popper, 1966).

O objetivo deste livro será o de combater tais argumentos e inibições. Por essa razão, as discussões que seguem não podem deixar de ser, amiúde, metodológicas em vez de substantivas. Mas espero que seus efeitos sejam positivos. O intento é o de armar as mãos dos que se envolvem no trabalho construtivo, para auxiliá-los a investirem contra críticos, descrentes e céticos.

Inicialmente, apresentarei aquilo que denomino programa forte na sociologia do conhecimento. Isso constituirá o quadro geral no qual serão em seguida consideradas algumas objeções particulares. Uma vez que argumentos *a priori* sempre se encontram engastados em atitudes e suposições prévias, também será necessário trazê-los à superfície para o exame. Esse é o segundo tópico central e é com base nele que começarão a emergir algumas hipóteses sociológicas substantivas sobre nossa concepção de ciência. O terceiro tópico central ocupa-se daquele que talvez seja o mais intricado dos obstáculos à sociologia do conhecimento, a saber, a matemática e a lógica. Ficará claro que os problemas de princípio não são, de fato, um tanto técnicos. Indicarei como esses assuntos podem ser estudados sociologicamente.

O programa forte

O sociólogo está interessado pelo conhecimento, inclusive pelo conhecimento científico, puramente como um fenômeno natural. A definição apropriada do conhecimento será, portanto, bem diferente daquelas oferecidas pelo leigo ou pelo filósofo. Em vez de defini-lo como crença verdadeira – ou, ainda, crença verdadeira justificada –, para o sociólogo o conhecimento é tudo aquilo que as pessoas consideram conhecimento. Ele consiste naquelas crenças que as pessoas sustentam com confiança e com as quais levam a vida. O sociólogo estará interessado em particular pelas crenças que são assumidas como certas, institucionalizadas ou, ainda, investidas de autoridade por grupos de pessoas. O conhecimento, é claro, deve ser distinguido da mera crença – algo que pode ser feito ao se reservar a palavra "conhecimento" para aquilo que é endossado coletivamente, deixando valer como mera crença o idiossincrático e o individual.

Nossas ideias acerca do funcionamento do mundo variam de modo considerável. Esse é o caso tanto na ciência quanto em outras áreas da cultura. Tais variações são o ponto de partida para a sociologia do conhecimento e constituem sua questão principal. Quais são as causas dessa variação e como e por que elas mudam? A sociologia do conhecimento concentra-se na distribuição da crença e nos vários fatores que a influenciam. Por exemplo: como o conhecimento é transmitido, quão estável ele é, que processos intervêm na sua criação e manutenção, e como ele é organizado e distribuído em diferentes disciplinas ou esferas?

Para os sociólogos, esses tópicos requerem investigação e explicação, e eles tentarão caracterizar o conhecimento de modo que esteja de acordo com essa perspectiva. Suas ideias estarão, portanto, na mesma linguagem causal que as de qualquer outro cientista. Seu interesse será o de localizar regularidades e princípios ou processos gerais que estiverem em operação no campo dos seus dados. O objetivo será o de construir teorias que expliquem tais regularidades. Para satisfazer a condição de generalidade máxima, as teorias terão que ser aplicadas seja a crenças verdadeiras seja a falsas, e, tanto quanto possível, o mesmo tipo de explicação terá que ser aplicado em ambos os casos. O propósito da Fisiologia é o de explicar o organismo tanto na saúde quanto na doença. O propósito da mecânica é o de entender as máquinas que funcionam e as que não funcionam, as pontes que ficam de pé e as que vêm ao chão. Do mesmo modo, o sociólogo busca teorias que expliquem as crenças que são de fato encontradas, não importa como o investigador as avalie.

Alguns dos problemas típicos nessa área que já produziram descobertas interessantes podem servir para ilustrar a abordagem. Primeiro, há estudos acerca das conexões entre a macroestrutura social de grupos e a forma geral das cosmologias que eles adotaram. Os antropólogos encontraram correlatos sociais e as possíveis causas de termos visões de mundo ou antropomórficas e mágicas ou impessoais e naturalistas (Douglas, 1966; 1973). Segundo, há estudos que traçam as conexões entre, de um lado, os desenvolvimentos econômico, técnico e industrial e, de outro, o conteúdo de teorias científicas. Por exemplo, foi estudado em grande detalhe o impacto do desenvolvimento prático das tecnologias de vapor e água sobre o conteúdo das teorias da termodinâmica. Não pairam dúvidas sobre a ligação causal (Kuhn, 1959; Cardwell, 1971). Terceiro, há muitas evidências de que aspectos da cultura em geral considerados não científicos exerçam grande influência tanto na criação quanto na avaliação de teorias científicas e de descobertas. Mostrou-se, por exemplo, que preocupações com a eugenia estavam na base e explicariam a criação, por Francis Galton, do conceito estatístico de coeficiente de correlação. Também o ponto de vista político, social e ideológico do geneticista Bateson foi utilizado a fim de explicar seu papel cético na controvérsia sobre a teoria genética da hereditariedade (Coleman, 1970; Cowan, 1976; MacKenzie, 1981). Quarto, a importância do processo de treinamento e socialização para a condução da ciência tem sido cada vez mais documentada. Padrões de continuidade e descontinuidade, de aceitação e rejeição, parecem ser explicáveis por menção a tais processos.

Um exemplo interessante do modo como o conhecimento prévio dos fundamentos de uma disciplina científica influencia a avaliação de uma obra pode ser visto nas críticas de lorde Kelvin à teoria da evolução. Kelvin havia calculado a idade do

Sol tratando-o como um corpo incandescente que esfriava. Ele concluiu que o astro teria queimado à exaustão antes que a evolução atingisse o estado atualmente observado. O mundo não seria antigo o suficiente para permitir que a evolução tivesse seguido seu curso e, portanto, a teoria da evolução deveria estar errada. O pressuposto de uma uniformidade geológica, com sua garantia de vastas extensões de tempo, havia sido rudemente puxado de sob os pés dos biólogos. O argumento de Kelvin causou desânimo. Sua autoridade era imensa e em 1860 não havia como responder às críticas, pois seguiam rigorosamente as premissas físicas convincentes. Na última década daquele século, os geólogos se encheram de coragem para dizer que Kelvin deveria ter se enganado. Essa coragem recém-descoberta não se deveu a novas e dramáticas descobertas, aliás, não houve nenhuma mudança real da evidência disponível. O que ocorreu nesse ínterim foi a consolidação da geologia como uma disciplina que armazenava uma enorme quantidade de observações detalhadas de registros fósseis. Foi esse avanço que causou a variação das estimativas de probabilidade e plausibilidade: Kelvin deve ter deixado de considerar algum fator desconhecido, mas de importância crucial. Foi apenas com o entendimento da fonte de energia nuclear do Sol que seu argumento físico foi desbancado. Os geólogos e biólogos não tinham um conhecimento prévio disso; eles simplesmente não esperaram por uma resposta (Rudwick, 1972; Burchfield, 1975). O exemplo serve ainda para salientar outro ponto. Ele trata do processo social interno à ciência e, desse modo, não há razão para as considerações sociológicas serem confinadas a atuações de influências externas.

Por fim, deve-se mencionar um estudo fascinante e controvertido sobre os físicos de Weimar. Forman (1971) utiliza suas correspondências acadêmicas para mostrar como eles adotaram a corrente anticientífica dominante da *Lebensphilosophie* que os cercava. Ele sustenta que "o movimento para eliminar a causalidade na física, que brotou tão de repente e floresceu tão viçoso na Alemanha após 1918, foi, antes de tudo, um esforço dos físicos alemães em adaptar o conteúdo da sua ciência aos valores de seu ambiente intelectual" (p.7). A ousadia e o interesse dessa alegação procedem da centralidade, na teoria quântica moderna, da não causalidade.

As abordagens que acabam de ser esboçadas sugerem que a sociologia do conhecimento deveria aderir aos quatro princípios seguintes. Ao proceder dessa forma, ela irá incorporar os mesmos valores assegurados em outras disciplinas científicas. São eles:

1. Ela deverá ser causal, ou seja, interessada nas condições que ocasionam as crenças ou os estados de conhecimento. Naturalmente, haverá outros tipos de causas além das sociais que contribuirão na produção da crença.

2. Ela deverá ser imparcial com respeito à verdade e à falsidade, racionalidade e irracionalidade, sucesso ou fracasso. Ambos os lados dessas dicotomias irão requerer explicação.

3. Ela deverá ser simétrica em seu estilo de explicação. Os mesmos tipos de causa deverão explicar, digamos, crenças verdadeiras e falsas.

4. Ela deverá ser reflexiva. Seus padrões de explicação terão que ser aplicáveis, a princípio, à própria sociologia. Assim como a condição de simetria, essa é uma resposta à necessidade da busca por explicações gerais. É uma óbvia condição de princípio, pois, de outro modo, a Sociologia seria uma constante refutação de suas próprias teorias.

Esses quatro princípios, da causalidade, da imparcialidade, da simetria e da reflexividade, definem o que será chamado de programa forte na sociologia do conhecimento. Eles não são novidade, mas representam um amálgama dos traços mais otimistas e científicos que podem ser encontrados em Durkheim (1938), Mannheim (1936) e Znaniecki (1965).

No que segue, tentarei sustentar a viabilidade desses princípios diante de críticas e mal-entendidos. O que está em jogo é se o programa forte pode ser seguido de modo consistente e plausível. Passemos, pois, às principais objeções à sociologia do conhecimento a fim de extrair o significado completo dos princípios e examinar como o programa forte faz frente à crítica.

A autonomia do conhecimento

Um importante conjunto de objeções à sociologia do conhecimento provém da convicção de que algumas crenças não necessitam de quaisquer explicações, ou não necessitam de explicações causais. Essa impressão é particularmente aguda quando as crenças em questão são tomadas por verdadeiras, racionais, científicas ou objetivas.

Quando nos comportamos de modo racional ou lógico, é tentador dizer que nossas ações são governadas pelas condições da razoabilidade ou da lógica. A explicação de por que concluímos algo com base em um conjunto de premissas pareceria, assim, estar nos próprios princípios da inferência lógica. A lógica seria constituída de um conjunto de conexões entre premissas e conclusões, e nossas mentes poderiam seguir tais conexões. Enquanto alguém fosse razoável, as próprias conexões poderiam oferecer a melhor explicação para as suas crenças. Como um trem sobre trilhos, os próprios trilhos determinam aonde ele vai. É como se pudéssemos transcender o vai e vem descontrolado da causalidade física e canalizá-la, ou sujeitá-la, a outros princípios que determinariam nossos pensamentos. Se fosse assim, não seria o sociólogo ou o psicólogo que ofereceria a parte mais importante da explicação da crença, mas a pessoa lógica.

Obviamente, quando alguém se enganasse em seus raciocínios, a própria lógica não seria explicação. Um lapso ou um desvio podem ser devidos à interferência de uma enorme variedade de fatores. Talvez o raciocínio seja muito difícil para a inteligência limitada daquele que raciocina, talvez ele esteja desatento ou muito envolvido emocionalmente com o assunto em discussão.

Quando um trem sai dos trilhos, a causa do acidente pode muito bem ser averiguada. Mas não temos nem precisamos de comissões de inquérito sobre por que os acidentes não ocorrem. Argumentos como esses viraram lugar-comum na filosofia analítica contemporânea. Em *The Concept of Mind* (1949), Ryle diz: "Que o psicólogo nos diga por que estamos enganados, mas podemos dizer a nós mesmos e a ele por que não estamos enganados" (p.308). Essa abordagem pode ser sumarizada na alegação de que nada leva as pessoas a fazer coisas corretas, mas algo perpetra, ou causa, o que dá errado (cf. Hamlyn, 1969; Peters, 1958). A estrutura geral dessas explicações destaca-se claramente. Todas elas dividem o comportamento ou a crença em dois tipos: certo e errado, verdadeiro e falso, racional ou irracional. Invocam em seguida causas sociológicas ou psicológicas para explicar o lado negativo da divisão. Tais causas explicam o erro, a limitação e o desvio. O lado positivo dessa divisão apreciativa é bem diferente. Aqui a lógica, a racionalidade e a verdade parecem ser suas próprias explicações. Nesse caso, não há a necessidade de invocar causas psicológicas ou sociais.

Quando aplicadas ao campo da atividade intelectual, essas concepções têm o efeito de transformar um corpo de conhecimento em um domínio autônomo. O comportamento deve ser explicado mediante procedimentos, resultados, métodos e máximas da própria atividade. Ele faz a atividade intelectual convencional e bem-sucedida parecer autoexplicativa e autopropelida; torna-se a própria explicação. Não é necessário ser versado em Sociologia ou Psicologia: basta ser versado na própria atividade intelectual.

Uma versão em voga dessa posição é encontrada na teoria de Lakatos (1971) sobre como a história da ciência deve ser escrita. Essa teoria tem a pretensão explícita de trazer implicações também para a sociologia da ciência. O primeiro pré-requisito, diz Lakatos, é que a filosofia ou a metodologia da ciência seja escolhida. Estas são relatos de como a ciência deve ser e quais dentre seus passos são racionais. A filosofia da ciência escolhida torna-se o quadro geral sobre o qual se apoia todo o trabalho de explicação subsequente. Guiado por essa filosofia, será possível apresentar a ciência como um processo que exemplifique seus princípios e desenvolva-se de acordo com suas lições. À medida que isso possa ser feito, mostra-se que a ciência é racional à luz dessa filosofia. Essa tarefa, a de mostrar que a ciência incorpora determinados princípios metodológicos, Lakatos denomina "reconstrução racional" ou "história interna". Por exemplo, uma metodologia indutivista salientaria, talvez, a emergência das teorias com base no acúmulo de observações. Ela enfocaria, pois, eventos como a utilização, por Kepler, das observações de Tycho Brahe ao formular as leis do movimento planetário.

Por esse meio, no entanto, nunca seria possível capturar toda a diversidade da prática científica efetiva. Lakatos diz então que a história interna terá sempre que ser suplementada por uma "história externa". Ela cuidará do resíduo irracional. Essa é a questão que o historiador filosófico passará ao "historiador externo" ou ao sociólogo. Dessa forma, de um ponto de vista indutivista, o papel das crenças místicas de Kepler sobre a majestade do Sol demandaria uma explicação não racional ou externa.

Sobre essa abordagem, vale reparar os seguintes pontos. Primeiro, a história interna é autossuficiente e autônoma. Exibir o caráter racional de um desenvolvimento científico é explicação suficiente de por que os eventos por ele abarcados ocorreram. Segundo, as reconstruções racionais não são apenas autônomas, mas têm ainda uma importante prioridade sobre a história externa ou sociologia. Estas últimas apenas preenchem o vazio entre a racionalidade e a efetividade. Tal tarefa não é nem mesmo definida antes que a história interna tenha terminado sua fala. Assim:

> A história interna é primária e a história externa é secundária, pois os problemas mais importantes da história externa são definidos pela história interna. A história externa ou oferece

explicações não racionais para a intensidade, localização, seletividade etc. dos eventos históricos tais como interpretados em termos da história interna, ou oferece, quando a história difere de sua reconstrução racional, uma explicação empírica para tal divergência. Mas os aspectos racionais do desenvolvimento científico são completamente explicados pela lógica da descoberta científica do investigador. (1971, p.9)

Em seguida, Lakatos responde à questão de como decidir sobre que filosofia deve ditar os problemas da história externa ou sociologia. Pobre dos externalistas, para os quais a resposta representa uma humilhação a mais. Sua função não é apenas derivada, mas ocorre que a melhor filosofia da ciência, segundo Lakatos, é aquela que minimiza esse papel. O progresso em filosofia da ciência deve ser avaliado pelo tanto da história efetiva que pode ser apresentado como racional. Quanto melhor a orientação metodológica, mais da ciência efetiva é posta a salvo da indignidade da explicação empírica. O sociólogo ganha algumas migalhas de consolo com o fato de Lakatos ter a bondade de garantir que sempre haverá algum evento irracional na ciência que nenhuma filosofia estará apta ou inclinada a salvar. Isso ele exemplifica com episódios repugnantes da intervenção stalinista na ciência, como no caso de Lysenko na biologia.

Tais refinamentos são, no entanto, menos importantes que a estrutura geral da posição. Não importa como são escolhidos os princípios centrais da racionalidade ou como eles poderiam mudar. O ponto central é que, uma vez escolhidos, os aspectos centrais da ciência são considerados autopropelidos e autoexplicativos. As explicações empíricas ou sociológicas são confinadas ao que há de irracional.

O que poderia significar que nada leva as pessoas a fazer ou a acreditar em coisas corretas ou racionais? Nesse caso, por que o comportamento ocorre, afinal? O que incita o correto funcionamento interno de uma atividade intelectual se a busca de causas psicológicas ou sociológicas só é considerada apropriada em caso de irracionalidade ou erro? A teoria que tacitamente tem que sustentar tais ideias é uma concepção finalista (direcionada a fins) ou teleológica do conhecimento e da racionalidade.

Suponhamos que seja assumido que a verdade, a racionalidade e a validade sejam nossos fins naturais e a direção de certas tendências naturais que possuímos. Somos animais racionais e, por natureza raciocinamos corretamente e abrimos caminho para a verdade sempre que ela está ao nosso alcance. Desse modo, é claro que as crenças que são verdadeiras não precisam de comentários especiais. Para elas, sua verdade basta como uma explicação de por que acreditamos nelas. Por outro lado, esse progresso autopropelido para a verdade pode ser impedido ou desviado e, nesse caso, devem ser localizadas causas naturais. Elas responderão pela ignorância, pelo erro, pelo raciocínio confuso e por quaisquer outros empecilhos ao progresso científico.

Essa teoria ajuda a compreender muito do que foi escrito nessa área, mesmo que à primeira vista pareça implausível imputá-la a pensadores contemporâneos. Ela parece até mesmo ter invadido o pensamento de Karl Mannheim. Apesar de sua determinação em estabelecer cânones causais e simétricos de explicação, faltou-lhe vigor ao considerar assuntos aparentemente autônomos como a matemática e as ciências naturais. Essa falta é expressa em passagens como a seguinte, de *Ideologia e utopia*:

> A determinação existencial do pensamento pode ser considerada como um fato demonstrado naqueles domínios do pensamento nos quais podemos mostrar (...) que o processo do conhecimento, de fato, não se desenvolve historicamente de acordo com leis imanentes, que ele não segue apenas da "natureza das coisas" ou da "pura possibilidade lógica", e que ele não é comandado por uma "dialética interna". Ao contrário, a emergência e cristalização do pensamento efetivo são influenciadas em muitos aspectos significativos por fatores extrateóricos dos mais diversos tipos. (1936, p.239)

As causas sociais são aqui identificadas aos fatores "extrateóricos". Mas como fica o comportamento conduzido de acordo com a lógica interna da teoria, ou governado por fatores teóricos? Claramente sob o risco de ser excluído da explicação social, pois ele funciona como o indicativo para localizar as coisas que precisam de explicação. É como se Mannheim, de modo displicente, partilhasse os sentimentos expressos nas citações de Ryle e Lakatos e dissesse a si mesmo: "Quando fazemos o que é lógico e procedemos corretamente, nada mais é preciso ser dito." Mas considerar não problemáticos alguns tipos de comportamento é considerá-los naturais. Nesse caso, o natural é o proceder corretamente, por meio da verdade ou em direção a ela. Desse modo, é provável que o modelo teleológico esteja em funcionamento também aqui.

Como estaria relacionado esse modelo de conhecimento aos princípios do programa forte? Ele os viola nitidamente de diversos modos. Ele abandona uma orientação exaustivamente causal. As causas podem ser indicadas apenas para os erros. A sociologia do conhecimento é assim confinada à sociologia do erro. Ele viola ainda as condições de simetria e de imparcialidade. Exige-se uma avaliação prévia da verdade ou racionalidade de uma crença antes que seja decidido se ela pode ser considerada autoexplicativa ou se é necessário uma teoria causal. Não há dúvidas de que, caso o modelo teleológico seja verdadeiro, o programa forte é falso.

Os modelos teleológico e causal representam, portanto, alternativas programáticas que se excluem mutuamente. Com efeito, eles são dois pontos de vista metafísicos opostos. Pode assim parecer necessário de início decidir sobre qual dos dois é verdadeiro. A sociologia do conhecimento não depende de ser falsa a concepção teleológica? Sendo assim, isso não teria que estar estabelecido antes que o programa forte se atreva a prosseguir? A resposta é "não". É mais sensato ver as coisas do modo inverso. É improvável que um argumento independente e decisivo possa ser apresentado *a priori* para provar a verdade ou a falsidade dessas importantes alternativas metafísicas. Sempre que argumentos e objeções contra uma das teorias forem propostos, descobriremos que dependem da outra e a pressupõem, incorrendo, assim, em petição de princípio. Tudo o que pode ser feito é conferir a consistência interna das diferentes teorias e ver depois o que acontece quando a pesquisa prática e a teorização nelas se basearem. Se a verdade sobre uma delas puder enfim ser decidida, isso será tão somente após elas terem sido adotadas e utilizadas, não antes disso. A sociologia do conhecimento não se destina, portanto, a eliminar o ponto de vista rival. Ela tem apenas que se separar dele, rejeitá-lo e assegurar-se de que sua própria casa esteja logicamente em ordem.

Essas objeções ao programa forte não estão, portanto, embasadas na natureza intrínseca do conhecimento, mas apenas no conhecimento tal como visto a partir do ponto de vista do modelo teleológico. Rejeite o modelo e todas as distinções, avaliações e assimetrias a ele associadas somem junto. Apenas se esse modelo merecesse atenção exclusiva seus correspondentes – padrão de explicação seriam obrigatórios. Sua mera existência, e o fato de que alguns pensadores achem natural utilizá-lo, não lhe confere força probatória.

Em seus próprios termos, o modelo teleológico é, sem dúvida, perfeitamente consistente e talvez não haja razões lógicas para alguém preferir a abordagem causal à concepção finalista. No entanto, existem considerações metodológicas que podem influenciar a escolha em favor do programa forte.

Uma vez que se admita que a explicação depende de avaliações prévias, os processos causais que se supõe ocorrer no mundo serão reflexos dos critérios dessa avaliação. Os processos causais serão entalhados com base no padrão de erros identificados, pondo em relevo a forma da verdade e da racionalidade. A natureza receberá uma importância moral, endossando e incorporando a verdade e o correto. Aqueles que alimentam suas tendências de oferecer explicações assimétricas sempre terão a ocasião para apresentar como natural aquilo que pressupõem. Essa é uma receita ideal para desviar o próprio olhar da própria sociedade, de seus valores e crenças, e fixá-lo em tudo aquilo que diverge disso. É preciso cuidado para não exagerar nesse motivo, pois o programa forte faz exatamente a mesma coisa em alguns aspectos. Ele também está baseado em valores; por exemplo, o anseio por um tipo específico de generalidade e por uma concepção do mundo natural como moralmente vazio e neutro. Portanto, em relação à moralidade, ele também insiste em dar certo papel à natureza, ainda que negativo. Isso quer dizer que o programa representa como natural aquilo que pressupõe.

O que pode ser dito, no entanto, é que o programa forte possui certo tipo de neutralidade moral, a saber, o mesmo tipo que aprendemos a associar com todas as demais ciências. Ele também impõe a si mesmo a necessidade do mesmo tipo de generalidade das demais ciências. Seria uma traição a tais valores, à abordagem da ciência empírica, a escolha de adotar a concepção teológica. É óbvio que essas não são razões capazes de persuadir quem quer que seja a adotar a concepção causal. Para alguns, serão precisamente as razões que os inclinarão a rejeitar a causalidade e adotar concepções assimétricas e teleológicas. Mas esses pontos deixam claras as ramificações da escolha e expõem os valores que informarão a abordagem ao conhecimento. Desse tipo de confronto, portanto, a sociologia do conhecimento pode se abster, se assim o desejar, sem nenhum estorvo ou impedimento.

O argumento com base no empirismo

A premissa que está na base do modelo teleológico é aquela que diz que a causalidade está associada ao erro e à limitação. Isso representa uma forma extrema de assimetria e, com isso, apresenta-se como a alternativa mais radical ao programa forte e sua insistência nos estilos simétricos de explicação. Pode ser o caso, entretanto, de o programa forte poder ser criticado de um ponto de vista menos extremado. Não é plausível dizer que algumas causas ocasionem crenças errôneas ao passo que outras causem crenças verdadeiras? Se, além disso, diferentes tipos de causa estiverem correlacionados, de modo sistemático, a crenças verdadeiras e falsas respectivamente, teremos então outra base para rejeitar o ponto de vista simétrico do programa forte.

Considere a seguinte teoria: as influências sociais produzem distorções em nossas crenças ao passo que o uso desimpedido de nossas faculdades de percepção e de nosso aparelho sensório-motor produz crenças verdadeiras. A exaltação da experiência como fonte do conhecimento pode ser vista como que encorajando os indivíduos a confiar nos próprios recursos físicos e psicológicos a fim de chegar a conhecer o mundo. Ela proclama a fé no poder de nossas capacidades animais para obter conhecimento. Toda essa atividade e sua operação natural, mas causal, resultará em conhecimento testado e selecionado pela interação prática com o mundo. Desvie desse caminho, confie nos companheiros, e será presa fácil de histórias supersticiosas, mitos e especulações. Essas histórias serão, no melhor dos casos, conhecimento de segunda mão em vez de conhecimento de primeira mão. No pior, os motivos subentendidos nas histórias serão corrompidos, produto da ação de mentirosos e tiranos.

Não é difícil reconhecer esse quadro. Ele é uma versão do conselho de Bacon para evitarmos os ídolos do mercado e do teatro. Grande parte do empirismo tradicional consiste em uma enunciação refinada e purificada dessa abordagem ao conhecimento. Apesar de estar em voga entre os filósofos empiristas evitar a descrição psicológica de suas teorias, a visão básica não é muito diferente da esboçada antes. Daqui em diante, ao referir-me a tal teoria, eu a chamarei, sem cerimônia, de empirismo.

Se o empirismo está correto, então, mais uma vez, a sociologia do conhecimento é na verdade uma sociologia do erro, da crença ou da opinião, mas não do conhecimento como tal.

Essa conclusão não é tão extrema como a que deriva do modelo teleológico do conhecimento. Ela equivale à divisão de trabalho entre o psicólogo e o sociólogo, na qual o primeiro lidaria com o conhecimento real enquanto o último, com o erro ou algo menor que o conhecimento. O empreendimento como um todo seria, não obstante, naturalista e causal. Não há a questão da escolha, como havia no caso do modelo teleológico, entre uma perspectiva científica e um ponto de vista que incorpora valores bem diferentes. A batalha aqui tem que ser travada inteira no próprio território da ciência. Estariam corretamente demarcados os limites entre a verdade e o erro nessa concepção empirista do conhecimento? Dois problemas com empirismo sugerem que não.

Primeiro, seria errado presumir que o funcionamento natural de nossos recursos animais sempre produza conhecimento. Eles produzem uma mistura de conhecimento e erro de um modo igualmente natural e mediante a operação de um e mesmo tipo de causa. Por exemplo, um nível médio de ansiedade em geral aumentará o aprendizado e o bom desempenho de uma tarefa se comparado a um nível muito baixo, mas o desempenho cairá novamente se o nível de ansiedade elevar-se muito. A questão é bastante comum como fenômeno de laboratório. Certo nível de fome tornará mais fácil a um animal reter informações sobre seu ambiente, como um rato de laboratório que aprende o caminho de um labirinto por comida. Um nível muito elevado de fome também pode produzir um aprendizado urgente e bem-sucedido da localização da comida, mas diminui a habilidade de coletar pistas que não sejam relevantes para as preocupações iminentes. Esses exemplos sugerem que condições causais diferentes podem, de fato, estar associadas a diferentes padrões de crenças verdadeiras ou falsas. No entanto, não mostram que diferentes tipos de causa estão correlacionados diretamente a crenças verdadeiras ou falsas. Eles mostram, em particular, ser incorreto colocar as causas psicológicas todas de um mesmo lado dessa divisão, como sendo as que naturalmente conduzem à verdade.

Esse problema certamente pode ser corrigido. Talvez tudo o que os contraexemplos mostrem é que os mecanismos psicológicos do aprendizado têm um arranjo ótimo de funcionamento e que eles produzem erro quando saem do foco. Pode-se alegar que, quando nosso aparelho sensorial opera em condições normais e desempenha suas funções de modo apropriado, ele produz crença verdadeira. Pode-se aceitar essa premissa, pois há uma objeção bem mais importante a considerar.

O ponto crucial quanto ao empirismo é o seu caráter individualista. Os aspectos do conhecimento que cada um de nós pode e deve fornecer a si próprio podem ser explicados de maneira adequada por esse tipo de modelo. Mas quanto do conhecimento humano e quanto da ciência são construídos tão somente pela confiança individual na interação do mundo com nossas capacidades animais? Provavelmente muito pouco. A questão importante é esta: que análise será dada ao restante? É presumível dizer que a abordagem psicológica não leva em consideração o componente social da ciência.

A experiência individual não ocorreria, de fato, dentro de um quadro de pressupostos, critérios, propósitos e significados que são partilhados? Afinal, a sociedade fornece essas coisas à mente individual e proporciona, ainda, as condições segundo as quais elas podem ser sustentadas e fortalecidas. Se o domínio de um indivíduo sobre elas fraquejar, há instituições prontas a lembrá-lo. Se sua visão de mundo começar a divergir, há mecanismos que encorajam o realinhamento. As necessidades de comunicação ajudam a manter padrões coletivos de pensamento na psique individual. Do mesmo modo, na experiência sensorial do mundo natural, constata-se algo que aponta para além dessa experiência, que lhe proporciona um quadro geral e lhe confere um significado maior. Ele preenche o sentido individual do que é a realidade como um todo da experiência da qual provém sua experiência.

O conhecimento da sociedade não chega a indicar a experiência sensorial de seus membros individuais, ou a soma daquilo que pode ser chamado de seu conhecimento animal. Em vez disso, é a sua visão, ou visões, coletiva da realidade. Desse modo, o conhecimento da nossa cultura, tal como é representado pela nossa ciência, não é o conhecimento de uma realidade que qualquer indivíduo pode experienciar ou aprender por si próprio. Ele é o que nossas teorias mais comprovadas e nossos pensamentos mais instruídos nos dizem ser, não importando o que indiquem as aparências. Ele é uma história tramada das insinuações e vislumbres que acreditamos que nossos experimentos nos contam. O conhecimento, portanto, é mais bem igualado à cultura que à experiência.

Se essa designação da palavra "conhecimento" for aceita, então a distinção entre verdade e erro não é a mesma que a divisão entre experiência individual (ótima) e influência social. Ela se torna, em vez disso, uma distinção no amálgama das experiências e das crenças socialmente mediadas que cria o conteúdo de uma cultura; é uma discriminação entre misturas rivais de experiência e crença. Os mesmos dois ingredientes ocorrem em crenças verdadeiras ou falsas e, desse modo, o caminho está aberto para estilos simétricos de explicação, que invocam os mesmos tipos de causa.

Um modo de expor esse argumento, e que ajuda em seu reconhecimento e aceitação, é o de dizer que aquilo que consideramos conhecimento científico é em grande parte "teórico". É principalmente uma visão teórica do mundo que, em qualquer momento, os cientistas podem dizer conhecer. É em especial às suas teorias que os cientistas devem recorrer quando são incitados a nos dizer o que sabem sobre o mundo. Mas as teorias e o conhecimento teórico não são coisas obtidas em nossa experiência. São o que dá sentido à experiência ao proporcionar uma história sobre aquilo que a fundamenta, conecta e elucida. Isso não quer dizer que a teoria não reaja à experiência. Ela o faz, mas não é apenas obtida com a experiência que explica, nem é exclusivamente apoiada nela. Outra instituição, separada do mundo físico, é requerida para conduzir e apoiar esse componente do conhecimento. O componente teórico do conhecimento é um componente social e parte necessária da verdade, não um sinal de um mero erro.

Duas importantes fontes de oposição à sociologia do conhecimento foram até aqui discutidas e ambas foram rejeitadas. O modelo teleológico foi, certamente, uma alternativa radical ao programa forte, mas não há a menor compulsão em aceitá-lo. A teoria empirista é implausível como uma descrição do que, de fato, pode ser considerado o nosso conhecimento. Ela oferece alguns dos tijolos, mas cala-se quanto ao *design* dos vários edifícios que construímos com eles. O próximo passo será relacionar essas duas posições àquela que talvez seja a mais típica de todas as objeções à sociologia do conhecimento: a alegação de que ele é uma forma autorrefutadora de relativismo.

O argumento com base na autorrefutação

Pareceu a muitos críticos que, se as crenças de alguém são totalmente causadas e se elas encerram, necessariamente, um componente proporcionado pela sociedade, tais crenças estariam fadadas a serem falsas ou injustificadas. Qualquer teoria sociológica exaustiva a respeito da crença parece, assim, ter caído numa armadilha. Pois não estariam os sociólogos obrigados a admitir que seus próprios pensamentos sejam determinados e até mesmo, em parte, socialmente determinados? Eles não teriam que admitir, portanto, na mesma proporção da força dessa determinação, que suas próprias alegações são falsas? O resultado, ao que parece, é que nenhuma teoria sociológica poderia ser geral em seu alcance ou, do contrário, ela iria reflexivamente emaranhar--se no erro e destruir sua própria credibilidade. A sociologia do conhecimento, portanto, ou não é merecedora de crença ou deve fazer exceções às investigações científicas ou objetivas e confinar-

-se, assim, à sociologia do erro. Não pode haver uma sociologia do conhecimento, em particular do conhecimento científico, que seja geral, causal e autoconsistente.

Pode ser imediatamente visto que tal argumento depende de uma ou de outra das concepções do conhecimento discutidas antes, a saber, do modelo teleológico ou de uma forma de empirismo individual. A conclusão segue se, e apenas se, tais teorias forem assumidas primeiro. Isso porque o argumento toma como uma de suas premissas a ideia central de que a causalidade implica erro, afastamento do rumo ou limitação. Tal premissa pode apresentar-se na forma extrema segundo a qual qualquer causalidade destrói a credibilidade, ou na forma abrandada segundo a qual apenas a causalidade social tem esse efeito. Uma ou outra é crucial para o argumento.

Essas premissas têm sido responsáveis por uma pletora de ataques fracos ou mal argumentados contra a sociologia do conhecimento. Os ataques, quase todos, deixaram de explicitar as premissas sobre as quais repousam. Se o tivessem feito, sua fraqueza teria sido exposta mais facilmente. Sua força aparente deriva do fato de a base real estar escondida ou ser apenas desconhecida. Eis um exemplo de um dos melhores argumentos desse tipo, que deixa bastante claro o ponto de vista do qual deriva.

Grünwald, um dos primeiros críticos de Mannheim, é explícito ao enunciar sua assunção de que a determinação social está fadada a emaranhar um pensador em erro. Na introdução de *Essays on the Sociology of Knowledge* de Mannheim (1952), Grünwald é assim citado: "É impossível proferir qualquer enunciado significativo sobre a determinação existencial das ideias sem possuir um ponto arquimediano para além de toda determinação existencial..." (p.29). Grünwald prossegue com a conclusão de que qualquer teoria que sugira, tal como a de Mannheim, que todo pensamento está sujeito à determinação social deve refutar a si própria. Assim: "Não é preciso um longo argumento para mostrar, para além de qualquer dúvida, que também essa versão de sociologismo é uma forma de ceticismo e, portanto, refuta a si própria; pois a tese de que todo pensamento seja determinado e não possa alegar ser verdadeiro alega que ela própria é verdadeira" (p.29).

Seria uma objeção cogente a qualquer teoria que deveras afirmasse que a determinação existencial implica falsidade. Mas a sua premissa deve ser contestada pelo que ela é: um pressuposto gratuito e uma exigência impraticável. Se o conhecimento dependesse de uma perspectiva fora da sociedade, e se a verdade dependesse de passar por cima do nexo causal das relações sociais, deveríamos então desistir e considerá-lo perdido.

Há uma variedade de formas desse argumento. Uma versão típica salienta que a pesquisa sobre a causalidade da crença apresenta-se ao mundo como correta e objetiva. Portanto, continua o argumento, o sociólogo presume que o conhecimento objetivo seja possível e, com isso, nem todas as crenças são socialmente determinadas. Como expõe o historiador Lovejoy (1940): "Mesmo eles, portanto, necessariamente pressupõem possíveis limitações ou exceções às suas generalizações ao defendê-las." (p.18). As limitações que se diz necessariamente que os "relativistas sociológicos" pressupõem são projetadas para deixar espaço a critérios de verdade fatual e inferência válida. Também essa objeção, portanto, depende da premissa de que a verdade fatual e a inferência válida seriam violadas caso as crenças fossem determinadas – pelo menos socialmente.

Uma vez que esses argumentos tornaram-se tão aceitos, sua formulação tornou-se abreviada e rotineira. Eles podem agora ser expostos em versões tão condensadas como a seguinte, oferecida por Bottomore (1956): "Se todas as proposições são determinadas existencialmente e nenhuma proposição é absolutamente verdadeira, então esta própria proposição, se verdadeira, não é absolutamente verdadeira, mas determinada em termos existenciais" (p.52).

A premissa da qual depende todo o argumento, a saber, que a causalidade implica erro, foi exposta e rejeitada. Os argumentos podem, com isso, ser descartados junto com ela. Se uma crença deve ser julgada verdadeira ou falsa, não tem nada a ver com o fato de ela ter uma causa.

O argumento com base no conhecimento futuro

O determinismo social e o determinismo histórico são ideias estreitamente relacionadas. Aqueles que acreditam na existência de leis que governam os processos sociais e a sociedade perguntam-se se não haveria também leis que governassem sua sucessão histórica e o desenvolvimento. Acreditar que as ideias são determinadas pelo ambiente social é apenas uma forma de acreditar que, num certo sentido, elas são relativas à posição histórica do ator. Não é de surpreender que a sociologia do conhecimento tenha sido criticada por aqueles que acreditam que a ideia mesma de leis históricas está embasada em erro e confusão. Um desses críticos é Karl Popper (1960). O objetivo desta seção é o de refutar tais críticas tanto quanto possam ser aplicadas à sociologia do conhecimento.

A razão pela qual se considera equivocada a busca por leis é que, caso pudessem ser descobertas, permitiriam a possibilidade de previsão. Uma sociologia que fornecesse leis poderia permitir a previsão de crenças futuras. Em princípio, parece ser possível saber como serão as feições da física do futuro do mesmo modo que é possível prever os estados futuros de um sistema físico. Se as leis do mecanismo e sua posição inicial são conhecidas, bem como as massas e forças de suas partes, então todas as posições futuras podem ser previstas.

A objeção de Popper a essa ambição é parcialmente informal e parcialmente formal. Informalmente, ele observa que o comportamento humano e a sociedade não exibem o mesmo espetáculo de ciclos repetidos de eventos que algumas porções limitadas do mundo natural. Desse modo, previsões de longo prazo são improváveis. Pode-se com certeza concordar com isso. O ponto principal do argumento, no entanto, é a questão lógica sobre a natureza do conhecimento. É impossível, diz Popper, prever o conhecimento futuro. A razão é que qualquer previsão desse tipo seria, ela própria, equivalente à descoberta desse conhecimento. O modo como nos comportamos depende daquilo que sabemos; portanto, o comportamento no futuro dependerá desse conhecimento imprevisível e ele será, também, imprevisível. Esse argumento parece depender de uma propriedade peculiar do conhecimento e resulta num abismo entre as ciências naturais e as sociais sempre que estas se atrevam a tratar os humanos como conhecedores. Sugere-se que as aspirações do programa forte, com a busca por causas e leis, são mal direcionadas, e que algo mais modestamente empírico deveria ser cogitado. Talvez a sociologia devesse de novo restringir-se a não mais que uma crônica de erros ou um catálogo de circunstâncias externas que auxiliam ou atrapalham a ciência.

Na verdade, o que Popper quis estabelecer está correto, mas não passa de uma banalidade que, propriamente entendida, serve apenas para enfatizar as similaridades, e não as diferenças, entre as ciências sociais e as naturais. Considere o seguinte argumento, que segue os mesmos passos do apresentado por Popper, mas que, se correto, provaria que o mundo físico é imprevisível. Isso colocará nossas faculdades críticas em ação. O argumento é este: é impossível fazer previsões na física que utilizem ou mencionem processos físicos dos quais não temos conhecimento. Todavia, o decurso do mundo físico dependerá em parte da operação desses fatores desconhecidos. Logo, o mundo físico é imprevisível.

Naturalmente, a objeção que será levantada é a de que tudo isso prova apenas que nossas previsões serão em geral falsas, não que a natureza é imprevisível. Nossas previsões serão falsas sempre que deixarem de levar em conta fatos relevantes que não sabíamos estarem envolvidos. Exatamente a mesma resposta pode ser dada ao argumento contrário às leis históricas. Popper está, na verdade, apresentando um argumento indutivo baseado em nosso registro de ignorância e falha. Tudo o que adverte é que nossas previsões históricas e sociológicas serão em geral falsas. A razão para tanto é corretamente situada por Popper: as ações futuras das pessoas serão quase sempre condicionadas por aquilo que saberão, mas que nós não sabemos por ora e que, portanto, não levamos em conta ao fazer a previsão. Para as ciências sociais, a conclusão correta a ser extraída é a de que não é provável que sejamos bem-sucedidos ao prever o comportamento e as crenças dos outros a não ser que saibamos ao menos tanto quanto eles sobre a sua situação. Não há nada no argumento que possa desencorajar o sociólogo do conhecimento de desenvolver teorias conjeturais com base em estudos de caso empíricos e históricos e testá-las diante de outros estudos. O conhecimento limitado e as vastas oportunidades para o erro irão assegurar que tais previsões sejam quase sempre falsas. Por outro lado, o fato de a vida social depender da regularidade e da ordem dá ensejo à esperança de que algum progresso seja possível. É importante lembrar que o próprio Popper vê a ciência como um panorama sem fim de conjeturas refutadas. Visto que tal visão não pretende intimidar o cientista natural, não há razão para que tenha esse efeito quando aplicada à ciência social – a não ser o fato de Popper ter escolhido apresentá-la dessa maneira.

Ainda assim, a objeção tem que ser enfrentada: o mundo social não nos apresentaria apenas inclinações e tendências em vez da genuína regularidade nomológica do mundo natural? Tendências, é claro, são meras flutuações superficiais e contingentes, não necessidades confiáveis dos fenômenos. A resposta é que essa é uma distinção espúria. Veja os planetas em suas órbitas, por exemplo, símbolos usuais de leis e não de tendências. Na verdade, o sistema solar é apenas uma tendência física. Ele permanece firme porque nada o perturba. Houve um tempo em que ele não existia e é fácil imaginar como poderia ser destruído: um corpo muito massivo poderia passar perto dele ou o Sol poderia explodir. Nem mesmo as leis básicas da natureza exigem que os planetas se movam em elipses. Aconteceu de orbitarem o Sol por causa de suas condições de origem e formação. Ainda que obedecendo à mesma lei de atração, suas trajetórias poderiam ser muito diferentes. Não: a superfície empírica do mundo natural é dominada por tendências. Tais tendências tornam-se mais fortes ou mais fracas graças a uma conjunção subjacente de leis, condições e contingências. Nosso entendimento científico busca aquelas leis que, como somos inclinados a dizer, estão "por detrás" dos estados das coisas observáveis. O contraste entre os mundos social e natural, do qual depende a objeção, deixa de comparar iguais com iguais. Ele compara as leis consideradas subjacentes às tendências físicas com a superfície puramente empírica das tendências sociais.

De modo curioso, a palavra "planeta" originalmente significava "errante". Os planetas chamavam a atenção porque não se conformavam às tendências gerais manifestas no céu noturno. O estudo histórico de Kuhn sobre astronomia, *The Copernican Revolution* (1957), é um registro do quão difícil foi encontrar as regularidades sob as tendências. Se há quaisquer leis sociais subjacentes, isso é uma questão de pesquisa empírica, e não de debate filosófico. Quem sabe quais os fenômenos sociais errantes, sem propósito, se tornarão símbolos de regularidades nomológicas? As leis que emergirem bem poderão não governar massivas tendências históricas, pois estas possivelmente são combinações complexas, como o restante da natureza. Os aspectos nomológicos do mundo social lidarão com fatores e processos que, combinados, produzirão efeitos observáveis do ponto de vista empírico. O brilhante estudo antropológico da professora Mary Douglas, *Natural Symbols* (1973), mostra a aparência presumível de tais leis. Os dados estão incompletos; suas teorias ainda estão em desenvolvimento e, como em todo trabalho científico, não são definitivas, mas podem-se vislumbrar padrões.

Para trazer a discussão sobre as leis e previsões de volta à Terra, pode ser proveitoso terminar com um exemplo. Ele mostrará o tipo de lei que o sociólogo da ciência efetivamente procura. Também ajudará a esclarecer a terminologia abstrata de "lei" e "teoria", que tem pouca circulação na conduta seja da sociologia, seja da história da ciência.

A busca por leis e teorias na sociologia do conhecimento é absolutamente idêntica em relação aos procedimentos à de qualquer outra ciência. Significa que os seguintes passos devem estar presentes. Investigações empíricas localizarão eventos típicos e recorrentes. Tais investigações poderão, elas próprias, ter sido suscitadas por alguma teoria anterior, pela violação de uma expectativa tácita ou por necessidades práticas. Deve-se, em seguida, inventar uma teoria que explique a regularidade. Ela formulará um princípio geral ou um modelo a fim de dar conta dos fatos. Assim fazendo, proporcionará uma linguagem para falar sobre eles e poderá aprimorar a percepção dos próprios fatos. A extensão da regularidade poderá ser vista com mais clareza uma vez que tenha sido aventada uma explicação de sua formulação primitiva e ainda vaga. A teoria ou o modelo poderão, por exemplo, explicar não apenas o porquê de uma regularidade empírica ocorrer, mas também por que, às vezes, não ocorre. Ela poderá servir de guia para as condições necessárias à regularidade e, com isso, para as causas de desacordo e variação. A teoria poderá, por consequência, promover pesquisas empíricas mais refinadas que, por sua vez, poderão exigir mais trabalho teórico: a rejeição da teoria anterior ou sua modificação e aprimoramento.

Todos esses passos podem ser identificados no seguinte caso. Tem sido notado com frequência que as disputas de prioridade sobre descobertas são um traço comum da ciência. Houve a famosa disputa entre Newton e Leibniz sobre a invenção do cálculo; houve rancor em torno da descoberta da con-

servação da energia; Cavendish, Watt e Lavoisier envolveram-
-se na disputa sobre a composição química da água. Biólogos
como Pasteur, médicos como Lister, matemáticos como Gauss,
físicos como Faraday e Davy estiveram todos enredados em
disputas de prioridade. Essa generalização aproximadamente
verdadeira pode assim ser formulada: descobertas provocam
disputas de prioridade.

É possível deixar de lado essa observação empírica e proclamá-
-la irrelevante para a verdadeira natureza da ciência. Pode-se dizer
que a ciência evolui segundo a lógica interna da investigação
científica e tais disputas são meros lapsos, apenas intrusões
psicológicas nos procedimentos racionais. Entretanto, uma abordagem mais naturalista iria apenas apropriar-se dos dados como
ocorrem e inventar uma teoria a fim de explicá-los. Uma teoria
proposta para explicar as disputas de prioridade consideraria que
a ciência funciona segundo um sistema de trocas. "Contribuições"
são comutadas com "reconhecimento" e "reputação" – daí todas
aquelas leis epônimas, como "lei de Boyle" ou "lei de Ohm". Como
o reconhecimento é importante e escasso, haverá contendas e,
portanto, disputas de prioridade (Merton, 1957; Storer, 1966).
A questão que surge é por que não seria óbvio quem foi o autor
de determinada contribuição: por que, afinal, é possível que o
assunto se torne uma disputa? Parte da resposta é que, como a
ciência depende bastante de conhecimento publicado e partilhado, diversos cientistas não raro estão em posição de apresentar
avanços semelhantes. Será uma corrida apertada entre rivais
quase equivalentes. Além disso, e mais importante, há o fato
de as descobertas envolverem maisdo que achados empíricos.
Envolvem questões de interpretação e reinterpretação teórica.
A mudança de significado dos resultados empíricos proporciona
amplas oportunidades para mal-entendidos e relatos equivocados.

A descoberta do oxigênio poderá ilustrar essas complexi-
dades (Toulmin, 1957). Embora Priestley seja frequentemente
creditado pela descoberta do oxigênio, não era assim que ele via

a questão. Para ele, o novo gás que havia isolado era ar deflogisticado. Era uma substância intimamente atrelada aos processos de combustão, tais como concebidos nos termos da teoria flogística. Foi necessário o abandono dessa teoria e a substituição pelo relato da combustão de Lavoisier antes de os cientistas perceberem que lidavam com um gás denominado oxigênio. Os componentes teóricos da ciência são o que proporcionam aos cientistas os termos com os quais percebem as próprias ações e as dos outros. Desse modo, as descrições das ações que estão envolvidas na atribuição de uma descoberta são, precisamente, aquelas que se tornam problemáticas quando acontecem descobertas importantes.

Deve portanto ser possível elucidar o porquê de algumas descobertas serem menos propensas a gerar disputas de prioridade do que outras. A generalização empírica original pode ser refinada. Esse aprimoramento, no entanto, não será uma simples e arbitrária limitação do alcance da generalização. Em vez disso, poderá tomar a forma de uma discriminação entre diferentes tipos de descobertas sugerida pela reflexão sobre a teoria do sistema de trocas. Isso nos permite enunciar de modo aperfeiçoado a lei empírica: descobertas efetuadas em tempos de mudança teórica provocam disputas de prioridade; em tempos de estabilidade teórica, não.

Claro, a questão não termina aqui. Primeiro, a versão aprimorada da lei deve ser testada para ver se é empiricamente plausível. Significa, é evidente, testar uma previsão sobre as crenças e o comportamento dos cientistas. Segundo, uma nova teoria deve ser elaborada para se configurar uma nova lei. Não há necessidade de entrar em detalhes, mas deve-se dizer que foi formulada uma teoria que cumpre essa tarefa. Ela foi proposta por T. S. Kuhn em seu artigo "The Historical Structure of Scientific Discovery" (1962a) e no livro *The Structure of Scientific Revolutions* [A estrutura das revoluções científicas] (1962b). Um capítulo adiante abordará mais essa imagem de ciência.

Por ora não interessa se o modelo de trocas ou o relato de Kuhn sobre a ciência estão corretos. O que está em questão é o modo geral como se relacionam, interagem e se desenvolvem as descobertas empíricas e os modelos teóricos. O caso é que eles funcionam aqui exatamente do mesmo modo como em qualquer outra ciência.

CAPÍTULO 2

Experiência sensorial, materialismo e verdade

O objetivo deste capítulo é continuar o exame do programa forte mediante a discussão mais detalhada da relação entre os componentes empíricos e sociais no conhecimento. O propósito do capítulo anterior era tratar diretamente das assunções equivocadas que estão na base das objeções ao programa forte. Aqui será feita uma tentativa de consolidar essas conclusões com a apresentação de um relato mais positivo. A breve discussão sobre o empirismo precisa ser suplementada e algo tem que ser dito acerca da noção de verdade.

Começarei enfatizando as intuições fundamentais que o empirismo pode fornecer à sociologia do conhecimento. Há grandes perigos em atentar para as imperfeições do empirismo sem exibir suas virtudes. Para o sociólogo da ciência, esses perigos giram em torno da questão da confiabilidade da percepção sensorial e da análise teórica correta a ser dada a casos de percepção errônea na ciência. A percepção errônea tem atraído a atenção dos sociólogos porque ela oferece um caminho tentador para abordar a operação dos fatores sociais na ciência. Isso é legítimo e de grande valor. Mas, caso os sociólogos façam da percepção errônea a característica central de suas análises, eles poderão tornar incompreensíveis a confiabilidade, a reprodutibilidade e a segurança da base empírica da ciência; deixarão de conceder um papel na ciência para os procedimentos, controles e práticas experimentais. Essa prevenção contra a percepção errônea define, expõe e corrige tal perigo. Se os sociólogos forem demasiadamente atraídos por uma ênfase vigorosa e impetuosa sobre a percepção errônea, eles logo pagarão o preço. Sua pesquisa estará confinada à sociologia do erro, não ao conhecimento em geral. Não farão justiça tanto à ciência quanto a eles próprios. Qual é, então, para a sociologia do conhecimento, a importância teórica geral da falta de confiabilidade sensorial? Esboçarei primeiro a análise sociológica mais usual da percepção errônea e, depois, irei ao contra-ataque.

A confiabilidade da experiência sensorial

Psicólogos, historiadores e sociólogos proporcionaram exemplos fascinantes de processos sociais na interação com a percepção, ou com percepção e memória. Os cientistas são treinados de determinadas maneiras e seus interesses e expectativas são dotados de certa estrutura. Eventos não esperados ocorrem debaixo de seus olhos e não são vistos – ou são vistos, mas não suscitam resposta. Nenhum sentido é associado à experiência e nenhuma ação é motivada por ela. Inversamente, pode ocorrer que alguns observadores não vejam nada, ou não detectem nenhum padrão ou ordem em suas experiências, ao passo que outros tenham experiências, ou se recordem de ter tido experiências, que se coadunam com suas expectativas.

Por exemplo, diversos geólogos inspecionaram as estradas paralelas de Glen Roy, na Escócia. Elas são um fenômeno geológico estranho, horizontal, semelhante a estradas, que pode ser observado nas encostas de Glen Roy. Darwin, a bordo do *Beagle*, com sua experiência das praias sul-americanas formadas por sublevação e de origem sísmica, propôs a teoria de que as estradas haviam sido resultado da ação do mar. Agassiz, com sua experiência dos glaciais suíços, tinha outra ideia. As estradas seriam resultado da ação dos lagos represados pelo gelo durante a era glacial. As diferentes teorias levaram a diferentes expectativas a respeito da extensão e posicionamento das estradas e, como seria de esperar, descobertas diferentes foram relatadas por observadores diferentes. Agassiz, cuja teoria glacial triunfou mais tarde, viu, ou acreditou ter visto, estradas onde ninguém desde então tem sido capaz de discerni-las (Rudwick, 1974).

Como devem ser entendidos tais eventos? Uma vez que muitos casos como esse envolvem cientistas que não veem coisas que contradizem sua teoria, uma abordagem tem sido a de assimilá-los ao fenômeno da "resistência à descoberta científica". É assim que Barber os considera ao discutir uma variedade de casos nos quais o ideal da mente aberta foi violado pelos cientistas (Barber, 1961). Tais casos incluem a resistência a novas ideias, teorias e abordagens, a resistência a técnicas pouco usuais, como a utilização da matemática em biologia, assim como a resistência a interpretações que possam ser atribuídas à experiência sensorial.

Em um estudo de caso, Barber e Fox (1958) relatam como um biólogo deu prosseguimento à descoberta acidental e inesperada de que injeções intravenosas de uma determinada enzima fazem amolecer as orelhas de coelhos de laboratório. Apesar de as injeções terem sido originalmente ministradas por outros motivos, esse fenômeno surpreendente levou, é claro, o pesquisador a secionar as orelhas e a esquadrinhá-las sob um microscópio a fim de descobrir o que causou o efeito. Contra um conhecimento de fundo, partilhado por outros colegas, de que a cartilagem da orelha era uma substância inerte e desinteressante, ele concentrou sua atenção no tecido conjuntivo elástico. A cartilagem também foi examinada, mas, como esperado, não pareceu estar envolvida, "as células pareciam saudáveis e os núcleos estavam preservados. Decidi que não havia dano à cartilagem. E isso foi tudo". A aparência uniforme e saudável dos tecidos da orelha foi desconcertante. Qual seria o mecanismo da enzima capaz de causar um efeito tão visível?

O problema das orelhas dos coelhos só ressurgiu alguns anos depois, quando outras pesquisas eram menos prementes e precisou-se de material de ensino para seminários em patologia experimental. Dessa vez, o pesquisador preparou duas seções de orelhas de coelho para demonstração. Atento aos procedimentos de pesquisa dos manuais, um dos coelhos foi tratado com a enzima e o outro não. Sob exame, tornou-se óbvio que as duas lâminas nos microscópios eram diferentes. A até então insuspeita cartilagem havia se alterado com o tratamento ao mostrar uma perda de matriz intercelular, alargamento das células e uma variedade de outros efeitos. O pressuposto prévio de que a cartilagem era inativa indica que os cientistas, como disse Barber, "ficaram cegos devido às preconcepções científicas".

A interpretação teórica geral de Barber é o que nos interessa e que nos levará de volta à questão do quão apropriada é a referência à cegueira nesse caso. Barber argumenta que violações à norma de manter a mente aberta são uma característica constante da ciência. Essas violações têm certas fontes identificáveis, como os comprometimentos teóricos e metodológicos, as grandes reputações profissionais, a especialização e assim por diante. Determinadas características da ciência, que são valiosas ou funcionais em alguns aspectos, mostram-se nocivas em outros.

Aplicado à percepção, isso sugere que algum montante de percepção errônea é consequência direta do mesmo processo que impulsiona a ciência. Essa ideia de que a percepção errônea é em algum sentido normal é de grande valor. Vamos mantê-la firmemente.

A análise de Barber contém uma nota destoante. Ele diz que a percepção errônea é um fenômeno patológico. Como uma doença, ela precisa ser entendida para que possa ser tratada e curada. Talvez seja inevitável que ocorra alguma resistência, mas seu grau deve ser constante e progressivamente diminuído. Contudo, poderia a percepção errônea ser uma consequência tão natural de um aspecto saudável e funcional da ciência e, ao mesmo tempo, querer-se que ela fosse excluída? Certamente não. O argumento de Barber seguiu aqui com a mesma lógica intransigente da famosa discussão sobre o crime de Durkheim em seu *The Rules of Sociological Method* [Regras do método sociológico] (1938). Tentar reduzir a criminalidade seria reprimir forças valiosas que promovem a diversidade e a individualidade. Exerça uma força suficiente para extirpar aquilo que hoje consideramos crimes e outras atividades tomarão seu lugar na lista das ameaças à ordem social. A questão não é haver ou não crimes, mas apenas quais crimes haver. Eles são inevitáveis, praticamente constantes e necessários. Podem ser lastimáveis, mas desejar que sejam reduzidos indefinidamente é compreender mal como a sociedade funciona. O mesmo deve ser dito acerca da percepção errônea.

Essa concepção é inteiramente consistente com a literatura psicológica que recorre às assim chamadas tarefas de reconhecimento de sinais. O problema é detectar um sinal com base em ruídos de fundo; por exemplo, um ponto débil em uma confusa tela de radar. A tendência para decidir se um sinal foi de fato visto está relacionada de modo estrito às consequências conhecidas da decisão. Se os indivíduos efetivamente percebem um sinal, é algo que depende de saberem ou que é importante não perder nenhum sinal, ou que é vital nunca emitir um alarme falso. Ao variar tais parâmetros, produzem-se diferentes padrões de percepção e de percepção errônea. O importante é que as tentativas de reduzir o número de alarmes falsos inevitavelmente levam à perda de sinais. Tentativas de nunca perder um sinal inevitavelmente ocasionam alarmes falsos. Há uma permuta entre diferentes tipos de percepção errônea que é função da matriz social de consequências e significados no interior da qual a percepção ocorre.

A percepção errônea, portanto, é de fato inevitável, quase constante e não pode ser reduzida indefinidamente. Ela está intimamente associada à organização psicossocial da atividade científica. É um indicador valioso desta e uma ferramenta de pesquisa útil. Pode ser usada para detectar a influência de fatores como o comprometimento, a direção do interesse, as diferenças de abordagem teórica e assim por diante.

Esse ponto de vista é de grande valor, mas, se é fácil esquivar-se de algumas de suas implicações, como o fez Barber, é igualmente fácil extrapolá-las de um modo irrefletido e autodestrutivo. A fim de mantê-lo bem ajustado, considere algumas de suas limitações.

Primeiro, o significado dos exemplos históricos e estudos de caso relatados antes não é tão direto como pode parecer. Seriam de fato casos de percepção errônea ou não poderiam, talvez e de modo igualmente plausível, ilustrar a fragilidade de outra faculdade psicológica muito diferente, a saber, da memória? Se Agassiz e Darwin tivessem andado lado a lado por Glen Roy, é difícil acreditar que não fossem capazes de concordar com aquilo que estava diante deles. Ainda que tivessem interpretado de forma diferente o significado do ângulo de uma inclinação, a presença de certos tipos de conchas, seixos ou areia, seguramente teriam concordado sobre quais eram os objetos que cada um interpretava a seu modo. Foi a percepção de Agassiz que sofreu influência de sua teoria ou foi o processo ampliativo e simplificador de relembrar e interpretar retrospectivamente o que viu?

Uma questão semelhante está presente no pesquisador que olha uma amostra de cartilagem através do microscópio. Ele vê algo diferente quando olha para uma amostra isolada e quando pode comparar diretamente as amostras tratada e não tratada? Apesar de, num momento, Barber falar em termos de os cientistas ficarem cegos pelas suas preconcepções, em outros ele fala em termos de uma falha de memória. Ele diz que, no primeiro caso, o pesquisador contava apenas com sua imagem mnemônica para comparar com sua única lâmina de microscópio. Caso a imagem mnemônica fosse fraca ou distorcida, poderia se explicar então o erro de juízo que fez com que o cientista desprezasse a evidência debaixo de seus olhos. (O caráter construtivo da memória foi investigado a partir de um ponto de vista psicossociológico no clássico de Bartlett, *Remembering* [Relembrando](1932).) Esses pontos não são minúcias insignificantes como podem parecer. São importantes por mostrar que quaisquer críticas à percepção sensorial que dependam de exemplos como esses são ambíguas e meras simplificações. São suscetíveis de não fazer jus à percepção sensorial. É perfeitamente consistente sustentar que a percepção sensorial é confiável e, ao mesmo tempo, reconhecer que o envolvimento da memória é sempre passível de suspeição. Qualquer procedimento experimental que dependa dos registros degradáveis da memória, mesmo quando a evidência direta esteja disponível, é contestável do ponto de vista científico.

Pode ser perfeitamente sustentado, ainda, que experimentos de reconhecimento de sinais não apreendam corretamente as circunstâncias nas quais as observações científicas são em geral efetuadas. O objetivo primordial da correta concepção experimental, o uso de instrumentos e grupos de controle, é evitar colocar o observador na posição de ter que realizar discriminações difíceis ou juízos precipitados. Talvez Agassiz simplesmente estivesse apressado, mas bons observadores colocam-se na posição mais favorável possível para realizar suas observações, juízos e comparações. Eles são registrados no momento em que são feitos, e não em retrospecto. Uma amostra é confrontada com o controle, de modo tal que a memória não venha a interferir, e assim por diante. Dadas as condições padronizadas para a observação e as precauções bastante conhecidas que compõem a tradição da técnica experimental, o testemunho dos sentidos pode ser considerado uniforme de pessoa a pessoa e independente de teorias ou comprometimentos. Caso um procedimento experimental não produza resultados uniformes, ou pareça produzir resultados diferentes para diferentes observadores, então, nesse caso, considera-se que o conceito seja ruim ou o experimento tenha sido mal elaborado e é pouco confiável.

Para notar o poder desse empirismo do senso comum, basta lembrar um dos exemplos mais famosos, ou infames, que se enquadraria no modelo da percepção como reconhecimento de sinais. Trata-se da descoberta dos raios N, em 1903, por Blondlot, físico francês e membro da Academia de Ciências. Blondlot acreditou ter encontrado uma nova forma de radiação muito parecida com a dos raios X, que, na época, haviam sido o foco de muitas pesquisas.

Seu aparato consistia de um arame de platina aquecido dentro de um tubo de ferro que possuía uma pequena abertura. Os raios N que não conseguissem atravessar o ferro sairiam pela abertura. O meio de detecção dos raios era deixá-los cair sobre um anteparo muito fracamente iluminado numa câmara escura. Um pequeno aumento de intensidade no anteparo indicava a presença dos raios. Blondlot acreditava que os raios N tinham várias propriedades. Objetos poderiam armazená-los, as pessoas poderiam emiti-los e ruídos interfeririam com eles. Foram observados até mesmo raios N negativos que, sob determinadas condições, reduziriam a iluminação no anteparo (Langmuir, 1968).

O físico R. W. Wood visitou os laboratórios franceses enquanto Blondlot estudava a refração de raios N num prisma de alumínio. Dessa vez, Blondlot acreditava que os raios N não eram monocromáticos, mas constituídos de diversos componentes com diferentes índices de refração. No decorrer de um desses experimentos, e sem ser visto por Blondlot no laboratório escuro, Wood removeu o prisma do aparato. A ação deveria ter interrompido o experimento, mas o desafortunado Blondlot continuou a detectar, no anteparo, o mesmo padrão de sinais que antes havia sido detectado (ver Wood, 1904). O que quer que fosse a causa de suas experiências, não poderia ser os raios N. Talvez esses resultados, assim como o restante do fenômeno, tenham sido causados pela crença de Blondlot nos raios N. O problema residia no conceito experimental de Blondlot. O procedimento de detecção estava no limiar extremo da sensação. Quando a proporção entre o sinal e o ruído é tão desfavorável assim, a experiência subjetiva está à mercê da expectativa e da esperança. As consequências sociais esperadas, a "matriz de resultados" social, tornam-se variáveis cruciais.

O aspecto significativo da descoberta dos enganadores raios N é o quão rápido e unanimemente os físicos britânicos, alemães e americanos perceberam que havia algo de muito errado com os relatos experimentais (Watkins, 1969). Para uma das primeiras teorias fisiológicas sobre os resultados de Blondlot, ver Lummer (1904). Mais ainda, foi incrivelmente fácil para Wood demonstrar o erro. Ele executou um experimento controlado bastante simples: fazer as leituras com e sem o prisma e, portanto, com e sem as alegadas refrações de raios N. Como os resultados são os mesmos, a causa não tem nada a ver com os raios. O lapso foi uma falha de competência pessoal e psicológica de Blondlot e de seus compatriotas. Eles não chegaram a esgotar os procedimentos comuns e padronizados, fato que coloca a confiabilidade de alguns franceses em dúvida, não a percepção como um todo.

Os sociólogos estarão a caminho de uma armadilha se acumularem casos como o de Blondlot e fizerem deles o cerne da imagem que têm da ciência. Estariam subestimando a confiabilidade e a reprodutibilidade de sua base empírica. Seria lembrar-se apenas do início da história de Blondlot e esquecer-se de como e por que ela terminou. Os sociólogos estariam se colocando onde seus críticos, certamente, gostariam de vê-los – ocultos entre os entulhos descartados no quintal da ciência.

As duas linhas do argumento podem agora ser reunidas. Começando por estudos de caso de observações predispostas pela teoria, a conclusão foi a de que certo grau de percepção errônea é inevitável. Em seguida, uma dose de empirismo do senso comum nos fez lembrar que a ciência tem suas normas de ação para bons experimentos e que muitos dos casos de alegada falta de confiabilidade na percepção sensorial foram devidos, na verdade, a atalhos científicos e a falhas com respeito às precauções que convinham. Claro, tais casos são momentâneos, identificáveis e corrigíveis. Felizmente, essas duas linhas de argumentação não são, de modo algum, opostas.

Sempre haverá um fluxo constante de percepções errôneas inevitáveis nos limiares da atenção científica. A ciência tem que ser finita em seus interesses; ela deve ter um limite. Nas proximidades desse limite, eventos e processos irão receber uma atenção necessariamente escassa e flutuante. Aqui é aplicável a analogia do reconhecimento de sinais. Eventos que em retrospecto poderiam ser considerados importantes serão perdidos ou rejeitados.

A situação muda no centro da atenção. Aqui, um número limitado de processos empíricos será o foco de preocupação e debate. As exigências de reprodutibilidade, confiabilidade, boa conceituação experimental e as tentativas para evitar efeitos limiares serão estritamente executadas. Erros serão evitáveis e evitados. Onde não forem evitados, sanções serão aplicadas, seja diretamente por outros pesquisadores, seja pela consciência – a imagem internalizada da repreensão. O cientista, relatado por Barber, que trabalhava com coelhos e que enfim fez uma descoberta ao utilizar procedimentos controlados apropriados, relatou um sentimento de vergonha, "pensar sobre isto ainda me faz contorcer". De modo mais dramático e triste, a carreira de Blondlot foi arruinada. Nada poderia mostrar mais vividamente a operação de normas sociais do que a vergonha e o ostracismo.

O que esses estudos de caso de fato mostram não é o quanto a percepção é incerta, ou que ela seja uma função de nossos desejos, mas o quanto a ciência é exigente no tocante à adoção dos procedimentos padronizados. Tais procedimentos declaram que a experiência somente é admissível à medida que seja pública, impessoal e passível de repetição. É inegável ser possível encontrar experiências que possuam essas características. Entretanto, que o conhecimento deva ser considerado fundamentalmente atrelado a tal aspecto da nossa experiência, é uma norma social. Trata-se de uma ênfase convencional e variável. Outras atividades e outras formas de conhecimento têm outras normas que enfatizam o caráter evanescente, a interioridade e a individualidade da experiência. É também inegável que algumas de nossas experiências têm essa característica e vale lembrar que a ciência nem sempre foi hostil a tais modos (cf. French, 1972; Yates, 1972). Oferecerei agora uma breve caracterização positiva do papel da experiência que mostra como é possível fazer jus à sua influência sobre a crença sem enfraquecer as alegações do programa forte. Ela trará à tona a relação entre a ênfase recém-apresentada sobre a confiabilidade da experiência e as observações feitas antes sobre a inadequação de uma concepção empirista da ciência.

Experiência e crença

A intuição valiosa do empirismo é a sua alegação de que nossa fisiologia garante que algumas respostas ao nosso ambiente material sejam comuns e constantes. Tais respostas são as nossas percepções. A variação cultural é pensada, de modo plausível, como algo imposto sobre uma camada de capacidades sensoriais biologicamente estáveis. Trabalhar com o pressuposto de que a faculdade da percepção seja relativamente estável não estabelece o abandono da concepção segundo a qual seus testemunhos, por si sós, não constituem, e não podem constituir, o conhecimento. Isso porque a experiência sempre atua sobre o estado de crença anterior. Ela é uma causa que precipita uma alteração desse estado de crença. O estado resultante sempre irá decorrer da composição entre a nova influência e o antigo estado de coisas. Isso quer dizer que a experiência pode ocasionar a mudança, mas não determina exclusivamente o estado de crença.

Um modo de guardar na mente essa imagem é tecer uma analogia com o efeito de uma força atuante sobre um sistema de forças. Ela influenciará, mas não determinará exclusivamente a força resultante. Pense aqui no paralelogramo de forças. A analogia é ilustrada na Figura 2.1. Quando variamos o componente que representa a experiência, a crença resultante também varia. É claro que o valor do componente da experiência não corresponde a um único valor da crença resultante sem que primeiro fixemos o estado de crença anterior – algo que precisa sempre ser levado em consideração quando pensarmos sobre que efeitos uma experiência terá. Do mesmo modo, nenhum padrão, ou sequência, de alterações de experiências determina, por si só, um único padrão de alteração de crença. Não é de admirar que apenas observar o mundo não nos permite entrar em acordo sobre qual é o verdadeiro relato a ser dado sobre ele.

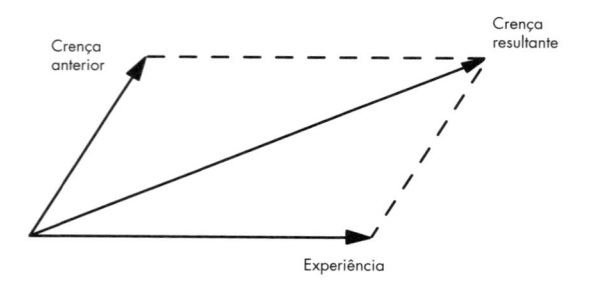

Figura 2.1

Considere o simples exemplo a seguir. Um membro de uma tribo primitiva consulta um oráculo pela aplicação de uma substância herbácea em uma galinha. A galinha morre. O membro da tribo pode observar claramente seu comportamento, assim como nós. Ele diz que o oráculo respondeu à sua questão com um "não". Nós dizemos que a galinha foi envenenada. A mesma experiência, ao atuar sobre diferentes sistemas de crença, produz respostas diferentes. Isso é aplicável tanto no nível superficial daquilo que podemos dizer casualmente sobre o evento quanto no nível mais profundo daquilo que podemos acreditar ser o seu sentido, e de como iremos agir diante disso.

Exemplos científicos do mesmo tipo são muito fáceis de encontrar. Talvez o mais óbvio seja os sentidos diferentes que, em diferentes épocas, foram atribuídos ao movimento diário do Sol. A experiência subjetiva do movimento do Sol é a de que o horizonte atua como referência estável em relação à qual o movimento parece ocorrer. Pressupor que isso vale para todos os observadores é plausível e passível de teste. No entanto, aquilo que se acredita a propósito das reais posições relativas do Sol e da Terra é muito diferente para os seguidores de Ptolomeu em comparação com os de Copérnico.

O componente social nisso tudo é claro e irredutível. Processos como a educação e a formação devem ser invocados a fim de explicar a inclusão e a distribuição dos estados de crença anteriores. Eles são absolutamente necessários para que a experiência produza determinado efeito. Tais processos também são necessários para um entendimento de como as crenças resultantes são mantidas e para explicar os padrões de relevância que associam a experiência a certas crenças em detrimento de outras. Apesar de essa concepção incorporar algumas das intuições do empirismo, implica que nenhuma crença esteja fora do alcance do sociólogo. Há um componente social em todo conhecimento.

Posto que ultimamente o empirismo tenha caído em desgraça em muitos lugares, não seria uma má escolha incorporar esse componente gritantemente empirista à sociologia do conhecimento? O sociólogo não deveria evitar concepções que tenham sido objeto de extensas críticas filosóficas? Se isso quer dizer que o sociólogo deveria resolutamente manter-se à distância da moda filosófica, trata-se então de um instinto salutar. Mas se quer dizer que ele deva manter distância de certas ideias só porque elas caíram em desgraça para os filósofos, então é uma receita de covardia. Em vez disso, o sociólogo e o psicólogo devem explorar quaisquer ideias que lhes sejam úteis e erigir sobre elas quaisquer construções que se mostrem adequadas aos seus propósitos.

A versão do empirismo que está sendo aqui incorporada à sociologia do conhecimento é, na verdade, uma teoria psicológica. Ela diz que nossas faculdades de percepção e pensamento são duas coisas diferentes e que nossas percepções influenciam nosso pensamento mais do que nosso pensamento influencia nossas percepções. Essa forma de empirismo tem um sentido biológico e evolucionário, mas é tão desprezada pelos empiristas de hoje quanto pelos críticos atuais do empirismo. Os filósofos contemporâneos transformaram essa tese psicológica sobre duas faculdades em alegações sobre a existência e a natureza de duas linguagens diferentes: a linguagem dos dados e a linguagem teórica. Ou, ainda, falam do *status* de dois tipos diferentes de crença: aquelas que são imediatamente dadas pela experiência, e que são, com segurança, verdadeiras; e aquelas que são ligadas apenas de modo indireto à experiência, cuja verdade é problemática. Essas alegações são objeto das discussões filosóficas atuais. Tem sido questionada a certeza absoluta, ou mesmo a alta probabilidade, de as crenças declaradas derivarem da experiência. Em um exemplo mais recente, o mesmo ocorre com a concepção das duas diferentes linguagens como um todo (Hesse, 1974).

Deixemos as questões de justificação, lógica e linguagem serem negociadas pelos filósofos à sua moda. O que importa para um estudo naturalista do conhecimento é que ele possa contar com uma imagem vigorosa e plausível do papel da experiência sensorial. Se acontecer de ela estar na mesma linguagem de um antiquado empirismo psicológico, tanto melhor para o nosso legado filosófico. Isso mostra que ela está sendo aceita no mesmo espírito com que foi oferecida (Bloor, 1974).

Materialismo e explicação sociológica

Uma sociologia consistente não poderia jamais apresentar o conhecimento como uma fantasia sem relação com nossas experiências do mundo material que nos cerca. Não podemos viver num mundo de sonhos. Considere como tal fantasia teria que ser transmitida aos novos membros de uma sociedade: ela dependeria da educação, formação, e doutrinação, de influência e pressão sociais. Todas elas pressupõem a confiabilidade da percepção e a habilidade de reconhecer, reter e agir de acordo com discriminações e regularidades percebidas. Corpos humanos e vozes são parte do mundo material e o aprendizado social é parte do aprendizado de como o mundo material funciona. Se temos a constituição e a propensão para aprender uns com os outros, temos que possuir, em princípio, a habilidade de aprender sobre as regularidades do mundo não social. Em diversas culturas, as pessoas fazem precisamente isso a fim de sobreviver. Se o aprendizado social pode fiar-se nos órgãos da percepção, também o podem, portanto, o conhecimento natural e o científico. Nenhum relato sociológico da ciência pode colocar a confiabilidade da percepção sensorial, quando esta é empregada no laboratório ou no trabalho de campo, num patamar mais baixo do que quando é empregada na interação social ou na ação coletiva. Todo o edifício da sociologia presume que nós podemos sistematicamente reagir ao mundo por meio de nossa experiência, ou seja, valendo-se de nossa interação causal com ele. O materialismo e a confiabilidade da experiência sensorial são, pois, pressupostos pela sociologia do conhecimento, e não é permissível recuo algum nesses pressupostos.

A fim de ilustrar o papel de tais fatores, considere a interessante comparação de duas escolas de pesquisa do início do século XIX, efetuada por J. B. Morrell (1972). Morrell comparou o laboratório de Thomas Thomson, em Glasgow, com o de Justus Liebig, em Gissen. Ambos foram pioneiros do ensino universitário de

Química Prática durante a década de 1820. Liebig prosperou e tornou-se famoso mundialmente. Thomson desapareceu por fim na obscuridade e deixou uma marca insignificante na história da disciplina. O projeto a que Morrell se propôs foi o de comparar e contrastar os fatores que produziram uma diferença tão marcante nos destinos das escolas, apesar da semelhança entre elas sob muitos aspectos.

Sua análise é notavelmente simétrica e causal. Ele procede estabelecendo um "tipo ideal" de escola de pesquisa que incorpora todos os fatos e parâmetros que incidem sobre sua organização e sucesso. Uma vez erguido tal modelo, torna-se claro como eram diferentes os casos de Glasgow e de Giessen, apesar de sua estrutura comum. Os fatores a serem considerados são: a constituição psicológica do diretor da escola; os recursos financeiros, poder e *status* junto à universidade; a habilidade em atrair alunos e aquilo que podia oferecer-lhes em termos de motivação e vida profissional; a reputação do diretor junto à comunidade científica; e a escolha de campo e de programa de pesquisa, além das técnicas que havia aperfeiçoado para outras pesquisas.

Thomson era um homem possessivo e sarcástico, que tendia a tratar os resultados do trabalho dos alunos como se fossem de sua propriedade. Ainda que, é claro, tivessem a contribuição reconhecida, os trabalhos seriam publicados em livros de autoria do próprio Thomson. Liebig também podia ser genioso e agressivo, mas era venerado pelos alunos. Ele os encorajava a publicar os trabalhos em seus próprios nomes e comandava um jornal que proporcionava um veículo para esses trabalhos. Também oferecia aos seus alunos o título de Ph.D. e auxílio na carreira acadêmica ou industrial. Um processo educacional útil e contínuo como esse não era oferecido no laboratório de Thomson.

De início, ambos os diretores tiveram que financiar do próprio bolso o funcionamento de suas escolas. Liebig foi o mais bem-sucedido dos dois em conseguir colaboradores para financiar seu laboratório, materiais e pessoal. Ele foi capaz de passar esse encargo ao estado, algo que era completamente impensável na Grã-Bretanha do *laissez-faire*. Após certa dificuldade inicial com sua reputação, Liebig pôde estabelecer-se como professor em uma pequena universidade, sem distrações de seu trabalho principal. Thomson era professor nomeado pela Coroa, e não pela faculdade, em Glasgow, e se sentia um intruso. Estava sobrecarregado de atividades de ensino na vasta escola de Medicina e desperdiçava sua energia com a política e os afazeres da universidade.

Os dois diretores fizeram escolhas marcadamente díspares em seus campos de pesquisa. Thomson foi rápido em perceber o valor e o interesse da teoria atômica de Dalton e empenhou-se em um programa para determinar os pesos atômicos e a composição química de sais e minerais. Uma de suas maiores preocupações era a hipótese de Prout, segundo a qual todos os pesos atômicos eram números inteiros múltiplos do peso atômico do hidrogênio. Thomson partiu daí para a Química Inorgânica. Era um campo bem desenvolvido e nele alguns dos maiores profissionais da época, como Berzelius e Gay-Lussac, estavam bem estabelecidos. Além disso, as técnicas envolvidas exigiam a mais alta habilidade, e a tarefa de empreender análises inorgânicas estava repleta de problemas práticos e complicações. Era difícil alcançar resultados estáveis, úteis e reprodutíveis.

Liebig escolheu o novo campo da Química Orgânica. Desenvolveu um aparato e uma técnica de análise capazes de produzir rotineiramente resultados confiáveis e reprodutíveis. Além do mais, o aparato podia ser utilizado por um aluno mediano competente e esforçado. Em suma, foi capaz de montar algo como uma fábrica, e uma fábrica que produzia o que ninguém na área havia produzido antes.

As conclusões de Thomson e de seus alunos frequentemente se deparavam com o problema de não concordarem com as de outros químicos, e seu trabalho foi criticado por Berzelius.

Os resultados da escola por vezes contradiziam-se e não eram vistos como muito reveladores ou úteis. Thomson estava convencido da precisão de seus resultados, mas para outros eles pareciam meramente acidentais ou pouco esclarecedores. Em comparação, ninguém podia fazer frente a Liebig e seus alunos.

A questão metodológica crucial no presente contexto é a de decidir o que exemplos como esse dizem sobre o papel de nossa experiência do mundo material nas explicações sociológicas da ciência. Defenderei que levar em consideração o modo como o mundo material se comporta não interfere nem no caráter causal nem no caráter simétrico das explicações sociológicas.

Não se nega que parte das razões pelas quais Liebig foi bem-sucedido é devida ao mundo material ter respondido com regularidade quando sujeito ao procedimento de seu aparato. Ao contrário, quem quer que se comporte do mesmo modo que Thomson com respeito ao mundo material não encontrará regularidades. É presumível que seus procedimentos perpassassem e entrelaçassem indiferentemente os processos físicos e químicos em operação nas substâncias que examinava. O padrão, tanto do comportamento humano quanto da consequente resposta da experiência, é diferente em cada caso.

O estilo geral da explicação do destino das duas escolas de pesquisa é, não obstante, idêntico nos dois casos. Ambos devem ser entendidos mediante a referência a uma "entrada de dados" proporcionada pelo mundo. Ambos iniciam com a confrontação do comportamento do cientista em face de certas partes selecionadas de seu ambiente. Nesse sentido, até agora as duas explicações são simétricas uma em relação à outra. O relato passa então a lidar, ainda de modo inteiramente simétrico, com o sistema de crenças, padrões, valores e expectativas existentes, sobre o qual atuaram aqueles resultados. É claro que havia causas diferentes em operação nos dois casos, do contrário não haveria efeitos diferentes. A simetria reside nos tipos de causa.

A diferença dos resultados dos laboratórios é apenas parte de um amplo processo causal que culminou com o diferente destino das duas escolas. Ela não é, por si só, uma explicação suficiente desses fatos. Não seria adequado dizer que os fatos da Química explicariam por que um dos programas foi mal sucedido e o outro, bem-sucedido. Ainda que com exatamente o mesmo comportamento no laboratório e os mesmos resultados experimentais, o destino das duas escolas poderia ser o oposto. Por exemplo, suponha que ninguém tivesse se interessado muito pela Química Orgânica. Os esforços de Liebig teriam sido frustrados tais como os do biólogo Mendel o foram. Ele poderia ter sido ignorado. Ou, por outro lado, suponha que a Química Inorgânica não tivesse sido tão ativamente estudada quando Thomson abriu sua escola. Suas contribuições teriam se destacado de forma mais proeminente. Com as oportunidades e os encorajamentos que uma reputação mais elevada teria proporcionado, sua escola poderia ter prosperado e realizado, enfim, contribuições bem diferentes e mais duradouras. Ela também poderia ter se tornado uma fábrica bem-sucedida com métodos confiáveis de produção.

Há uma situação na qual se pode admitir que a Química, sozinha, seja a causa de uma diferença, seja na crença, na teoria, na avaliação ou, como nesse caso, no destino das duas escolas de pesquisa. Isso ocorreria se todos os fatores sociais, psicológicos, econômicos e políticos fossem idênticos, ou diferissem apenas em questões menores ou irrelevantes. Mesmo tal situação não constituiria, na verdade, um recuo do programa forte. Ela não tornaria os fatores sociais irrelevantes para a explicação como um todo. Eles ainda estariam fortemente ativos, mas seriam deixados de lado nesse instante apenas porque estariam equilibrados ou "controlados" com perfeição. A estrutura completa da explicação, mesmo em casos como esse, seria igualmente causal e simétrica.

Verdade, correspondência e convenção

A verdade é um conceito muito saliente em nosso pensamento, mas até agora pouco foi dito sobre ela. O programa forte prescreve aos sociólogos desconsiderá-la, no sentido de tratar de modo igual, para os propósitos de explicação, crenças verdadeiras e falsas. Pode parecer que a discussão da última seção tenha violado tal condição. Dito sem rodeios, o laboratório de Liebig não teria prosperado porque ele realmente descobrira verdades sobre o mundo e o de Thomson não teria fracassado pelos erros em seus resultados? O destino desses empreendimentos certamente dependeu de questões de verdade e falsidade e, assim, parece que enfim elas desempenham um papel central. A ligação entre a verdade e o programa forte deve ser esclarecida, em especial naquelas partes do programa que enfatizam uma atuação causal do mundo tal como se mostra nos resultados experimentais e nas percepções sensoriais.

Há poucas dúvidas sobre o que queremos dizer quando falamos da verdade. Queremos dizer que alguma crença, julgamento ou afirmação corresponde à realidade e que ela capta e retrata como as coisas são no mundo. Falar assim é provavelmente universal. A necessidade de rejeitar o que algumas pessoas dizem, e de afirmar o que outras falam, é básica à interação humana. Pode parecer uma infelicidade, portanto, que essa concepção comum da verdade acabe por se mostrar tão vaga. A noção de correspondência entre o conhecimento e a realidade da qual ela depende é difícil de caracterizar de modo claro. Diversas palavras, como "adequação", "acordo" ou "figuração", poderiam ser sugeridas, mas dificilmente uma é melhor que a outra. Em vez de tentar definir o conceito de verdade com mais precisão, uma abordagem diferente será adotada. Ela consiste em perguntar que uso é feito do conceito de verdade e como a noção de correspondência funciona na prática. Ficará claro que a subjetividade do conceito de verdade não é surpreendente nem representa um entrave.

A fim de deixar a questão mais tangível, considere de novo o exemplo da teoria do flogisto. O flogisto foi preliminarmente identificado como o gás que chamamos de hidrogênio. Os químicos do século XVIII sabiam como preparar esse gás, mas suas ideias a respeito das propriedades e do comportamento dele eram muito diferentes das nossas. Eles acreditavam, por exemplo, que o flogisto seria absorvido por uma substância que denominavam "minium" ou "cal de chumbo" – que nós depois chamaríamos de "óxido de chumbo". Além disso, eles acreditavam que o minium, ao absorver o flogisto, transformava-se em chumbo (cf. Conant, 1966).

Joseph Priestley foi capaz de oferecer uma demonstração convincente dessa teoria. Ele utilizou um tubo invertido cheio de flogisto que foi selado por uma cuba com água (ver Figura 2.2). Sobre a água, flutuava um cadinho com um pouco de minium, que foi aquecido pela luz solar concentrada por uma lente. O resultado foi exatamente o que ele esperava. O minium transformou-se em chumbo e, como indicação de que ele absorvera o flogisto, o nível da água no tubo aumentou consideravelmente. Aqui estava, por certo, uma demonstração de que a teoria correspondia com a realidade.

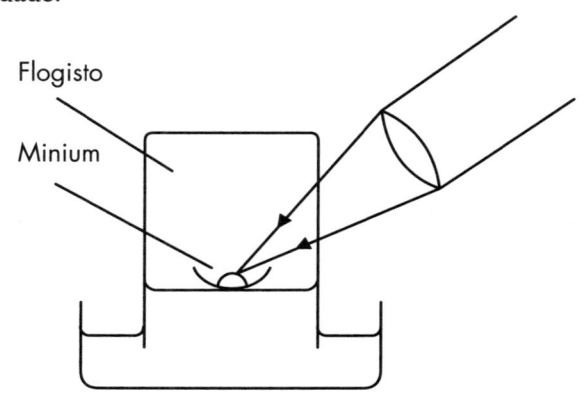

Figura 2.2 Absorção do flogisto pela cal de chumbo.

Um empirista poderia corretamente frisar que nós podemos ver o nível da água subir, mas que não vemos, de fato, o flogisto ser absorvido pelo minium. Não há experiência alguma de vermos o gás adentrar nos minúsculos poros ou aberturas da sua superfície do mesmo modo que vemos a água do banho descer pelo ralo. A realidade que a teoria postula, portanto, não está visivelmente de acordo com a teoria. Não temos acesso a essa parte do mundo e não podemos, pois, ver a correspondência com a teoria. O indicador de verdade que efetivamente utilizamos é se a teoria funciona. Damo-nos por satisfeitos quando encontramos uma visão teórica do mundo que opere isenta de dificuldades. O indicador de erro é o fracasso em estabelecer e manter essa relação de funcionamento com previsões bem-sucedidas. Uma forma de expor esse ponto seria dizer que há um tipo de correspondência que de fato utilizamos: não a correspondência da teoria com a realidade, mas a correspondência da teoria com ela mesma. A experiência, tal como interpretada pela teoria, é submetida ao crivo da consistência interna sempre que isso for considerado importante. O processo de avaliar uma teoria é interno. Não é interno no sentido de ser desligado da realidade, pois é obvio que a teoria está atrelada a ela pelo modo como designamos os objetos, nomeamos e identificamos substâncias e eventos. Mas, uma vez que as ligações tenham sido estabelecidas, o sistema como um todo deve manter certo grau de coerência. Uma parte tem que se conformar à outra.

Com efeito, o experimento antes descrito resulta tanto em problemas quanto em apoio à teoria do flogisto. Priestley percebeu, ao fim, que algumas gotas de água se formaram dentro do tubo de gás durante o experimento. Como ele havia realizado o experimento sobre a água, isso pode ter passado despercebido de início. Com certeza não eram esperadas e a presença delas indicaria problemas para a teoria. Em nenhum momento a teoria afirmou que se formaria água, mas repetir o experimento sobre o mercúrio deixou claro que isso ocorria. Sendo assim, havia surgido uma falta de correspondência.

Não é necessário olhar por detrás dos panos para estarmos cientes da não correspondência. A realidade não nos fez considerar a teoria falsa por uma falta de correspondência com seu funcionamento interno. O que ocorreu foi que uma situação anômala surgiu em uma dada concepção teórica sobre o experimento. O que Priestley fez foi remover a anomalia ao elaborar a teoria. Novamente, o seu guia aqui não foi a realidade, mas a própria teoria; foi um processo interno. Ele concluiu que o minium deveria conter água, algo que ninguém havia percebido. Quando ele foi aquecido, essa água surgiu e apareceu nas paredes do tubo de gás. Ele fez uma descoberta sobre o papel da água e a correspondência havia sido, com isso, restabelecida.

É conveniente comparar a análise de Priestley sobre o experimento com a nossa versão, pois, no que nos diz respeito, sua teoria, e ainda mais a versão por ele corrigida, não corresponde em absoluto com a realidade. Não diríamos que o flogisto foi absorvido pelo minium ou que a água surgiu do minium. Diríamos que o gás no tubo é hidrogênio e que o minium é óxido de chumbo. Ao aquecê-lo, o oxigênio se desprende do óxido e deixa o chumbo. Esse oxigênio combina-se então com o hidrogênio e forma a água. Durante essa reação o gás é consumido, o que eleva o nível, ou de mercúrio ou de água, no tubo de gás.

Nós vemos exatamente aquilo que Priestley viu, mas o concebemos teoricamente de modo bem diferente. Não mais do que Priestley, temos acesso aos aspectos ocultos da realidade, assim como nossas concepções são também apenas uma teoria. De maneira indiscutível, estamos completamente justificados em preferir a nossa teoria, pois sua coerência interna pode ser mantida em um número maior de casos de experimentos e experiências teoricamente interpretadas.

Agora é possível perceber por que a relação de correspondência entre teoria e realidade é vaga. Em nenhuma ocasião tal correspondência foi sequer percebida, conhecida ou, consequentemente, utilizada de algum modo. Nós nunca temos o acesso independente à realidade que seria necessário para que ela viesse a ser confrontada com nossas teorias. Tudo o que temos, e tudo de que precisamos, são nossas teorias e nossa experiência do mundo, nossos resultados experimentais e interações sensório--motoras com objetos manipuláveis. Não é de surpreender que a terminologia que se refere a tal relação inescrutável seja vaga, mas uma suposta ligação que não tem nenhum papel em nosso pensamento pode ser abandonada à subjetividade, pois nada se perde com isso.

Os processos do pensamento científico podem, e devem, prosseguir por completo com base nos princípios internos de avaliação. Eles são impulsionados pela percepção do erro quando este eclode nos elementos de nossas teorias, propósitos, interesses, problemas e padrões. Se Priestley não estivesse interessado em desenvolver um relato detalhado de todos os eventos que podia detectar numa reação química, não teria dado a mínima para algumas gotas de água caso as percebesse. De modo semelhante, se não tivéssemos a intenção de obter teorias mais e mais gerais, poderíamos ter permanecido confortáveis com a versão de Priestley. Para alguns propósitos, ela corresponde, e bem o bastante, à realidade. Tal correspondência somente é perturbada se ela for de encontro às nossas exigências. O motor da mudança é interno a tais exigências, e às nossas teorias e experiências. Há tantas formas de correspondência quanto são as exigências.

Isso coloca um problema para a noção de verdade. Por que, então, não a abandonamos por completo? Deve ser possível conceber as teorias inteiramente como instrumentos convencionais para lidar com nosso ambiente e nos adaptarmos a ele. Uma vez que estão sujeitas às nossas exigências cambiantes de precisão e utilidade, o desenvolvimento e a utilização de teorias parecem ser completamente explicáveis. Que função a verdade, ou o que se diz sobre ela, desempenha em tudo isso? É difícil presumir que muito se perderia com tal ausência. Não há dúvidas, no entanto, de que ela é uma terminologia que surge com naturalidade e de que é considerada peculiarmente conveniente.

A nossa ideia de verdade tem um grande número de empregos que são desinteressantes, exceto por permitir mostrar sua compatibilidade com o programa forte e com a ideia de correspondência pragmática e instrumental que veio à tona na discussão. Primeiro, há o que pode ser denominado de função discriminatória. Temos a necessidade de ordenar e selecionar nossas crenças. Devemos distinguir aquelas que funcionam daquelas que não. "Verdadeiro" e "falso" são os rótulos tipicamente usados e são tão bons quanto quaisquer outros, embora um vocabulário explicitamente pragmático também funcionasse bem.

Segundo, há a função retórica. Esses rótulos cumprem um papel na argumentação, na crítica e na persuasão. Se nosso conhecimento estivesse sob o controle apenas dos estímulos do mundo físico, não haveria problema sobre no que acreditar. Mas nós não nos adaptamos mecanicamente ao mundo devido ao componente social em nosso conhecimento. Esse aparato convencional e teórico apresenta um problema contínuo de sustentação. A linguagem da verdade está profundamente ligada ao problema da ordem cognitiva. Por um lado, falamos de verdade em geral para que possamos assim recomendar esta ou aquela alegação particular. Por outro, a verdade é invocada precisamente como a ideia de algo que seja distinto em potencial de qualquer opinião recebida. Ela é pensada como algo que transcende a mera crença. Tem essa forma porque é o nosso modo de colocar um ponto de interrogação em tudo aquilo que desejamos pôr em dúvida, modificar ou consolidar. Quando afirmamos a verdade ou reconhecemos e denunciamos um erro, não há a necessidade, é claro, de termos um acesso privilegiado ou uma intuição irrevogável sobre essas coisas. A linguagem da verdade nunca precisou disso. Ela estava tão disponível, e tão legitimamente disponível, a Priestley, com sua teoria do flogisto, quanto a nós.

Tudo isso é muito similar à função discriminatória, exceto que agora os rótulos podem ser vistos com ares de transcendência e autoridade. A natureza da autoridade pode ser identificada de imediato. Sempre que qualquer concepção teórica do mundo tenha alguma autoridade, esta só pode advir das ações e opiniões das pessoas. Foi precisamente aqui que Durkheim situou o caráter obrigatório da verdade quando criticou os filósofos pragmatistas (veja os excertos em Wolff, 1964; Giddens, 1972). A autoridade é uma categoria social e apenas nós podemos exercê-la. Esforçamo-nos para transmiti-la às nossas opiniões e assunções mais arraigadas. A natureza tem poder sobre nós, mas apenas nós possuímos autoridade. Em certa medida, a transcendência associada à verdade terá a mesma origem social, mas isso também indica a terceira função da noção de verdade.

Ela é o que pode ser denominado por função materialista. Todo o nosso pensamento assume instintivamente que existimos em um ambiente externo comum que tem uma estrutura determinada. O grau exato de estabilidade não é conhecido, mas ele é estável o bastante para muitos propósitos práticos. Os detalhes de seu funcionamento são obscuros, mas, apesar disso, muito sobre ele é presumido como certo. As opiniões sobre sua resposta aos nossos pensamentos e ações variam, mas, na prática, a existência de uma ordenação externa do mundo nunca é objeto de dúvidas. Pressupõe-se que ele seja a causa de nossa experiência e a referência comum do nosso discurso. Resumirei tudo isso sob o nome de "materialismo". Quase sempre, quando utilizamos a palavra "verdade", queremos dizer apenas isto: como o mundo é. Com essa palavra, disponibilizamos e afirmamos esse esquema último com o qual pensamos. É evidente que , tal esquema é preenchido de diversos modos diferentes. O mundo pode ser povoado por espíritos invisíveis em uma cultura e por partículas atômicas sólidas e indivisíveis (mas igualmente invisíveis) em outra. O rótulo de materialismo é apropriado uma vez que enfatize o núcleo comum de pessoas, objetos e processos naturais que desempenham um papel em nossas vidas de modo tão proeminente. Esses exemplos comuns e salientes de uma natureza externa são o que proporcionam os modelos e exemplares por meio dos quais damos sentido a teorias culturais mais esotéricas. Eles proporcionam nossa mais resistente, pública e vívida experiência da exterioridade.

Essa terceira função da noção de verdade pode ser utilizada para superar uma objeção que talvez pese sobre a minha análise. Eu havia dito que nós escolhemos, ou questionamos, ou afirmamos, e que tomamos por verdadeiras quaisquer coisas que concluam esses processos. Pode parecer que é argumentar em círculos, pois poderiam tais processos ser descritos sem se pressupor a noção de verdade? Não é em nome da verdade que questionamos e afirmamos aquilo que achamos ser verdadeiro? Seria certamente um erro usar a noção de afirmação para explicar a noção de verdade. Em vez disso, a ideia de verdade seria necessária para entendermos a ideia de afirmação. A resposta é que aquilo que é necessário para entendermos a ideia de afirmação é a ideia instintiva, porém totalmente abstrata, de que o mundo, de um modo ou de outro, permanece e que há estados de coisas sobre os quais podemos falar. É o que o esquema de ideias que chamei de pressuposição materialista do nosso pensamento proporciona. Todas as questões substantivas e todas as contendas particulares têm que ser travadas independentemente e em seus próprios termos. Aquele que triunfar nessas disputas por poder fez por merecer a coroa da vitória. Na prática, portanto, as escolhas e afirmações têm prioridade.

(A ideia geral de verdade nunca deve ser confundida com os critérios que são utilizados, em qualquer contexto particular, para julgar se uma alegação específica deve ser aceita como verdadeira. Isso seria assumir que a mera noção de verdade pode funcionar como critério substancial de verdade. Tal equívoco é central nas alegações antirrelativistas de Lukes (1940).)

É muito fácil de aceitar que devemos ordenar e selecionar crenças, que devemos afirmá-las e laurear o consenso com a autoridade, e que devemos relacionar, de maneira instintiva, as crenças a um ambiente externo de causas. Além disso, tudo está em conformidade com o programa forte. Em particular, o pressuposto de um mundo material, ao qual nós estabelecemos uma variedade de adaptações, é exatamente a imagem pressuposta pela noção de correspondência pragmática e instrumentalista. Os assuntos que vieram à tona podem agora ser relacionados, ainda que rapidamente, ao problema de Liebig e Thomson.

Quando lançamos mão da verdade e da falsidade para explicar os diferentes destinos de Liebig e Thomson, usamos esses termos para rotular as diferentes circunstâncias em que se encontravam. Liebig podia produzir resultados reprodutíveis. Ele havia encontrado um modo de obter uma resposta regular da natureza. Thomson, não. Se uma pessoa consegue produzir maçãs sem bichos e outra não, a diferença pode, é claro, explicar suas futuras condições econômicas – dado certo cenário de preferências de mercado. Utilizar a linguagem da verdade e falsidade para assinalar tal distinção no caso do trabalho científico é habitual e aceitável; é um amálgama das funções que acabaram de ser descritas; realça circunstâncias causalmente relevantes e suas relações com propósitos e preferências culturais. Seria um desastre para o programa forte estar em desacordo com tal uso da linguagem da verdade e falsidade. Mas ele não está. O uso ao qual ele se opõe é bem diferente, a saber, primeiro fazer uma avaliação com relação à verdade ou falsidade e, em seguida, subordinado a tal avaliação, adotar diferentes estilos de explicação para crenças verdadeiras ou falsas. Por exemplo, utilizar explicações causais para o erro, mas não para a verdade. Equipara-se, dessa maneira, a noção de verdade a um esquema teleológico em vez de mantê-lo sob a linguagem causal do pensamento cotidiano.

A ideia segundo a qual as teorias científicas, os métodos e os resultados aceitos são convenções sociais sofre a oposição de uma série de argumentos peculiares, que agora devem ser examinados. Geralmente, assume-se que, se algo é uma convenção, então é "arbitrário". Ver as teorias científicas e os resultados como convenções, diz-se, implica serem eles verdadeiros apenas por uma decisão, e qualquer decisão poderia ter sido tomada. A resposta é que convenções não são arbitrárias. Nem tudo pode tornar-se uma convenção. Além disso, decisões arbitrárias cumprem um papel irrisório na vida social. Os constrangimentos sobre aquilo que pode se tornar convencional, ou uma norma, ou uma instituição, são a credibilidade social e a utilidade prática. As teorias têm que funcionar com o grau de precisão e dentro do âmbito que convencionalmente se espera delas. Tais convenções não são nem autoevidentes, nem universais, nem estáticas. Além disso, as teorias científicas e os procedimentos têm de ser consoantes a outras convenções e propósitos que prevalecem em um grupo social. Eles encontram um problema "político" de aceitação como qualquer outra recomendação política.

Pode-se insistir na questão: a aceitação de uma teoria por um grupo social a torna verdadeira? A única resposta a ser dada é "não". Não há nada no conceito de verdade que permita a crença tornar verdadeira uma ideia. Sua relação com a imagem materialista fundamental de um mundo independente evita que isso se dê. Esse esquema mantém permanentemente aberto o fosso entre o conhecedor e o conhecido. Mas se a questão for assim parafraseada: a aceitação de uma teoria a torna o conhecimento de um grupo, ou faz com que ela seja a base para seu entendimento e sua adaptação ao mundo? A única resposta a ser dada é "sim".

Outra objeção, quanto a considerar o conhecimento como algo que repouse sobre alguma forma de consenso social, deriva do medo de que o pensamento crítico esteja com isso ameaçado. Foi dito que em tal concepção a crítica radical é impossível (Lukes, 1940). O que a teoria de fato prevê é que a crítica radical do conhecimento de um grupo social será possível somente em determinadas circunstâncias. São elas: primeiro, que mais de um conjunto de critérios e convenções estejam disponíveis e que mais de uma definição de realidade seja concebível. Segundo, que existam alguns motivos para explorar tais alternativas. Em uma sociedade altamente diversificada, a primeira condição sempre será satisfeita. Na ciência, entretanto, a segunda condição nem sempre será satisfeita. Por vezes, os cientistas irão avaliar que se ganha mais com a conformidade aos procedimentos e às teorias normais do que com seu afastamento. Os fatores que entram nessa avaliação constituem, por si sós, um problema sociológico e psicológico.

Um exemplo simples servirá para ilustrar o ponto geral de que as convenções não se interpõem à crítica radical. Aliás, sem elas tal crítica seria impossível. Francis Bacon foi um dos grandes propagandistas da ciência. Juntamente com outros, ele era um crítico implacável daquilo que via como a escolástica degenerada das universidades. Em seu lugar, ele gostaria de ver a forma de conhecimento associada aos artesãos e artífices, que era prática, útil e ativa. Utilizou-se assim de critérios, hábitos, interesses e convenções de uma parcela da sociedade como parâmetro para ponderar outros tipos de aprendizado. Não buscou, e não poderia ter encontrado, nenhum critério suprassocial. Não há um ponto arquimediano.

Para que a condição de reflexividade seja satisfeita, tem de ser possível aplicar esse relato como um todo à própria sociologia do conhecimento, sem que com isso a solapemos de algum modo. Algo seguramente possível. Não há razões pelas quais um sociólogo, ou qualquer outro cientista, deva sentir-se envergonhado em ver suas teorias e métodos provirem da sociedade, ou seja, como o produto de influências e de recursos coletivos e como peculiar à cultura e suas circunstâncias presentes. Com efeito, caso o sociólogo tentasse evitar a consciência dessa percepção, ele estaria denegrindo o assunto de sua própria ciência. Com certeza não decorre de tal reconhecimento que a ciência deva ser indiferente à experiência ou descuidada dos fatos. Afinal de contas, quais são as condições convencionais impostas hoje em dia pelo meio social a quaisquer ciências? Elas são aquilo que presumimos ser o método científico tal como praticado nas várias disciplinas. Dizer que os métodos e resultados da ciência são convenções não os faz "meras" convenções. Seria cometer a inqualificável tolice de pensar que convenções são coisas que podem ser trivialmente satisfeitas e nem um pouco exigentes por natureza. Não poderia haver engano maior. As exigências convencionais não raro nos forçam ao limite extremo de nossas capacidades física e mental. Um caso extremo pode nos fazer lembrar disso: pense nas relatadas proezas de resistência a que são submetidos os indígenas americanos a fim de serem iniciados como guerreiros em suas tribos. Que as teorias e ideias científicas estejam devidamente adaptadas às condições convencionais que se espera que cumpram significa, entre outras coisas, que façam previsões bem-sucedidas. Essa é uma severa disciplina à qual submetemos nossa constituição mental, mas não deixa de ser uma convenção.

Sem dúvida ficará a sensação de que foi cometida alguma obscenidade. Ainda será dito que a verdade foi reduzida à mera convenção social. Tal sensação é a força motriz por detrás de todos os argumentos particulares contra a sociologia do conhecimento que foram examinados nos últimos dois capítulos. Os argumentos foram enfrentados e rejeitados, mas talvez permaneça a sensação. Vamos tomá-la, enfim, como um fenômeno por conta própria e tentar explicar sua presença. Sua existência pode revelar algo de interessante sobre a ciência – pois algo na natureza da ciência tem que provocar essa resposta preventiva e defensiva.

CAPÍTULO 3

Fontes de resistência
ao programa forte

Suponha que alguma das objeções particulares ao programa forte mostre-se insuperável. O que isso significaria? Significaria que há uma ironia e uma estranheza formidáveis bem no âmago da nossa cultura. Se a sociologia não pudesse ser exaustivamente aplicada ao conhecimento científico, significaria que a ciência não poderia conhecer a si mesma do ponto de vista científico. Ao passo que o conhecimento de outras culturas, bem como os elementos não científicos da nossa própria cultura, podem ser conhecidos por meio da ciência, esta, dentre todas as coisas, não pode receber o mesmo tratamento. Isso faria dela um caso especial, uma constante exceção à generalidade dos próprios procedimentos.

Aqueles que escarnecem da sociologia por intermédio da autorrefutação só podem oferecer argumentos porque estão dispostos a aceitar uma limitação autoimposta à própria ciência. Por que alguém estaria disposto a isso? Como pode parecer correto e apropriado fazer da ciência uma exceção a ela própria quando a generalidade irrestrita parece tão obviamente desejável? Quando tais questões tiverem sido investigadas, creio que a fonte de todos os argumentos particulares levantados contra o programa forte terá sido enfim localizada.

A fim de entender as forças que produzem essa estranha feição de nossas atitudes culturais, será necessário desenvolver uma teoria sobre a origem e a natureza de nossas impressões sobre a ciência. Para tanto, recorrerei à obra de Durkheim (1915), *The Elementary Forms of the Religious Life* [As formas elementares da vida religiosa]. A teoria que irei propor dependerá de uma analogia entre ciência e religião.

Uma abordagem durkheimiana da ciência

A razão da resistência a uma investigação científica da ciência pode ser esclarecida com um recurso à distinção entre o sagrado e o profano. Para Durkheim, a distinção encontra-se no cerne do fenômeno religioso. Ele diz:

> Mas a verdadeira característica dos fenômenos religiosos é sempre supor uma divisão bipartida do universo, conhecido e conhecível, em duas classes que abarcam tudo o que existe, mas que se excluem mutuamente de modo radical. As coisas sagradas são aquelas que as interdições protegem e isolam. As coisas profanas, aquelas a que se aplicam tais interdições e que devem permanecer à distância das primeiras. As crenças religiosas são representações que expressam a natureza das coisas sagradas e as relações que elas mantêm, seja entre si, seja com as coisas profanas (p.56).

A atitude intrigante para com a ciência seria explicável caso ela estivesse sendo tratada como algo sagrado e, como tal, algo a ser mantido a uma distância respeitosa. Talvez por isso seus atributos sejam considerados capazes de transcender e resistir a comparações com tudo aquilo que não seja ciência, mas tão somente crença, preconceito, hábito, erro e confusão. Presume-

-se então que o funcionamento da ciência siga princípios que não estão amparados naqueles que operam no mundo profano da política e do poder; nem podem ser comparados a eles. Não seria estranho utilizar uma metáfora religiosa para esclarecer a ciência? Não seriam esses princípios antagônicos? A metáfora poderia soar tanto inapropriada quanto ofensiva. Aqueles que encontram na ciência a epítome mesma do conhecimento dificilmente concederiam à religião validade semelhante, portanto é de esperar que vejam a comparação com antipatia. Essa reação deixa escapar o argumento que pretende fazer uma comparação entre duas esferas da vida social e sugerir que princípios similares estão em ação em ambas. A intenção não é depreciar uma ou outra, ou causar desconforto aos praticantes de cada área. O comportamento religioso é fundamentado na distinção entre o sagrado e o profano e as manifestações de tal distinção são similares à atitude frequentemente tomada para com a ciência. Esse ponto de contato sugere que outras intuições sobre a religião também possam ser aplicáveis.

Se a ciência é de fato tratada como algo sagrado, isso explicaria o porquê de não ser aplicada a ela mesma? O sagrado não poderia entrar em contato consigo mesmo? Onde está a profanação que exige do sociólogo desviar seu olhar da ciência? Um modo de responder à última questão parece ser o seguinte: muitos filósofos e cientistas não consideram em absoluto a sociologia da ciência como parte da ciência. Desse modo, ela pertence à esfera do profano e fazê-la relacionar-se com a ciência propriamente dita seria pôr o profano em contato com o sagrado. Mas essa resposta ignora a questão crucial – por que, antes de tudo, considera-se que a sociologia do conhecimento está fora da ciência? O argumento dos capítulos anteriores foi o de que nada relativo aos métodos da sociologia poderia excluí-la da ciência. Sugere-se, portanto, que seu objeto seja o responsável por essa exclusão. Ao fim, talvez a tendência em negar-lhe o *status* privilegiado de ciência não seja fortuita. Não se trata apenas de a sociologia da ciência estar fora da ciência e, dessa posição, representar uma ameaça. Em vez disso, tem que estar fora da ciência, pois o objeto por ela escolhido torna-a uma ameaça: ela ameaça pela própria natureza. Do mesmo modo, pode-se sugerir que a sociologia do conhecimento não seja considerada ciência porque é muito jovem e ainda não tão desenvolvida. Por falta de envergadura, é excluída da ciência, portanto é profana e representa uma ameaça. Mais uma vez, omite-se uma questão decisiva: afinal, por que ela haveria de ser tão subdesenvolvida? Acaso não estaria sendo retardada por um desinteresse enfático em se examinar a natureza do conhecimento de modo franco e científico? Em outras palavras, a sociologia do conhecimento não constitui uma ameaça porque é subdesenvolvida; é subdesenvolvida porque constitui uma ameaça.

Tais considerações nos levam de volta à questão original: por que o caráter sagrado do conhecimento científico haveria de ser ameaçado por um escrutínio sociológico? A resposta está em uma outra articulação da ideia do sagrado.

A religião é essencialmente uma fonte de força. Quando as pessoas se comunicam com seus deuses, elas fortificam, elevam e protegem a si mesmas. A força provém dos objetos e ritos religiosos – não só para ocupar-se com outras práticas religiosas, mas para prosseguir com as práticas profanas do cotidiano. Além disso, a religião concebe que somos criaturas compostas de duas partes, uma alma e um corpo. A alma é aquilo que em nós participa do sagrado e é diferente em natureza do restante de nossa mente e de nosso corpo. Essa parte restante – profana – tem de ser controlada de modo severo e preparada ritualisticamente antes que adentre as cercanias do sagrado.

A dualidade religiosa essencial é similar à dualidade quase sempre atribuída ao conhecimento. A ciência não é um todo homogêneo. Está sujeita a uma dualidade cuja natureza é indicada em várias distinções. Por exemplo, entre pura e aplicada, ciência e tecnologia, teoria e prática, popular e séria, de rotina ou de fundamento. Em geral, podemos dizer que o conhecimento tem seus aspectos sagrados e seu lado profano, como a própria natureza humana. Os aspectos sagrados representam o que quer que acreditemos que há nele de elevado. Podem ser seus princípios e métodos centrais, suas maiores realizações ou o conteúdo ideacional mais puro, enunciado de modo a abstrair todos os detalhes a respeito da origem, da evidência ou das confusões passadas. Como exemplo, repare em como o grande fisiologista Du Bois-Reymond utilizou-se da ideia de um limite ou um limiar entre o trabalho puro e o aplicado, e como invoca a espiritualidade do aprendizado. Em uma palestra publicada em 1912, ele argumentou que a formação em pesquisa pura tinha um valor "que advém mesmo à mente medíocre que, ao menos uma vez em sua vida, antes da irresistível atração dos estudos práticos apossar-se dela, tenha sido impelida um passo além do limiar do puro aprendizado e tenha sentido o sopro do seu espírito de modo que, ao menos uma vez, por sua conta própria, tenha visto a verdade sendo buscada, encontrada e acalentada" (citado em Turner, 1971).

Assim como a força derivada do contato com o sagrado deve ser revelada para o mundo, também os aspectos sagrados da ciência podem ser pensados como se guiassem ou informassem as partes mais mundanas, menos inspiradas e menos vitais. Elas são suas rotinas, suas meras aplicações, as formas externas estabelecidas da técnica e do método. Todavia, a fonte da força religiosa para operar no mundo profano não deve, é claro, em quaisquer circunstâncias, dotar os crentes de confiança a ponto de esquecerem a distinção crucial entre as duas partes. Eles não devem jamais esquecer sua dependência irrevogável do sagrado; não devem jamais acreditar que são autossuficientes e que seu poder não irá requerer regeneração. Por analogia, as rotinas da ciência não devem nunca ser consideradas autossuficientes a ponto de esquecer a necessidade de obter sua força de uma fonte de natureza distinta e mais poderosa. Segundo tal concepção, a prática da ciência não deve se tornar tão importante em sua própria estima a ponto de reduzir tudo a um mesmo nível. Deve sempre haver uma fonte de força da qual provém a energia que flui para fora e com a qual o contato pode, e deve, ser renovado. A ameaça que a sociologia do conhecimento representa é precisamente esta: ela parece reverter ou interferir na direção do fluxo de energia e inspiração que deriva do contato com as verdades básicas e com os princípios fundamentais da ciência e da metodologia. O que é derivado desses princípios, a saber, a prática da ciência, é essencialmente menos sagrado e mais profano que a própria fonte. Como consequência, transformar uma atividade orientada por esses princípios nos próprios princípios é profanação e contaminação. Disso só pode resultar a perdição.

Essa é a resposta ao enigma de a ciência ser defendida de modo mais entusiástico precisamente por aqueles que acolhem com menos prazer sua aplicação a si mesma. A ciência é sagrada, portanto deve ser mantida em separado. Ela é, como por vezes direi, "reificada" ou "mistificada". Isso a protege da profanação que destruiria sua eficiência, sua autoridade e sua força como fonte de conhecimento.

Até aqui, ofereci apenas uma explicação que poderia ser aplicada aos entusiastas da ciência. E quanto às tradições humanísticas e eruditas de nossa cultura? Os pensadores dessa tradição estão mais do que dispostos a garantir para a ciência um lugar em nosso sistema de conhecimento, mas a concepção deles sobre tal lugar é diferente da dos entusiastas. Os humanistas são sensíveis às limitações da ciência e a quaisquer pretensões implausíveis que possam ser cogitadas a seu favor. As alegações de outras formas de conhecimento são vigorosamente ressaltadas. Por exemplo, nosso conhecimento cotidiano das pessoas e das coisas. Diz-se que ele apresenta uma estabilidade que excede em muito o teorizar científico e que é maravilhosamente adaptado às sutilezas do mundo material e social com as quais nos defrontamos dia a dia. Os filósofos do senso comum e do humanismo em geral estão em completo acordo com os filósofos da ciência em suas críticas à sociologia do conhecimento. Uma explicação em termos da sacralidade da ciência claramente não se aplica aos humanistas, mas sua posição pode, ainda assim, ser analisada em termos durkheimianos similares. O que é sagrado para eles é algo não científico, tal como o senso comum ou a forma dada de uma cultura. Por isso, caso a ciência tente tratar desses assuntos, ela será impedida mediante argumentos filosóficos. A resposta será levantada pelo filósofo humanista, quer a ciência invasora seja a Física, a Fisiologia, a Economia ou a Sociologia. As formas de conhecimento que são protegidas por tais pensadores são tipicamente a arte de poetas, romancistas, dramaturgos, pintores ou músicos. São estes, dizem eles, que proporcionam a verdade realmente significativa, que é nossa obrigação em vida aprender e por meio da qual podemos nos manter de pé. (Os expoentes da "análise linguística" em filosofia fornecem muitos exemplos dessa abordagem humanista. O livro de Ryle, *The Concept of Mind* (1949), pode ser lido como uma defesa da prioridade e da continuidade das intuições psicológicas de romancistas como Jane Austen.)

Sociedade e conhecimento

Foi levantada a hipótese de que a ciência e o conhecimento comumente podem receber o mesmo tratamento que os crentes dispensam ao sagrado. Até aqui, a única justificativa para tal hipótese foi a de que, caso ela seja assumida, tornaria-se compreensível um aspecto intrigante dos nossos valores intelectuais. Isso, por si só, não é ganho insignificante e talvez a singularidade do fato que ela busca explicar seja justificativa suficiente para a estranheza da própria hipótese. Entretanto, mesmo esse sentimento de estranheza pode ser reduzido ao avançarmos ainda mais com a análise.

A questão deve ser feita: por que se outorga ao conhecimento, como foi assumido na hipótese anterior, um *status* tão elevado? Para respondê-la é necessário desenvolver tanto um quadro mais amplo do papel do conhecimento na sociedade quanto os recursos disponíveis para pensar sobre ele e tomar posições a respeito. Utilizarei a tese geral de Durkheim sobre a origem e a natureza da experiência religiosa, a saber, que a religião é essencialmente um modo de perceber a sociedade na qual vivemos e de tornar inteligível a experiência que temos dela. Durkheim sugere que: "Antes de tudo (a religião) é um sistema de ideias no qual os indivíduos representam a si a sociedade da qual são membros e as relações obscuras, mas profundas, que mantêm com ela" (p.257). A distinção entre o sagrado e o profano demarca aqueles objetos e práticas que simbolizam os princípios segundo os quais a sociedade é organizada. Eles incorporam o poder de sua força coletiva – uma força que pode energizar e amparar seus membros ou que pode atingi-los como uma coação de eficiência peculiar e impressionante. Assim:

> Uma vez que é por vias espirituais que a pressão social se exerce, ela não poderia deixar de dar aos homens a ideia de que, fora deles, existe uma ou diversas forças das quais dependem, tanto morais quanto, concomitantemente, eficientes. Ao menos em parte, devem conceber tais forças como exteriores a eles, pois lhes falam num tom de comando e, por vezes, ordenam-lhes até mesmo a praticar violência contra suas mais naturais inclinações. É certo que, caso fossem capazes de perceber que as influências que sentem emanam da sociedade, o sistema mitológico de interpretações nunca teria sequer nascido. Mas a ação social segue por vias muito obscuras e sinuosas, além de empregar mecanismos psíquicos demasiadamente complexos para permitir ao observador comum perceber de onde ela vem. Enquanto a análise científica não vier a ensiná-los, bem saberão que algo atua sobre eles, mas não saberão o quê. Eles têm assim que criar sozinhos a ideia daquelas forças com as quais se sentem em contato e, a partir disso,

somos capazes de vislumbrar o modo pelo qual foram levados a representá-las sob formas que são, na verdade, estranhas à sua natureza e a transfigurá-las pelo pensamento (p.239).

A poderosa imagem de Durkheim pode ser empregada com a suposição de que, quando pensamos sobre a natureza do conhecimento, o que estamos fazendo é, indiretamente, refletir sobre os princípios segundo os quais a sociedade é organizada. Com efeito, manipulamos tacitamente imagens da sociedade. Encontram-se em nossas mentes, estruturando e guiando nossos pensamentos, concepções cujo real caráter é o de um modelo social. Assim como a experiência religiosa transforma nossa experiência da sociedade, também o fazem, segundo minha hipótese, a filosofia, a epistemologia ou quaisquer concepções gerais acerca do conhecimento. Portanto, a resposta à questão de por que o conhecimento deveria ser visto como sagrado é que, ao pensar sobre o conhecimento, nós estamos pensando sobre a sociedade e, caso Durkheim esteja certo, a sociedade tende a perceber-se como sagrada.

Para nos assegurarmos de que os relatos sobre o conhecimento parecem ter efetivamente o caráter de concepções transfiguradas da sociedade, é evidente que será necessário examinar casos particulares. Isso será feito no próximo capítulo, mas alguns pormenores precisam ser discutidos a título de preparação.

Primeiro, dizer que nós pensamos sobre o conhecimento por meio da manipulação de imagens da sociedade não quer dizer que isso seja um processo consciente ou que venha, necessariamente, a estar explícito em cada investigação filosófica ou epistemológica. Não podemos adivinhar a direção de uma linha com base num pequeno segmento, e os modelos sociais básicos podem não surgir em argumentos isolados ou muito detalhados. Os modelos sociais ficarão claros apenas em trabalhos mais abrangentes.

Segundo, qual seria a plausibilidade inicial da conexão que postulei? Por que os modelos sociais deveriam ser utilizados ao pensarmos sobre o conhecimento? Tais questões podem ser parcialmente respondidas enfatizando-se a necessidade de algum modelo e sugerindo que os modelos sociais são particularmente apropriados – que há uma afinidade natural entre os dois conjuntos de ideias.

Refletir sobre a natureza do conhecimento é mergulhar em um empreendimento abstrato e obscuro. Fazer questões da mesma natureza das que os filósofos se propõem é, em geral, paralisar a mente. Pensar nessa esfera raramente requer o apelo a algo que seja familiar e que proporcione um quadro geral no qual os pensamentos possam se fixar. Mesmo que a natureza do conhecimento científico for tratada de modo bastante concreto, como o fazem os historiadores, um problema semelhante ainda ocorre. Princípios organizadores são necessários para que os dados sejam dispostos em uma história coerente. A história tanto pressupõe uma imagem de ciência quanto a proporciona; e é a uma filosofia tácita, ou à tradição de várias escolas filosóficas, que o historiador comumente recorre.

Mesmo que assumamos a necessidade de algum tipo de modelo, por que uma imagem de sociedade deveria ser um padrão adequado para um relato sobre o conhecimento? Por que a mente deveria inclinar-se para aquilo que ela sabe sobre a sociedade quando está intrigada com a natureza do conhecimento? Parte da resposta se encontra nas circunstâncias sob as quais, em primeiro lugar, ficamos intrigados com o conhecimento. Comumente isso ocorre quando diferentes grupos sociais reivindicam em rivalidade as pretensões de oferecer o conhecimento, como a igreja e os leigos, a academia e o vulgo, o especialista e o generalista, o poderoso e o fraco, o estabelecido e o dissidente. Além disso, há muitas conexões intuitivas entre o conhecimento e a sociedade. O conhecimento deve ser obtido, organizado, mantido, transmitido e distribuído. Todos esses são processos visivelmente associados a instituições estabelecidas: o laboratório, o escritório, a universidade, a igreja, a escola. A mente terá registrado, assim, em algum nível, uma conexão entre conhecimento e autoridade e poder. O controle e a autoridade rígidos na esfera do conhecimento parecem mais prováveis quando essas mesmas características estão presentes na sociedade como um todo do que, digamos, a fluidez, a livre escolha e alternativas liberais de crença. Um senso de analogia e proporção associa nossas ideias de conhecimento e sociedade. Na verdade, em nossas mentes irrefletidas, essas coisas podem não estar nada separadas.

O extravagante filósofo-patriota Fichte proporcionou um exemplo de como o conhecimento move-se sobre categorias sociais e teológicas. A universidade, disse ele em um pronunciamento reitoral em Berlim, em 1811, "é a representação visível da imortalidade de nossa raça"; é "a coisa mais sagrada que a raça humana possui". Como o exemplo anterior, e mais comedido, de Du Bois-Reymond, ela também se deve ao estudo de Turner sobre o desenvolvimento da pesquisa professoral na Prússia. Pode ser também que tais sentimentos, ou sua intensidade, estejam condicionados ao tempo e lugar de sua aparição. Mas em meu argumento eles são pensados como advertências: talvez não sejamos tão incapazes de emitir e decifrar mensagens desse tipo como pensamos.

Uma objeção deve ser aqui levantada. Se o conhecimento é uma coisa tão abstrata para ser pensado diretamente – daí a necessidade de modelos sociais –, então por que a sociedade não seria algo difícil demais para ser pensada diretamente? Por que não precisamos de um modelo também para a sociedade? Tal questão sugere um acréscimo valioso ao relato que agora emerge, pois a sugestão é certamente válida. Não podemos, imersos como estamos na sociedade, compreendê-la como um todo em nossa consciência reflexiva, a não ser com a utilização de um quadro simplificado, uma imagem, ou o que pode ser chamado de uma "ideologia". A religião, no sentido de Durkheim, representa uma ideologia desse tipo. Quer dizer que aquela apreensão, fracamente percebida, da identidade entre o conhecimento e a sociedade proporciona de fato um canal por meio do qual nossas ideologias sociais simplificadas fazem contato com nossas teorias sobre o conhecimento. São essas ideologias, em vez da totalidade da nossa experiência social efetiva, que podemos supor controlar e estruturar nossas teorias sobre o conhecimento.

O que acaba de ser esboçado é uma teoria sobre como as pessoas pensam. Não se alega que as hipóteses sejam verdades necessárias – é de suas naturezas não podermos provar que sejam verdadeiras –, mas apenas mais ou menos apoiadas pela evidência indutiva. Além do mais, o domínio de aplicação do quadro aqui apresentado deve ainda ser determinado. A tendência para reificar ou mistificar depende de condições que não são totalmente conhecidas, embora, ao prosseguir o argumento, haverá a necessidade de aventar outra hipótese para lidar com esse tópico.

A fim de fornecer apoio à posição desenvolvida neste capítulo, analisarei duas importantes teorias modernas sobre a natureza do conhecimento e mostrarei o quanto elas dependem de imagens sociais e de metáforas. Esse será o objetivo do próximo capítulo. Ao final, discutirei as condições segundo as quais poderá ser possível superar o sentimento de que o conhecimento científico é por demais objetivo para ser investigado sociologicamente.

CAPÍTULO 4

Conhecimento e imaginário social: um estudo de caso

Neste capítulo, examinarei um longo debate entre duas concepções de ciência rivais. Meu propósito é o de exibir o modo pelo qual as imagens sociais e as metáforas governam essas alegações rivais, determinando seus estilos, conteúdos e relações recíprocas. Uma posição é a de *sir* Karl Popper, tal como enunciada em seu clássico livro *The Logic of Scientific Discovery* [A lógica da pesquisa científica] (1959) e elaborada em trabalhos posteriores. A outra posição é a desenvolvida por T. S. Kuhn em seu controverso *The Structure of Scientific Revolutions* [A estrutura das revoluções científicas] (1962b). Meu interesse aqui recairá sobre a estrutura geral de suas posições, não com questões aprofundadas (para detalhes veja Lakatos e Musgrave, 1970).

Uma vez que o debate está em curso há cerca de dez anos e há muito já chegou a um impasse, não tentarei contribuir para o próprio debate. Neste estágio, não é provável que tal abordagem obtivesse muito sucesso (e eu já dei minha contribuição em Bloor, 1971). Em vez disso, tentarei concentrar os esforços para transpor o debate para uma perspectiva bem mais ampla que a usual ao relacioná-lo a controvérsias duradouras na economia, jurisprudência, teoria política e ética. Acredito que o caráter geral desse debate epistemológico não pode ser plenamente compreendido sem que o consideremos como a expressão de profundos interesses ideológicos em nossa cultura.

O debate Popper-Kuhn

A concepção da ciência de *sir* Karl Popper é clara e cogente. O objetivo da ciência é o de alcançar importantes verdades sobre o mundo e, para que isso seja realizado, devemos formular teorias poderosas. Estas são conjecturas sobre a natureza da realidade que resolvem problemas originados da violação de nossas expectativas. Algumas expectativas podem ser inatas, mas a maioria delas deriva de teorias previamente adotadas. Assim, se a ciência começa com pressupostos tácitos, cedo eles se tornam conscientes. Como parte do processo consciente de construção de teorias, somos livres para utilizar quaisquer materiais que quisermos: o mito, o preconceito ou o palpite. O que importa é o que fazemos com nossas teorias, e não de onde elas vêm.

Uma vez que uma teoria tenha sido formulada, ela deve ser severamente criticada por meio do escrutínio lógico e do teste empírico. A crítica lógica elimina a obscuridade e explicita as alegações que estão contidas em uma teoria. Os testes empíricos exigem que os enunciados gerais das teorias sejam combinados com enunciados que descrevam a situação de teste. Caso a teoria seja suficientemente precisa, deverá ser possível localizar debilidades na teoria mediante tentativas de falsear suas previsões. Se ela passa pelo teste, é corroborada e pode ser mantida por algum tempo.

A importância de testar teorias reside no fato de o conhecimento não chegar até nós de modo fácil. Temos que procurar arduamente para conhecermos, pois sem esforço permaneceríamos com especulações errôneas e superficiais. Mas o esforço que dispensamos em nossas teorias tem de ser um esforço crítico. Proteger do mundo nossas teorias seria dogmatismo e levaria a uma impressão ilusória de conhecimento. No que concerne à ciência, os objetos e processos do mundo não têm uma essência fixa que possa ser apreendida de uma vez por todas. A ciência não é, portanto, apenas uma empreitada crítica, mas uma luta sem fim. Ela perderia seu aspecto empírico e acabaria por tornar-se metafísica caso deixasse de mudar constantemente. A verdade é realmente o objetivo, mas encontra-se a uma distância infinita.

O tom e o estilo da filosofia de Popper são partes importantes de sua mensagem como um todo. Esse tom é em parte caracterizado pelas metáforas centrais que são utilizadas. A imagem de uma luta darwiniana é proeminente. A ciência é projeção dessa luta pela sobrevivência, mas são nossas teorias que morrem por nós. Ao acelerar a luta pela sobrevivência e a eliminação das teorias mais fracas, somos intimados a assumir riscos intelectuais. Do lado negativo, várias fontes de autoridade são criticadas. A ciência não se subordina à autoridade seja da razão, seja da experiência. Ambas são guias incertos para a verdade. O que para uma geração parece autoevidente, à razão será contingente ou mesmo falso para a próxima. Nossas experiências podem ser bastante desencaminhadoras, e o significado atribuído a certo resultado experimental pode mudar radicalmente. Outro aspecto da face antiautoritária do trabalho de Popper é a imagem de uma unidade da humanidade – nesse caso a "unidade racional da humanidade". Nenhum indivíduo ou grupo pode falar com mais autoridade que qualquer outro. Ninguém é fonte privilegiada da verdade; todas as alegações devem estar igualmente sujeitas à crítica e ao teste.

O estilo do pensamento de Popper encontra-se na insistência em alegar que podemos fazer progressos, problemas podem ser resolvidos, questões, esclarecidas e decididas, caso empenhemos um esforço crítico suficiente. O próprio trabalho de Popper é um exemplo, visto que esclareceu as regras do jogo científico e delineou os erros que podem levar ao dogmatismo e ao obscurantismo. Como parte desse processo de codificação, Popper estabeleceu alguns critérios importantes e demarcações. O mais importante é o critério da possibilidade de ser testado ou falsificado. Ele separa as asserções científicas das alegações pseudocientíficas ou metafísicas. A metafísica não é desprovida de sentido, mas é não científica. Pertence, por assim dizer, à esfera privada da preferência individual. Pode ser, psicologicamente, uma fonte importante de inspiração, mas não deve ser confundida com a própria ciência.

Outras demarcações e limites, como os que ocorrem entre as especialidades, são tratadas de modo bem diferente. A influência perniciosa da especialização representa uma barreira artificial ao livre tráfego de ideias. Teorias arrojadas podem cruzar tais barreiras e não devem ser impedidas de fazê-lo. Do mesmo modo, os limites impostos por diferentes linguagens teóricas são, para Popper, objetos de desprezo. Quaisquer questões substantivas podem ser traduzidas de uma linguagem teórica para outra. As linguagens não contêm recursos misteriosos para capturar verdades que não sejam passíveis de se enunciar em outros termos. A unidade racional da humanidade não leva em consideração a linguagem teórica.

Essa concepção rigorosa da ciência obteve, e seguramente merece, ampla notoriedade. Ela claramente apreende muitos dos valores que todos aqueles comprometidos com a ciência gostariam de endossar.

A concepção de ciência do professor Kuhn partilha com a de Popper a qualidade de possuir uma estrutura geral simples e convincente, na qual são estabelecidas questões mais detalhadas com grande sofisticação. O foco principal de sua análise recai sobre o que ele chama de "paradigma". Um paradigma é uma realização exemplar de trabalho científico que cria uma tradição de pesquisa em uma área especializada da atividade científica. A investigação do paradigma proporciona um modelo de trabalho de como fazer ciência em certa área, oferecendo orientação concreta sobre o método experimental, os aparatos e a interpretação teórica. A fim de extrair outros resultados da natureza, são desenvolvidas variações e elaborações. Esse processo de crescimento em torno do paradigma, é claro, não consiste em uma repetição mecânica. As relações sutis entre diferentes experimentos construídos com base em uma contribuição paradigmática são mais fáceis de serem vistas que enunciadas. Suas ligações formam uma rede de analogias e "semelhanças de família".

A tradição que se desenvolve em torno de um paradigma constitui, para uma área de pesquisa limitada, mas indeterminada, um conjunto de atividades relativamente autônomo que Kuhn chama de "ciência normal". A ciência normal é resultado do sucesso e do mérito do paradigma e não busca, de modo algum, colocá-lo em questão. Ela corresponde ao estado de ânimo que encara o auxílio de uma tradição de pesquisa como fonte de enigmas, não de problemas. Ao chamar algo de enigma, supõe-se que exista uma solução e, nesse caso, subentende-se que os termos da solução sejam similares aos que já se mostraram bem-sucedidos na própria investigação do paradigma. Mas os enigmas da ciência normal não podem ser resolvidos mediante aplicação de quaisquer conjuntos de "regras". As soluções não estão contidas de maneira implícita na investigação do paradigma e não são derivadas dela. A ciência normal é essencialmente criativa, pois tem que fabricar por conta própria, enquanto prossegue, as extensões que se fizerem necessárias da investigação original da qual foi construída. Kuhn compara tal atividade criativa, embora contida, à aplicação de um precedente legal na jurisprudência.

Kuhn vê a ciência normal como a sucessão de soluções bem-sucedidas de enigmas. É esse sucesso acumulativo que transmite confiança ao pesquisador e lhe confere o repertório de experiências para levar os experimentos ainda mais adiante, aos detalhes mais esotéricos de sua área. É o desenvolvimento dos aspectos teóricos da tradição de pesquisa que dá sentido a esses detalhes e que permite dispô-los de um modo coerente e significativo.

A confiança e o comprometimento nascidos do sucesso passado não são abalados por uma falha ocasional em trazer uma anomalia para o âmbito do que poderia ser, com isso, um paradigma mais bem elaborado. O fracasso em resolver um enigma recai, antes de tudo, sobre a competência individual do pesquisador. Uma anomalia não resolvida pode vir a ser considerada um caso complicado em particular e, legitimamente, ser deixada de lado por um tempo. No entanto, caso a perspectiva do paradigma não ofereça razões para que certa anomalia não resolvida cause grande preocupação e resista aos esforços dos profissionais mais talentosos, ainda que já pareça pronta para uma solução, pode ocorrer uma crise de confiança. A anomalia torna-se um foco especial de atenção, os aspectos empíricos do fenômeno indomado são examinados com esforço redobrado e torna-se necessária uma teorização cada vez mais excêntrica para compreender sua importância e significação. O padrão de desenvolvimento da ciência normal é interrompido e uma atmosfera diferente passa a prevalecer – uma atmosfera que Kuhn chama de "ciência extraordinária".

No intuito de resolver a crise, pode ser criado um novo modelo de fazer ciência na área afetada pelas dificuldades. A comunidade de especialistas pode vir a aceitar um novo paradigma para as pesquisas desde que ele acomode a anomalia crucial. Caso isso aconteça, é a ocasião em que Kuhn fala de uma "revolução". Uma revolução na ciência ocorre quando uma comunidade de especialistas decide que o novo paradigma é mais promissor para o desenvolvimento futuro do que o antigo. O que está envolvido na tomada dessa decisão? É necessário ter uma compreensão intelectual profunda dos detalhes do campo para poder estimar tanto a profundidade da crise dos antigos procedimentos quanto a promessa dos novos. Mas os aspectos intelectuais da decisão têm que ser acompanhados por um juízo. Os pesos relativos a serem atribuídos às várias razões favoráveis e contrárias a uma mudança na estratégia científica podem ser justificados somente até certo ponto. Em um lugar ou em outro a justificação tem que parar e um passo deve ser dado sem que haja justificativa, pois nenhuma prova será obtida. Além disso, o cientista não pode contar com ajuda vinda de fora de sua especialidade, pois a própria comunidade é o lugar do conhecimento e da experiência relevantes. Ela é o último tribunal de apelação.

Assim como o trabalho de Popper, o relato da ciência de Kuhn tem um tom característico em parte causado pelas metáforas que o autor considera natural utilizar. Os cientistas formam uma "comunidade" de profissionais. O tema da "comunidade" é ubíquo – insinua a solidariedade social e sugere um modo de vida estabelecido com seus próprios estilos, hábitos e rotinas. Esse tema somente é reforçado pelo contraste com o imaginário controverso das "revoluções" que periodicamente surpreendem as comunidades. Não há uma campanha contra a noção de autoridade em Kuhn; aliás, em uma de suas formulações é apontada a função positiva do dogma na ciência. O processo de educação científica é apresentado como autoritário. Ele não procura apresentar aos estudantes um relato imparcial das visões de mundo rivais associadas aos paradigmas anteriores. Em vez disso, procura torná-los aptos ao trabalho no paradigma vigente.

A abordagem de Kuhn não sugere que tudo a ser considerado sobre a ciência possa ser explicitado e esclarecido. A ciência é um conjunto de práticas concretas, não uma atividade com uma metodologia explícita. Em última análise, a ciência é um padrão de comportamento e juízos cuja base não se assenta em quaisquer enunciados verbais abstratos de normas universais. Os aspectos da ciência conduzidos em um nível explicitamente verbal, como sua teorização explícita, utilizam-se de conceitos profundamente ancorados em práticas paradigmáticas. Uma mudança de paradigma será então acompanhada por mudanças de linguagem e de significado. Os problemas de tradução por meio de limites entre paradigmas são profundos e talvez não totalmente transponíveis.

Eis aqui, portanto, dois relatos bem diferentes acerca da ciência. As diferenças são inegáveis e ainda assim há uma vasta área de terreno comum. De fato, a quantidade de disputas factuais sobre o que efetivamente ocorre na ciência é bem pequena. Popper chama a atenção para dramáticas conjecturas e testes severos, por exemplo, a predição de Einstein de que um raio de luz seria curvo nas vizinhanças de corpos massivos. Kuhn não nega a existência ou a importância desses eventos, mas salienta o pano de fundo que os torna possíveis e lhes confere importância e significação. Por sua vez, Popper não nega a existência da "ciência normal", mas insiste que ela é um trabalho mercenário. Consideremos ainda sua atitude em relação às disputas teóricas prolongadas, por exemplo, sobre a teoria da matéria. Elas são centrais para ciências como a Física e a Química, segundo o relato de Popper. Para Kuhn, tais combates sugerem um estado de ciência extraordinária, portanto devem ser raros. Onde disputas prolongadas parecem ocorrer, Kuhn indica que dizem respeito a questões metafísicas em vez de propriamente científicas. Elas possuem pouca influência real sobre como a ciência é efetivamente praticada. Isso, é claro, acentua a tendência de Kuhn em considerar a ciência como um conjunto de práticas concretas locais, ao passo que a leitura de Popper acentua suas feições críticas.

Ao que parece, uma vasta gama de fatos pode ser acomodada em cada um dos esquemas, ainda que sua importância e significação sejam pensadas de maneira diferente. Definir os pontos exatos de divergência entre as duas abordagens é tarefa que exige certa argúcia, e Kuhn apresenta bem a questão quando diz que o que o separa de Popper é uma alteração de *Gestalt*: os mesmos fatos são montados de modo a formar uma figura diferente.

Duas importantes questões de interpretação com as quais Kuhn e Popper concordam dizem respeito à verdade e à natureza do fato. Vale a pena discuti-las brevemente, pois pode-se pensar que constituem grandes pontos de divergência entre os dois, ao passo que, de fato, não o são em absoluto. Primeiro, diz-se às vezes que Kuhn teria solapado a objetividade da ciência por não acreditar na existência de fatos puros (Scheffler, 1967). Não há, segundo Kuhn, um tribunal de apelação estável e independente no qual as teorias possam ser avaliadas. Aquilo que é considerado fato é dependente do paradigma. O sentido e a importância das experiências e dos resultados experimentais são consequências da nossa orientação para com o mundo, e é o comprometimento com um paradigma que proporciona tal orientação. No nível da epistemologia, entretanto, Popper também aceita que os fatos não são simples coisas dadas a nós na experiência direta e não problemática do mundo. Para Popper, qualquer relato de uma observação ou de um resultado experimental tem exatamente o mesmo *status* lógico da hipótese que possa vir a testar. As teorias são testadas por aquilo que ele chama de "hipóteses observacionais". Os enunciados que constituem a base observacional da ciência são, certamente, sugeridos pela experiência, mas para Popper isso é apenas um fato sobre a causa da nossa aceitação de uma hipótese (observacional). A experiência não oferece razões, quanto mais uma razão decisiva, para adotar um relato observacional. Todo enunciado vai além da experiência que o sugere, portanto atua como uma generalização conjectural. Tal análise está inteiramente de acordo com a fronteira nítida que Popper traça entre a origem das hipóteses de larga escala e as razões para aceitá-las, em certos momentos, como verdadeiras. A experiência é uma causa irracional das hipóteses de baixo nível tal como, digamos, a experiência religiosa pode ser uma causa irracional de uma hipótese cosmológica. Em relação ao "fatos", portanto, tanto Popper quanto Kuhn são consideravelmente mais céticos que o senso comum – ambos acreditam na natureza "teórica" dos fatos.

Segundo, pode parecer que Kuhn retira da ciência o papel de nos fornecer as verdades, pois não seria a ciência uma progressão sem fim de paradigmas, sem garantia de que um seja mais verdadeiro que o outro? Não há, afinal, acesso a um mundo independente da ciência contra o qual o progresso dos paradigmas possa ser avaliado. Mas Popper se encontra na mesma posição. A verdade é um ideal ou um objetivo, mas está a uma distância infinita. Nenhuma garantia pode ser oferecida por qualquer dos relatos para assegurar o progresso em direção ao objetivo da verdade. Ambos os relatos são modos de eliminar os erros que são percebidos. Ambos são francamente céticos quanto a algo estável e definitivo estar ao alcance da ciência. O tratamento das noções de fato e de verdade não diferencia profundamente os dois relatos.

Apesar disso, a divergência entre eles é considerável. Ela pode ser encontrada nas seguintes questões. Primeiro, são atribuídos pesos diferentes aos aspectos prescritivos e descritivos. Popper está inegavelmente fornecendo prescrições metodológicas. Ao mesmo tempo, ele especifica os procedimentos da ciência e, com isso, deve haver, e de fato há, um contato com a realidade da prática científica. Kuhn está muito mais próximo de um relato descritivo e ao mesmo tempo isento de legislações evidentes. Ainda assim, quando incitado, ele diz claramente que seu relato é também um relato de como a ciência deve ser feita. Ambos são, assim, prescritivos e descritivos, mas em proporções e com estilos diferentes.

Segundo, Popper enfatiza o debate, o desacordo e a crítica, ao passo que Kuhn, as áreas de acordo amplamente admitidas. Em outras palavras, ambos atentam para a natureza social da ciência, mas os processos sociais predominantes em seus pensamentos são diferentes – para um é o debate público, para outro é um modo de vida partilhado.

Terceiro, Popper enfoca aqueles aspectos da ciência que são universais e abstratos, como seus cânones metodológicos e valores intelectuais mais gerais. Kuhn enfoca seus aspectos locais e concretos, como obras específicas que proporcionam exemplares para um grupo de profissionais.

Quarto, a visão da ciência de Popper a encara como um processo linear e homogêneo. Os mesmos métodos e procedimentos são aplicáveis a todos seus períodos. Ela cresce em conteúdo e poder, cada passo sendo um acréscimo e progressão na direção de seu objetivo infinitamente remoto. Kuhn, em comparação, mantém uma concepção cíclica. Em vez de uma estrutura uniforme de atividades, há um ciclo de procedimentos diversos em termos qualitativos, apesar da incontestável ênfase na rotina tranquila, mas flexível, da ciência normal. Ao passo que o cientista popperiano olha para o futuro, o cientista kuhniano em geral trabalha segundo precedentes. Seu ponto de referência está no passado.

Ideologia iluminista *versus* ideologia romântica

O debate na filosofia da ciência que acabo de esboçar é estruturalmente idêntico aos debates que ocorreram há cerca de duzentos anos nos campos das teorias políticas, sociais, econômicas, éticas e legais. Com efeito, o embate entre Popper e Kuhn representa um caso quase perfeito da oposição entre o que pode ser chamado de ideologias iluminista e romântica. (Minha especificação das ideologias é tomada em primeiro lugar do excelente ensaio de Mannheim (1953) sobre o pensamento conservador.)

O que chamarei de "pensamento social do iluminismo" recorre tipicamente à noção de um "contrato social". Este pode ser a alegada origem histórica da sociedade ou ainda um modo de caracterizar os direitos e deveres que recaem sobre os membros da sociedade. Ao mito do contrato social corresponde o mito de um "estado de natureza" pré-social. Por vezes, este é pensado como um estado mais ou menos brutal, do qual a sociedade teria libertado o homem. Ele é ainda apresentado, de modo mais sofisticado, como o estado no qual cairíamos caso a sociedade se desmembrasse. Associado ao estado de natureza ou ao contrato social há um corpo de direitos naturais e inalienáveis, por exemplo, a vida, a liberdade e a propriedade. Os detalhes desses direitos e o modo segundo o qual a metáfora do contrato é guiada variam de maneira considerável, mas o tema geral é típico dos autores do século XVIII.

Mais importante e mais duradouro que as leis naturais particulares é o estilo metodológico do pensamento iluminista. Ele possui quatro características. Primeiro, é individualista e atomista. Isso quer dizer que ele concebe o todo e a coletividade, sem maiores problemas, como equivalentes a conjuntos de unidades individuais. A natureza dessas unidades permanece inalterada por serem dispostas em conjunto. As sociedades são, portanto, coleções de indivíduos cujas natureza essencial e individualidade não estão ligadas à sociedade. Por exemplo, indivíduos são compostos por faculdades de raciocinar ou calcular e por um conjunto de necessidades e desejos, além, é claro, de pela coleção de direitos naturais. Além disso, pensa-se que são invariáveis de sociedade para sociedade e os mesmos em diferentes momentos históricos. Segundo, tal individualismo está fortemente associado a certa abordagem estática ao pensamento. A variação histórica está subordinada a uma preocupação com aquilo que é atemporal e universal. A racionalidade, a moralidade e a propensão para buscar o prazer e evitar a dor são imutáveis e podem ser abstraídas da confusão do que é contingente e concreto. Estes últimos aspectos estão profundamente relacionados à terceira característica do pensamento iluminista, que pode ser chamada de seu dedutivismo abstrato. Tipicamente, fenômenos sociais particulares ou casos de comportamento individual são esclarecidos ao serem relacionados a princípios gerais abstratos, sejam eles referentes à moralidade, ao raciocínio ou às leis científicas. Uma quarta e última manifestação de grande importância diz respeito ao emprego das características antes descritas. Como o pensamento iluminista é geralmente, embora nem sempre, associado à reforma, à educação e à mudança, ele tende a apresentar um forte tom prescritivo e moralizador. Ele não é destinado a ser um veículo de uma descrição neutra, mas um modo de o "deve" da reforma poder fazer frente ao "é" da sociedade. Associado a esse propósito moral encontra-se uma tendência analítica, atomizadora, que pode ser utilizada para fragmentar padrões estáveis de conexão e associação. O universalismo abstrato do estilo iluminista nos permite sustentar princípios gerais claros, cuja própria distância da realidade serve de repreensão a esta e de objetivo para a ação. Será exposto adiante que eles podem servir também a outros propósitos.

O que pode ser chamado de pensamento "romântico", ao contrário, não encontra lugar para direitos naturais, contratos sociais ou estados de natureza. A noção de uma natureza pré--social é substituída pela ideia de nossa natureza essencialmente social. É a sociedade que é natural. A harmonia calculada do contrato social é substituída pelas imagens orgânicas da unidade familiar. As relações familiares, segundo tal imagem, sugerem que direitos, deveres, obrigações e autoridades não devem ser distribuídos uniformemente. Eles devem ser repartidos de modo desigual, de acordo com a geração, a função e a posição social. Além disso, a justiça não é criada na família por meio de uma constituição ou de uma barganha contratual. Ela adota, com mais naturalidade, uma forma autocrática, mas benevolente, que é ajustada gradualmente às variações de idades, responsabilidades e condições de seus membros.

O estilo metodológico do pensamento romântico pode ser comparado ponto a ponto com o do pensamento iluminista. Primeiro, ele não é atomista nem individualista. Uma totalidade social não é tratada como mera coleção de indivíduos, mas é considerada detentora de propriedades de um tipo especial, por exemplo, certos estados de espírito, tradições, estilos e características nacionais. Isso requer e justifica estudos independentes, pois o modo como desenvolvem e florescem pode ser facilmente ignorado. Aqueles que concentram demais sua atenção em átomos isolados deixarão de observar os padrões gerais e suas leis. Os indivíduos podem ser estudados somente em seus contextos. Segundo, essa consciência do contexto leva à crença conforme a qual o concreto e o histórico são mais importantes que o universal e o atemporal. A noção de princípios universais da razão é substituída pela de variação localmente condicionada das respostas e adaptações e pela crença na natureza evolutiva e historicamente condicionada de todos os produtos do pensamento criativo. Terceiro, no lugar dos procedimentos dedutivos abstratos, que conduzem os casos particulares ao abrigo de leis gerais e abstratas, há uma ênfase na individualidade concreta. O caso particular, desde que seja compreendido em toda a sua individualidade concreta, é pensado como mais real que os princípios abstratos. A quarta característica é a contrapartida da tendência moralista e normativa do pensamento iluminista. A clareza analítica e fragmentária dela é contraposta à insistência na realidade dos aspectos da sociedade que tendem a ser ignorados em uma postura mais abstrata. São ressaltadas a integridade, a complexidade e a interconexão das práticas sociais. A posição de defesa e reação mais frequentemente adotada por pensadores românticos consiste em fundir seus componentes descritivos e prescritivos. Os valores tendem a ser vistos como imanentes, combinados e unidos aos fatos.

É fácil demonstrar que Popper deve ser classificado como um pensador iluminista e Kuhn, como um pensador romântico. Popper é individualista e atomista ao tratar a ciência como uma coleção de teorias isoladas. Pouca atenção é dispensada às tradições de construção de teorias, às continuidades entre tradições ou às descontinuidades entre diferentes épocas na ciência. Sua unidade de análise é a conjectura teórica individual. As características lógicas e metodológicas dessas unidades parecem ser as mesmas em todos os casos e períodos da investigação científica. Ele está interessado, ainda, nos atributos atemporais e universais do pensamento científico correto. Quaisquer lugares ou épocas fornecerão exemplos, seja a filosofia pré-socrática ou a física moderna. O caso individual deve ser apreciado relacionando-o a cânones abstratos de racionalidade ou critérios atemporais de demarcação. As preocupações prescritivas do pensamento de Popper já foram aqui comentadas. Por fim, pode ser encontrado um paralelo entre a concepção popperiana da ciência e o mito do contrato social. Ele emerge dos detalhes de sua teoria sobre a "base observacional" da ciência, que já foi rapidamente descrita. Ao caracterizar tal base, Popper diz que há uma "decisão" da comunidade científica em "aceitar" certos enunciados básicos como fatos, por algum tempo. Uma "decisão" está envolvida aqui porque tais enunciados são, de fato, hipóteses como quaisquer outros enunciados na ciência. O processo está associado a uma decisão temporária (1959, p.108-9). É claro que isso é apenas uma analogia e não é apresentado como fato histórico. Ainda assim, seguramente o expediente da analogia, em especial desse tipo particular, não é fortuito. Do mesmo modo que o recurso a "decisões" contratuais para estabelecer a sociedade, revela certo modelo mental e corresponde a certo estilo e direcionamento da análise. Significa que, precisamente no ponto onde seria óbvio recorrer a processos naturais e começar a elaborar questões psicológicas e sociológicas, a investigação é interrompida de maneira arbitrária. "Contratos" e "decisões" podem muito facilmente ser construídos como instantes em vez de processos, como elementos desprovidos de estrutura ou história, enfim, como eventos momentâneos. Vistos desse modo, eles operam como descontinuidades que encerram a investigação.

Os aspectos românticos de Kuhn são também muito claros. As ideias científicas individuais são sempre parte do "todo" abrangente de uma tradição de pesquisa. Os aspectos comunitários da ciência são proeminentemente marcados e com eles está o caráter autoritário do processo educacional. No seu relato não há procedimentos lógicos e metodológicos de falseamento claramente definidos. O juízo intuitivo está sempre envolvido na resposta a uma anomalia e ao decidir se ela constitui ou não uma ameaça às abordagens estabelecidas. Também não há princípios abstratos de procedimento a serem encontrados no desenvolvimento das teorias. Isso ocorre em virtude de os paradigmas não serem teorias enunciáveis. As tradições de pesquisa não possuem constituições escritas. As variações históricas e culturais de especialidade a especialidade são assumidas como não problemáticas. Finalmente, o tom descritivo do relato de Kuhn, no qual o conteúdo prescritivo se encontra implícito e não explicitado, também se coaduna com o estilo romântico.

Já deve estar clara a existência de uma identidade estrutural entre dois estereótipos sociais e políticos e duas posições opostas na filosofia da ciência. É necessário, agora, mostrar que as duas ideologias sociais estereotipadas correspondem a posições assumidas por atores históricos reais. Isso será tratado na seção seguinte e é uma oportunidade para apresentar outros pontos de contato entre posições sociais e epistemológicas, um contato que reside antes em questões de detalhe e de conteúdo do que de estrutura. Uma vez que isso tenha sido feito, a questão crucial será: por que há um isomorfismo entre uma tradição de disputa ideológica e um debate epistemológico?

A localização histórica das ideologias

É relativamente fácil localizar os estereótipos iluminista e romântico em pronunciamentos e posições de agentes individuais e grupos históricos. Isso porque os estereótipos correspondem frequentemente às duas respostas, de aceitação ou rejeição, disponíveis ao tentarmos compreender os principais eventos sociais do fim do século XVIII, do século XIX e do início do século XX. Os estereótipos amiúde foram elaborados como respostas a guerras e revoluções, ao processo de industrialização e aos esforços nacionalistas do passado recente da Europa. Tais eventos são claramente divisores. Eles produzem automaticamente uma polarização de opiniões porque algumas pessoas perdem e outras ganham. Sempre que estiverem envolvidos interesses e destinos, nossas mentes serão lançadas à reflexão e à defesa conscientes. Serão discutidos casos, tradições intelectuais serão esmiuçadas em busca de recursos, valores morais de grande apelo serão invocados e estruturados a fim de se adequarem aos propósitos em questão. As noções de Deus, Homem e Natureza serão utilizadas para explicar as experiências a que estamos sujeitos e para justificar as situações em que nos encontramos ou as ações que tendemos a tomar.

Uma das principais ocasiões da manifestação das duas ideologias opostas que acabo de esboçar foi, é claro, a Revolução Francesa de 1789. Os ideais individualista e racionalista da Revolução são evidentes em grande parte da legislação que ela introduziu. Por exemplo, ela acaba com modalidades institucionais, como as guildas e corporações, que mediavam grupos de indivíduos. As estruturas que articulavam a totalidade social foram quebradas e atomizadas. Nisbet (1967) cita a lei "Le Chapelier" de 1791, que fixa: "Não há doravante qualquer corporação no interior do estado; há apenas o interesse particular de cada indivíduo e o interesse geral" (p.36). A unidade crucial da família foi considerada pelos ideólogos e legisladores revolucionários um microcosmo da própria República. Foi decretado que princípios e direitos igualitários deveriam prevalecer em detrimento dos direitos autocráticos do pai, antes apoiados pela lei. A simplificação das unidades administrativas e a racionalização das leis e do governo estavam na ordem do dia.

Foi contra tais tendências alarmantes e, no fim das contas, sangrentas que os pensadores reacionários da Grã-Bretanha, da França e da Alemanha produziram sua retórica e suas análises. O principal exemplo talvez seja Edmund Burke com suas brilhantes *Reflections on the Revolution in France* [Reflexões sobre a revolução na França] (1790). Burke opôs, para os que invocavam a lei natural a fim de justificar seus direitos e liberdades, um direito natural de ser governado e contido e de existir em uma sociedade estável. Aos que apelavam para a luz natural da razão como base para a crítica da sociedade, Burke declarou enfaticamente que a sociedade é, e deve ser, fundamentada no preconceito, e não na razão. A razão, como um recurso individual, é inadequada. A razão da qual dependemos, e da qual devemos depender, é o saber socialmente incorporado de nossa sociedade, o que, em linguajar moderno, poderia ser denominado de suas "normas". Assim:

> Tememos colocar os homens para viverem e comercializarem cada um com seu próprio suprimento de razão, pois suspeitamos que o estoque de cada um é pequeno e que os indivíduos fariam melhor se aproveitassem do banco geral e do capital das nações e das eras (p.168).

O preconceito tem, sobre a razão calculante do indivíduo, a vantagem inestimável de ser concordante com a ação e de gerar continuidade. Assim:

> [...] preconceito, com sua razão, tem um motivo para fornecer ação a essa razão; e uma simpatia que lhe proporcionará permanência. O preconceito é de pronta aplicação nas emergências. De modo prévio, ele compromete a mente com um curso seguro de sabedoria e virtude e não deixa o homem hesitar no momento da decisão, cético, confuso e irresoluto. O preconceito transforma as virtudes do homem em hábitos, e não em uma série de atos desconexos. Apenas por intermédio do preconceito é que seu dever torna-se uma parte de sua natureza (ibidem).

O desejo de criticar, de discutir e argumentar a respeito de tudo é visto por Burke como desgraça, e não como a glória de sua época, como poderiam pensar seus oponentes. Sobre o "clã dos esclarecidos", políticos e letrados, Burke lança a acusação de que eles estão "em guerra implacável contra tudo o que está estabelecido", e afirma que:

Para eles é suficiente, para destruir a antiga ordem das coisas, o motivo de ela ser antiga. Quanto à nova, não se preocupam com a persistência do edifício que constroem às pressas, pois a duração não é objeto da consideração daqueles que pensam que pouco ou nada tenha sido feito antes de sua época, e que depositam todas suas esperanças nas descobertas (ibidem).

Um dos temas mais interessantes de Burke diz respeito à simplicidade e complexidade, e suas conexões com as regras que devem governar a conduta humana. A natureza humana e suas condições são intrincadas. Aqueles que buscam produzir leis simples que governem nossos afazeres ou são grosseiramente ignorantes de seu ofício ou negligentes com seu dever. Considere, por exemplo, nossas liberdades e restrições. Uma vez que elas "variam conforme os tempos e as circunstâncias, e admitem infinitas modificações, não podem estar baseadas em quaisquer regras abstratas e nada pode ser tão insensato quanto discuti-las como consequência de tal princípio" (p.123). Burke exemplifica com clareza muitas das facetas do estilo de pensamento romântico. Aqueles que buscam modos de criticar a concepção de ciência de Popper poderiam facilmente tomar de empréstimo a posição de Burke, com seu desdém reacionário pela descoberta, sua ênfase na complexidade e rejeição da simplicidade, com o papel atribuído ao preconceito (tão semelhante à ideia kuhniana do dogma), seu interesse pela ação concreta em detrimento do pensamento abstrato, com o tema da coesão social em oposição a um individualismo crítico e divisor.

A rejeição dos valores da Revolução Francesa não estava restrita à Grã-Bretanha. Elaborações da teoria reacionária foram oferecidas por diversos pensadores alemães – como Müller, Hailer e Möser. Eles eram provincianos, tradicionalistas, patriotas, monarquistas e autoritários. Adam Müller foi influenciado por Burke e é um caso particularmente interessante. Passagens de seus *Elementos da política* (1808-09) foram traduzidas em Reiss

(1955) e mostram o seguinte: é uma característica típica dos pensadores iluministas dividir e distinguir. Desse modo, distinguem valores de fatos, razão de sociedade, direitos de tradições, o racional do real, o verdadeiro do que é apenas objeto de crença, o público do privado. É uma tendência romântica a de equiparar aquilo que os pensadores iluministas mantêm separado. Em poucas páginas, Müller mistura e combina sistematicamente todas essas categorias e desfaz todo o trabalho de traçar limites e de compartimentar, que é a marca da "clarificação" iluminista. Mas o que está em questão aqui é mais que uma mera tendência de dividir em oposição a uma tendência equivalente, embora contrária, de unir. Na teoria, o iluminista tem o hábito de distinguir e o romântico, de unir por analogia. Na prática, o romântico assume a divisão estrutural da sociedade e o iluminista a desmembra em uma homogeneidade atomizada.

O tratamento de Müller sobre as relações entre as esferas pública e privada fornece um exemplo disso – e um contraste marcante com as opiniões utilitaristas típicas. Ele diz:

> O Estado é a totalidade dos assuntos humanos, sua união em um todo vivo. Se excluirmos permanentemente dessa associação mesmo a mais insignificante parte da existência humana, se separarmos a vida privada da vida pública ainda que em um único detalhe, não poderemos mais perceber o Estado como um fenômeno da vida ou como uma ideia... (p.157).

A relevância disso no presente contexto é ilustrar a ideia romântica central de uma parte ou elemento de um sistema estar num estado de unidade profunda com o todo. Desse modo, as conjecturas científicas não são unidades isoladas de pensamento. Elas são, por assim dizer, microcosmos do paradigma do qual são uma parte. Ou, ainda, para expor o paralelo de outra maneira, a ideia ou inspiração por trás de uma conjectura não é parte da vida privada do cientista. Isso não deve ser visto como pertencente ao domínio da psicologia em vez do da ciência, ou ser confinado a um "contexto da descoberta" em oposição ao "contexto da justificação". Em vez disso, o processo de criação é parte integral do empreendimento científico como um todo e não deve estar separado dele em virtude de um princípio abstrato de demarcação. Müller chega ao ponto de aplicar tal abordagem unificadora à relação entre o conhecimento e a sociedade, ou, como ele a exprime, entre a ciência e o estado. Eles devem ser um só, como a alma e o corpo. E insiste que:

> Não seremos capazes de entender a ciência e a natureza intrínseca da ciência caso uma fronteira absoluta seja estabelecida entre os domínios da terra, ideais e reais, e se apenas uma parte, a ideal, nos for atribuída. Não poderemos realizar isso se o vasto, completo e único mundo for cortado em dois mundos eternamente separados – o mundo efetivo do estado e o mundo imaginado da ciência –, pois somos, afinal, seres humanos, somos inteiros e singulares, e precisamos de um mundo completo que seja, por assim dizer, cortado em uma única peça (p.156).

Esses exemplos dão uma ideia da atitude circunstanciada de pensadores românticos em relação a questões sociais gerais. Outro campo de batalha de extrema importância no qual as duas ideologias opostas se confrontaram mutuamente foi, e ainda é, o da teoria econômica.

O pensamento iluminista é bem representado na economia pelos defensores do *laissez-faire* e pelos economistas clássicos da escola de Adam Smith e Ricardo. Talvez a afirmação mais explícita de suas pressuposições seja a oferecida pelo trabalho de Jeremy Bentham. Como expôs um comentador das teorias econômicas, "Bentham e os ricardianos possuem uma ideologia comum" (Stark, 1941 e 1946). Todas as citações de Bentham que seguem foram tiradas desses competentes artigos. Como o próprio Bentham disse, ele foi o pai espiritual de James Mill e, portanto, o avô espiritual de Ricardo. Bentham alinha-se sinceramente às doutrinas de Adam Smith, exceto quando ele sente que Smith reluta em aceitar as consequências lógicas de sua própria posição.

Por exemplo, em *A riqueza das nações* (1776), Smith qualifica sua defesa geral da negociação individual e livre nos assuntos do mercado ao aceitar que deve haver uma restrição legal na taxa de juros máxima com a qual se pode emprestar dinheiro. Smith pensa que, sem tal limite, a maior parte do dinheiro dos empréstimos iria para "perdulários e aventureiros". A resposta de Bentham foi, com efeito, perguntar: e daí? Sem os "aventureiros" não haveria progresso; correr riscos faz parte da natureza da atividade econômica e da criação de riqueza. Tal atitude, é claro, é idêntica à opinião popperiana de que correr riscos intelectuais faz parte da natureza da atividade científica e da criação de conhecimento. Bentham insistiu que as pessoas devem calcular por si mesmas os ganhos e as perdas associados a quaisquer cursos de ação. Ele alega que, "com raras e pouco relevantes exceções, a obtenção da satisfação máxima é mais bem assegurada ao deixar cada indivíduo perseguir sua própria satisfação máxima". O individualismo, é evidente, segue lado a lado com a tendência em considerar a totalidade social como a mera soma de suas partes atômicas. O conceito aritmético da relação do indivíduo com a sociedade emerge claramente quando Bentham diz:

> A diferença entre a política e a moral é esta: a primeira dirige as operações dos governos, a outra, os acontecimentos pessoais; seu objeto comum é a felicidade. Aquilo que é politicamente bom não pode ser moralmente ruim, a menos que as regras da aritmética, verdadeiras para números grandes, possam ser falsas com respeito aos pequenos.

A moralidade para Bentham é assimilada aos processos do mercado. Trata-se de um ato da razão, a razão funciona segundo o cálculo e o cálculo manipula quantidades de prazer e de sofrimento. Foi a "natureza" que nos colocou aos pés de "dois mestres soberanos": o prazer e o sofrimento. Assim, "os mais exaltados atos de virtude podem facilmente ser reduzidos ao cálculo do bem e do mal. Isso não corresponde a aviltar ou a enfraquecer tais atos, mas a representá-los como efeitos da razão e a explicá-los de uma forma simples e inteligível". As ênfases na razão, no cálculo, na simplicidade e na inteligibilidade são, todas elas, temas centrais daquilo que chamei de pensamento iluminista. Bentham reconhece que sua imagem racionalista é uma abstração, mas sustenta que se trata de uma abstração necessária.

As teorias da economia clássica desaguaram enfim em uma completa ideologia usualmente chamada de "darwinismo social". Tal concepção assume a imagem econômica básica da competição individual e a associa à necessidade "natural" da luta, do esforço individual, da importância da sobrevivência do bem adaptado e da eliminação do fraco e ineficiente. A ironia graciosa dessa ideologia consiste em que a ordem social que buscou sua justificativa junto a tal visão darwinista da ordem natural tenha sido, ela própria, a inspiração da teoria biológica. Foi por meio de suas leituras de Malthus que tanto Darwin quanto Wallace chegaram ao conceito central da sobrevivência do mais bem-adaptado. Tal conceito era originalmente uma parte dos debates em economia política preocupados com o amparo aos pobres e com o fato de se as conclusões a serem extraídas da economia smithiana seriam otimistas ou pessimistas (Halevy, 1928; Young, 1969). A teoria de Popper da refutação impiedosa é o darwinismo social no âmbito da ciência – uma afinidade elaborada em seu trabalho posterior.

As teorias da economia clássica não passaram incontestes. A supremacia econômica britânica no século XIX foi agudamente sentida pela Alemanha, que se tornou cada vez mais sua competidora. Os pensadores alemães perceberam com rapidez as teorias econômicas de Adam Smith como justificativas intelectuais para as condições que favoreciam precisamente a Grã-Bretanha, a saber, o livre-comércio. A percepção da Alemanha dos próprios interesses sugeriu a política oposta de proteção. Muitos economistas concluíram que teorias econômicas abstratas, universais, deveriam ser substituídas por um estilo de análise que desse a devida atenção às diferentes condições econômicas de diferentes tempos e lugares. Assim nasceu a "escola histórica" de economistas, composta por economistas famosos como Roscher, Hildebrand, Knies e Schmoller. Seus princípios históricos acomodam-se nitidamente no estereótipo romântico. A economia deveria ser um ramo da história e da sociologia; deveria situar a atividade econômica em seu contexto social, e não tratá-la de modo abstrato e universal (cf. Haney, 1911, fonte das citações seguintes). Wilhelm Roscher (1817-94) esboçou o programa da escola histórica da seguinte forma:

i. A economia política é uma ciência que pode ser explicada apenas na mais estreita relação com outras ciências sociais, especialmente a história da jurisprudência, da política e da civilização.

ii. Um povo é mais que uma massa de indivíduos existentes, e a investigação de sua economia não pode, portanto, estar baseada na mera observação das relações econômicas dos dias atuais.

iii. Para derivar leis com base na multidão de fenômenos, deve--se comparar o maior número possível de pessoas.

iv. Leva muito tempo para que o método histórico possa enaltecer ou censurar as instituições econômicas.

Comparemos isso à declaração de um economista britânico, seu contemporâneo Haney: "A economia política não pertence a qualquer nação, não é de nenhum país, ela é fundada nos atributos da mente humana e isso nenhum poder é capaz de mudar" (p.10).

Seria demasiado ingênuo supor que a polaridade do pensamento econômico antes apresentada corresponda precisamente às diferenças entre os interesses alemães e britânicos. Havia seguidores alemães de Smith, embora constituíssem uma minoria e a escola histórica dominasse as universidades. Inversamente, havia críticos britânicos da escola clássica, por exemplo, os economistas irlandeses J. Kelis Ingram (1824-1907) e Cliffe Leslie (1825-82). Com efeito, havia na Grã-Bretanha uma longa oposição ao crescimento e aos excessos da industrialização e de sua ideologia *laissez-faire*. Um dos primeiros representantes foi o poeta Samuel Taylor Coleridge. Mais tarde, a poderosa retórica de Thomas Carlyle foi liberada contra a ideologia socialmente divisora do individualismo e suas inclinações mecânicas e inumanas. (Sobre Carlyle e os seguidores românticos de Coleridge, ver Mander, 1974.)

A jurisprudência e a legislação foram outros campos nos quais se fez sentir exatamente a mesma polaridade ideológica entre os estilos iluminista e romântico. Contra a ênfase de Burke no concreto e particular, Bentham poderia dizer: "A legislação, que tem sido até aqui fundada principalmente na areia movediça do instinto e do preconceito, deve ser colocada por completo sobre a base imóvel dos sentimentos e da experiência". A divisa de Bentham era "codificação". Seu desejo era o de colocar a lei em um patamar que fosse claro, simples, racional e acessível. Com a propagação da influência francesa graças às conquistas de Napoleão, mais e mais regiões da Europa passaram a estar sob o controle de "códigos" legais. Isso provocou uma resposta nacionalista que, com o declínio de Napoleão, expressou-se na abordagem "histórica" às leis – a abordagem à qual o economista Roscher se refere como um dos modelos de sua metodologia econômica. A lei tem que proceder do espírito do povo, ser nacional e não cosmopolita, ser jurisprudência concreta e não uma lei abstrata codificada. Então novamente Adam Müller: "Qualquer um que pense sobre a lei pensa imediatamente em certa localidade, em certo caso, ao qual a lei é aplicada (...). Qualquer um que conheça uma lei positiva da forma com a qual ela é escrita tem apenas o conceito da lei, ou seja, nada além de palavras inertes." Talvez o mais famoso defensor da lei como uma expressão do *Volksgeist* seja Carl von Savigny, que travou um debate sobre tal questão com o juiz de Heidelberg, Thibaut. A questão era se a

Alemanha deveria ter um Código Germânico. Savigny opôs-se à ideia com o argumento de que os códigos anteriores da Prússia e da Áustria haviam fracassado. Toda lei deveria surgir com base nas leis habituais. Ela é criada pelo uso e pela crença popular e pode ser entendida apenas como fenômeno histórico complexo (cf. Montmorency, 1913; Kantorowicz, 1937).

A oposição entre os estilos iluminista e romântico também é aparente na teoria moral. A moralidade utilitarista dos "filósofos radicais", Bentham, os Mills e Sidgwick, sofreu uma oposição feroz nos fins do século XIX pelos idealistas britânicos F. H. Bradley e Bernard Bosanquet. Os famosos *Ethical Studies* (1876) de Bradley verteram desprezo sobre a ideia de que a ação possa estar baseada em cálculos ou ser derivada de princípios abstratos utilitaristas. Isso simplesmente leva à hipocrisia. Além disso, os princípios morais não são universais: a variação é a essência da moralidade. O mesmo comportamento não é apropriado para todas as pessoas, tempos e lugares. Trata-se de uma questão de costumes e hábitos socialmente variáveis e está baseada nas posições e deveres de cada um. Por sua vez, na *Philosophical Theory of the State* (1899), Bosanquet ataca Bentham e seu relato individualista da obrigação política. Bosanquet revive a noção de Rousseau da "vontade geral" da sociedade para opor-se à ideia de que a vontade é um fenômeno individual e hedonista. A vontade geral é o que ouvimos como sendo a voz da consciência: nossa melhor identidade. Aquilo que é elevado e obrigatório no indivíduo provém genuinamente, segundo a teoria tanto de Bosanquet como a de Durkheim, de algo externo ao indivíduo e maior que ele. Ambos os autores situam a entidade superior na sociedade. Para Bosanquet, entretanto, a sociedade é ainda mais permeada de implicações teológicas do que prevê a teoria de Durkheim.

A propaganda de guerra fornece outra ocasião para as duas ideologias mostrarem os rostos. Por exemplo, a propaganda alemã em 1914 estava saturada de oposições estereotipadas: a *Kultur* alemã *versus* a *Zivilisation* inglesa e francesa, os valores de *Hawkers and Heroes (Händler und Helden)* e versões vulgarizadas da distinção de Tönnies entre *Gemeinschaft* e *Gesseilschaft* (cf. Staude, 1967).

Do outro lado, o sentimento antigermânico e o reconhecimento do individualismo foram abertamente fundidos pelo psicólogo McDougall no prefácio de seu *The Group Mind* (1920). McDougall era crítico de autores como Bosanquet, cujos valores hegelianos, e, portanto, germânicos, eram taxativamente repudiados por ele. A influência do idealismo em Oxford, disse McDougall, tem sido "tão perniciosa ao pensamento claro e honesto como provou ter sido demolidora da moralidade política em seu país de origem" (p.ix). Àqueles que desejassem ver exposto "o vazio de suas alegações a todos os homens de todos os tempos", os leitores de 1918 eram conduzidos ao livro do professor L. T. Hobhouse, *The Metaphysical Theory of the State* (1918). Um leitor moderno, é claro, poderia procurar por *The Open Society and its Enemies* [A sociedade aberta e seus inimigos] (Popper, 1966) com a mesma finalidade. Este também foi escrito para defender os valores do individualismo e foi concebido por Popper como parte do esforço de guerra em favor dos aliados.

Esse breve sumário mostrou o caráter sistemático e ubíquo da oposição ideológica entre dois conjuntos de valores e dois estilos de pensamento. É evidente que a oposição não ocorreu de modo estático. O equilíbrio de poder entre as imagens em disputa variou ao longo do tempo e de lugar para lugar. O liberalismo econômico estava em ascensão na Inglaterra em meados do século XIX e sofreu um declínio nas décadas de 1870 e 1880, quando as políticas protecionistas se generalizaram na Europa. O idealismo filosófico nesse país surgiu, ao que parece, em concomitância ao protecionismo e sofreu um declínio após a Primeira Guerra Mundial. A conexão entre pensadores individuais e os dois estereótipos também não é tão simples. Os estereótipos são frequentemente utilizados nas polêmicas, mas é claro que buscam o caso puro ou típico. Assim, Burke foi um liberal econômico, mas um conservador político. Adotou o utilitarismo, mas lhe deu um emprego conservador. Bentham também começou como um conservador político oposto à ideia de direitos naturais. As pessoas não tinham direitos naturais, apenas os direitos que lhes eram conferidos pelas constituições escritas por legisladores como ele próprio. Por outro lado, Bentham argumentava valendo-se de premissas escolhidas por ele mesmo para chegar a conclusões que eram essencialmente as mesmas que as alcançadas com o emprego da retórica dos direitos naturais. Indivíduos seguem seus próprios caminhos idiossincráticos para as conclusões coletivas.

Os estereótipos representam agrupamentos típicos de ideias, conjuntos que certamente pareceram reais para aqueles que os combatiam – ainda que seus defensores fossem mais competentes e melindrosos. Pensadores individuais podem ser vistos como que selecionando sua própria amostra pessoal com base em ideias que existem ao seu redor como recursos culturais, disponíveis nos escritos e na retórica de seus contemporâneos e predecessores. Com o tempo, tais recursos tornaram-se elaborados nos dois vastos estilos característicos de pensamento sobre a sociedade que esbocei e exemplifiquei.

A fim de suplementar o sumário das similaridades estruturais entre Popper e Kuhn, por um lado, e as ideologias iluminista e romântica, por outro, formularei rapidamente algumas similaridades de conteúdo para expor as metáforas sociais subjacentes.

i. A antítese da democracia individualista e do autoritarismo paternalista e coletivista é aparente nas duas teorias do conhecimento. A teoria de Popper é antiautoritária e atomista, e a de Kuhn é holista e autoritária.

ii. A antítese do cosmopolitismo e do nacionalismo também é fácil de perceber. A teoria da unidade racional da humanidade de Popper e o "livre-comércio" das ideias contrasta com o estado intelectual fechado do paradigma e com a riqueza especial de sua linguagem singular. (O paralelo aqui se faz com o estado comercial fechado de Fichte (1955) e com a descrição da linguagem por Herder (cf. Pascal, 1939). Ambos são componentes da ideologia romântica.)

iii. A antítese entre a fixação benthamiana por "codificação" e clareza e a alegação de Burke sobre o papel do preconceito corresponde à diferença entre a legislação metodológica e o estabelecimento de demarcação de Popper e a ênfase de Kuhn sobre o dogma, a tradição e o juízo.

A questão agora é: por que esse padrão repetitivo de conflito ideológico floresce em uma área esotérica como a filosofia da ciência? Por que a filosofia da ciência retoma esses temas? Deve-se buscar uma explicação: trata-se de uma conexão por demais sugestiva e proeminente para ser ignorada.

A conexão entre os debates epistemológicos e ideológicos

O que foi mostrado até aqui é que há certa similaridade de estrutura e conteúdo entre duas importantes posições epistemológicas e uma sequência de debates ideológicos correlacionados. A hipótese que já foi aventada para prever e explicar tal similaridade é a de que tais teorias do conhecimento são, na realidade, reflexos de ideologias sociais. O que resta a ser examinado é o mecanismo da transferência de ideias de um domínio para o outro.

Não é difícil elaborar conjecturas plausíveis. A oposição ideológica é amplamente difundida em nossa cultura. Ela é um padrão repetitivo e proeminente, portanto qualquer pessoa reflexiva acabará por encontrá-la – seja pela leitura de livros de história, romances ou jornais, seja em resposta à retórica dos políticos. O padrão pode não ser encontrado como uma oposição rígida, completamente articulada. Ele pode advir a princípio da experiência de um dos lados da polaridade e daí para o outro, implicitamente aqui, explicitamente ali, de maneira parcial em um contexto, mais completo em outro. Mediante o ritmo constante da experiência social e pela busca incessante da mente por estruturas e padrões, os dois arquétipos acabarão por acomodar-se em cada um de nós e constituir um fundamento e recursos para nossos pensamentos. Para aprender tais estereótipos ideológicos, talvez não precisemos mais do que a plena exposição à nossa linguagem. O significado das palavras é inseparável de uma carga de associações e conotações. Elas formam padrões, mantendo juntas algumas ideias e experiências, afastando e dissociando outras. O livro *Culture and Society* (1958), de Raymond Williams, é particularmente relevante. Investiga as mudanças de significado da palavra "cultura". De início, ela se referia apenas ao plantio ou ao cultivo de safras; e ainda possui tais conotações. A metáfora do crescimento orgânico com suas sugestões agrícolas fez com que fosse apropriada para o uso da tradição de pensamento decorrente de Coleridge, que lastimava o crescimento da industrialização e do individualismo. Se nos perguntarmos sobre o uso que a palavra "cultura" tem hoje para nós, fica imediatamente claro que ela possui as conotações de tradição, unidade e espiritualidade ou de uma imponência de algum tipo. A própria noção de cultura já contém, em sua origem, as ideias capazes de preencher a imagem romântica da sociedade. Isso não ocorre, obviamente, porque a ideologia foi obtida pela exploração das consequências desse conceito. Em vez disso, o conceito tem hoje tais implicações por causa de sua associação com tal ideologia. A lógica do conceito é um resíduo de seu papel social, e não vice-versa. Por outro lado, não se pode pensar na palavra "cultura" sem relacioná-la tacitamente à sua antítese. Esta, por sua vez, será algo capaz de acabar com a tradição e de representar mudança e atividade. Será algo que enfraqueça a unidade, sugira divisão, conflito, competição e atomização. A antítese tem de ser oposta à espiritualidade e ao que é elevado, e deve sugerir mundanidade, praticidade, utilidade e dinheiro. O que mais pode ser, além da imagem da industrialização, da ética do capitalismo e da competição *laissez-faire*? Em suma, já não temos em mente, da experiência de nossa vida social e da linguagem, os mesmos arquétipos presentes nas operações que resultaram nas teorias do conhecimento que acabamos de considerar?

A conexão entre ideologias sociais e teorias do conhecimento não é mistério algum, mas uma consequência inteiramente natural e trivial do modo como vivemos e pensamos. As ideologias sociais são tão ubíquas que constituem uma explicação óbvia do porquê de nossos conceitos terem a estrutura que têm. Aliás, o emprego tácito dessas ideologias como metáforas parece ser quase impossível de evitar. Nossa familiaridade com seus temas e estilos nos diz que os padrões de ideias que delas extraímos terão o caráter de assunções completamente incontestes. Estarão engastados de modo inconsciente nas próprias ideias nas quais temos de pensar. O que pode parecer ao filósofo a análise pura desses conceitos, ou o apelo imaculado ao seu significado, ou a mera exibição de suas implicações lógicas, será, na verdade, a repetição de parte das experiências acumuladas de nossa época.

Outra variável: o conhecimento ameaçado

Até aqui a discussão dos relatos da ciência popperiana e kuhniana tem sido inteiramente simétrica. Ambos têm sido apresentados como perfeitamente enquadrados nas respectivas concepções da sociedade. Mas essa mesma simetria pede um comentário, pois ela tem implicações para a teoria durkheimiana tal como foi até aqui elaborada. Se o conhecimento é tacitamente dotado de um caráter sagrado, em virtude da conexão entre imagens de conhecimento e imagens de sociedade, então ambos os programas, popperiano e kuhniano, seriam opostos na mesma medida à sociologia do conhecimento. O fato é que não são igualmente opostos. Com efeito, uma das principais acusações por parte dos que sofrem a influência de Popper é a de que o relato de Kuhn é basicamente uma obra de história sociológica. Precisamente por causa desse aspecto da posição de Kuhn é que foram levantadas contra ele as objeções de subjetivismo, irracionalismo e relativismo. Assim, minha explicação durkheimiana das fontes de oposição à sociologia do conhecimento deve estar incompleta. Ela prevê simetria onde há assimetria. Há outra importante variável: a estimativa do quanto o conhecimento e a sociedade estão ameaçados.

Antes de esquadrinhar as operações dessa variável, gostaria de chamar a atenção para o quanto é plausível esperar que ambas as abordagens ao conhecimento oponham-se igualmente ao estudo científico da ciência. Os dois estilos de pensamento sobre a ciência são simétricos em seu potencial para mistificar o conhecimento, assim como para colocá-lo além do alcance de um estudo científico. É claro que as estratégias para assegurar tal fim, as linhas naturais de defesa e evasão, são bastante diferentes em cada caso. Os meios mistificadores do relato de Kuhn são claros em virtude da similaridade entre sua posição e a de Burke. Os modos românticos de defender-se de investigações incômodas sobre a sociedade, seja ela científica ou não, são a ênfase na sua complexidade, em seus aspectos irracionais e incalculáveis, nos aspectos tácitos, ocultos e inexprimíveis. O estilo popperiano de mistificação é o de dotar a lógica e a racionalidade de uma objetividade associal ou, mais que isso, transcendente. Por consequência, em seu trabalho recente, Popper fala da objetividade como se formasse um "mundo" por si mesmo, a ser distinguido do mundo dos processos físicos e mentais. Suas demarcações metodológicas acabaram por se tornar distinções metafísicas e ontológicas (cf. Popper, 1972). Para uma discussão, crítica e reformulação sociológica, ver Bloor (1974).

Por outro lado, ambos os estilos de pensamento podem ser harmonizados com uma abordagem perfeitamente naturalista. O caráter factual e sociológico do trabalho de Kuhn é comentado com frequência – embora em geral como prelúdio à crítica. O potencial naturalista da família de teorias à qual pertence o trabalho de Popper talvez não seja tão fácil de perceber. O caráter individualista do pensamento iluminista sugere que seu desenvolvimento naturalista levaria à psicologia. Uma comparação que reforça tal sugestão reside na similaridade da teoria de Popper com a economia clássica. Retornando aos primeiros utilitaristas, fica claro que seu modelo de "homem econômico", racional e calculante tinha muito em comum com sua imagem psicológica do que pode ser chamado de "homem hedonista", cujos cálculos de prazer e sofrimento eram mediados pelas regras da psicologia associacionista. Além disso, tem sido notado com frequência quão próximo está o "homem associacionista" do "homem behaviorista". A associação de ideias é muito semelhante, como mecanismo, ao reflexo condicionado e aos padrões de estímulo-resposta da teoria behaviorista. O resultado extremo dessa série de conexões históricas talvez seja o psicólogo B. F. Skinner. O behaviorismo obstinado de Skinner é completamente naturalista. Todo comportamento, seja o de pombos no laboratório ou de seres humanos ocupados com raciocínios lógicos, deve ser investigado com os mesmos métodos e explicado segundo as mesmas teorias. Apesar de essa forma de teoria psicológica ser individualista em sua origem e em muitas de suas implicações, não há, necessariamente, uma incompatibilidade com o interesse pelos processos sociais. A sociedade, Skinner deixa claro, é a fonte de "programas de reforço" cruciais que moldam o comportamento. Portanto, de certos pontos de vista, ela tem prioridade sobre o indivíduo (1945). Os padrões sociais devem ser construídos pelo psicólogo com base em elementos individuais, mas, do mesmo modo, os que iniciam com totalidades sociais têm a obrigação de assegurar que suas teorias alcancem o nível individual. É uma questão de preferência de direção.

Pode ser objetado que considerar a psicologia como uma forma naturalista da teoria de Popper é altamente implausível. O que dizer de sua muito conhecida hostilidade ao "psicologismo"? Meu ponto, no entanto, não diz respeito às preferências de Popper.

O que está em questão é a direção adotada pela forma básica da teoria quando é desenvolvida de modo naturalista.

A conclusão é que as ideias iluministas ou românticas não determinam, por si mesmas, sua utilização contra ou a favor da sociologia do conhecimento. Isso porque elas não determinam se devem ser lidas de modo naturalista ou mistificador. Mesmo assim, o fator que determina a direção de seu emprego é, não obstante, derivado de modelos sociais subjacentes. Ele depende de a imagem social subjacente ser a de uma sociedade ameaçada ou estável, confiante e persistente. Depende de a sociedade, ou alguma parte dela, ser considerada em declínio ou em ascensão.

A lei que está em ação aqui parece ser esta: aqueles que defendem a sociedade, ou uma parcela dela, de uma ameaça percebida tenderão a mistificar seus valores e padrões, inclusive seu conhecimento. Aqueles que complacentemente não se sentem em perigo ou que estão em ascensão e no ataque a instituições estabelecidas, por razões bem diferentes, estarão felizes em tratar os valores e padrões de modo mais acessível, como pertencentes a este mundo em vez de algo transcendente.

Alguns exemplos podem deixar isso mais claro. Burke estava escrevendo em resposta à Revolução Francesa e temia sua propagação para o outro lado do Canal. Por consequência, ele mistifica. Popper produziu sua *Lógica da descoberta científica* entre duas guerras mundiais – após o colapso do Império dos Habsburgo e sob a ameaça de ideologias totalitárias da esquerda e da direita. Como seria de esperar, ele tende a tornar seus valores e demarcações atemporais e transcendentes. Kuhn, por outro lado, não revela traço algum de ansiedade quanto ao *status* ou ao poder da ciência. Essa é uma diferença manifesta entre os escritos dos dois autores que não pode deixar de impressionar quaisquer leitores de suas obras. Os primeiros utilitaristas, críticos ferrenhos dos "capitais investidos" das instituições estabelecidas, estavam propensos a serem bem naturalistas. Mesmo seu racionalismo possuía um caráter psicológico. James Mill escreveu sua *Analysis of the Human*

Mind (1829) a fim de deixar, como ele expôs, "a mente humana tão plana como a estrada que vai da Charing Cross a St. Paul's" (Halevy, 1928, p.451). A lei da mistificação sugerida pode ser representada de modo idealizado tal como na Figura 4.1.

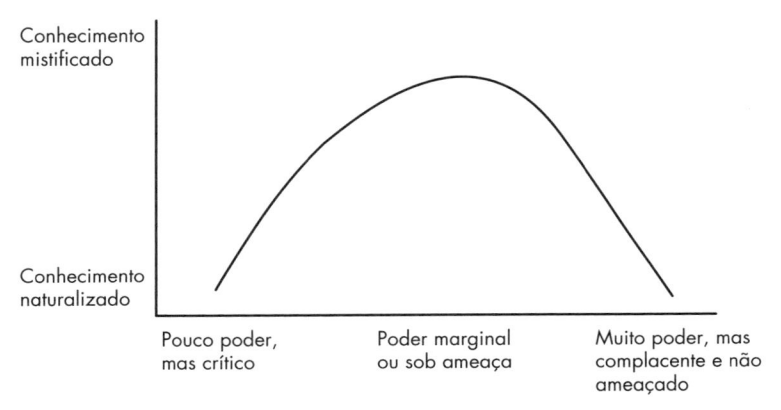

Conhecimento mistificado

Conhecimento naturalizado

Pouco poder, mas crítico · Poder marginal ou sob ameaça · Muito poder, mas complacente e não ameaçado

Figura 4.1 Mistificação e ameaça.

Há um corolário natural dessa lei. Diz respeito à relação entre as ideologias de grupos estabelecidos e dissidentes. Caso um grupo estabelecido possua uma ideologia romântica e esteja sendo ameaçado por um grupo insurgente, isso faz dos conceitos iluministas armas naturais a serem escolhidas. Nessa situação, o estilo iluminista seria relativamente naturalista e o estilo romântico, reificador. Por outro lado, a fim de criticar um grupo estabelecido que use uma ideologia iluminista, alguma variante do romantismo pode insinuar-se com naturalidade. Desse modo, existem ideologias românticas naturalistas revolucionárias e iluministas reacionárias. Eis por que os críticos do capitalismo industrial, tanto de esquerda quanto de direita, utilizaram argumentos parecidos com o profundamente conservador Burke. Isso também explica a estranheza aparente dos militantes estudantis dos fins da década de 1960 em endossar a concepção da ciência de Kuhn apesar de suas implicações profundamente conservadoras. (Os críticos de Kuhn, que não deixaram de explorar esse fato, parecem pensar que há uma conexão intrínseca entre as ideias e sua utilização, em vez de uma conexão historicamente mutável.)

A lição a ser aprendida

A conclusão da última seção foi a de que a variável de uma ameaça percebida, operando sobre as metáforas sociais subjacentes, explica a tendência diferencial de tratar o conhecimento como sagrado e além do alcance do estudo científico. Gostaria agora de examinar a consequência da adoção de uma estratégia mistificadora e as maneiras de evitar sua influência.

A alegação que pretendo promover é a de que, salvo se adotarmos uma abordagem científica à natureza do conhecimento, nossa compreensão dessa natureza não será mais que uma projeção de nossos interesses ideológicos. Nossas teorias do conhecimento irão surgir e desaparecer em concomitância à ascensão e queda de suas respectivas ideologias; elas carecerão de qualquer autonomia ou base para desenvolverem-se por si mesmas. A epistemologia será tão somente propaganda implícita.

Consideremos primeiro o relato kuhniano da ciência que, como salientam seus críticos, é naturalista e sociológico. Os defensores da abordagem de Kuhn poderiam dizer que destacar a metáfora social sobre a qual ela está assentada não é uma crítica ao relato. Folheando um livro de filosofia convencional, poderia se argumentar que a origem da teoria não importa desde que ela esteja sob o controle dos fatos e observações. E a imagem kuhniana da ciência seguramente está sob tal controle, uma vez que se empenha em explicar uma ampla variedade de material histórico. Os historiadores podem debater sobre o quanto ela foi bem-sucedida, mas seu destino como uma explicação da ciência dependerá de sua viabilidade em face da pesquisa futura. Portanto, suas origens, quaisquer que sejam, não são de importância primordial ao tentar se estabelecer a verdade. Por certo, tal conclusão está correta. A história, como qualquer outra disciplina empírica, tem sua própria dinâmica. Pode ser que ela nunca transcenda inteiramente a influência de fontes que lhe são externas, mas não é um mero fantoche. O caso é bem diferente quando as concepções de conhecimento buscam separar-se do mundo e rejeitam uma abordagem naturalista. Uma vez que o conhecimento se torne especial assim, já se perdeu todo o controle sobre as teorias a seu respeito. Os relatos sobre o conhecimento estarão totalmente à mercê das metáforas sociais fundamentais das quais, obrigatoriamente, eles partem. Diferentemente do relato histórico e naturalista de Kuhn, que também começa sob a influência da metáfora social, um relato mistificador está fadado a terminar sua vida no mesmo estado de servidão que começou.

Há claramente uma moral a ser extraída para todos os assim chamados relatos "filosóficos" sobre o conhecimento. A filosofia, tal como concebida nos dias de hoje, não possui a mesma dinâmica dos estudos históricos e empíricos, pois não há entradas controladas de novos dados. Desse modo, não haverá nada para modificar a influência exercida pela metáfora social original.

Se tal alegação estiver correta, a crítica e a autocrítica na filosofia são apenas afirmações dos valores e perspectivas de certos grupos sociais. Nossa razão, ao refletir sobre os primeiros princípios, alcança logo um ponto no qual não mais são levantadas outras questões ou requeridas justificativas adicionais. A mente opera aqui com o que lhe é intuitivamente autoevidente – e isso quer dizer que depende dos processos de pensamento assumidos por algum grupo social. Burke os chamaria de preconceitos. Haverá, é claro, numa sociedade como a nossa, divergências usuais de valores e, com isso, pode-se esperar que continuem a ocorrer divisões de opinião em certas questões filosóficas. Pode-se esperar também que a posição entre esses pontos de vista rivais permaneça estática – a variação que ocorrer nas posições opostas apenas espelhará os variados êxitos das ideologias sociais que sustentam os relatos sobre o conhecimento em questão. E será uma função do que ocorre fora da filosofia.

Se isso for de fato consequência da rejeição de uma abordagem naturalista ao conhecimento, então é claro que a filosofia não pode recorrer à distinção entre a origem e a verdade, ou a descoberta e a justificativa, a fim de escapar da acusação de que suas concepções repousam sobre ideologias sociais. Uma ciência dinâmica pode ignorar a origem de suas ideias. Mas uma disciplina que tão somente elabora e fortalece seu ponto de partida deve ser mais suscetível às questões de origem. Tudo aquilo que insinua a parcialidade, a restrição seletiva e o partidarismo é necessariamente condenável, pois insinua um erro a ser cada vez mais agravado e nunca eliminado.

É certo que tais argumentos não são de modo algum decisivos. Não serviriam de auxílio contra uma crença confiante de que temos acesso a uma fonte especial de conhecimento não empírico. Só serviriam quando já há um comprometimento equivalente com os métodos empíricos. Para aqueles que já possuem tal comprometimento, eles sugerem a conveniência de aceitar uma abordagem científica, empírica e naturalista à natureza do conhecimento.

Como o receio de violar a sacralidade do conhecimento pode ser superado, ou melhor, em que condições ele seria mínimo? A resposta fica clara com base no que foi dito antes. Ele só pode ser superado por aqueles cuja confiança na ciência e em seus métodos for quase total – aqueles que a assumirem por completo, aqueles para quem a crença explícita na ciência não seja, em absoluto, uma questão. Isso é o que é transmitido no livro *Estrutura das revoluções científicas*. Kuhn, nele, estuda algo que parece assumir por completo; e o faz com o uso de métodos que assume por completo. Atingir tal autoconfiança não é incomum aos historiadores. Eles, por exemplo, quase sempre aplicam suas técnicas históricas ao trabalho de historiadores do passado. Assim, o historiador C. P. Gooch (1948) não apenas estudou Bismarck como um agente histórico, mas também o historiador prussiano Treitschke, que igualmente havia escrito sobre Bismarck. O historiador mais antigo é visto como fruto do seu tempo, cujo conhecimento e perspectiva foram condicionados historicamente tanto quanto o foi o homem de estado que é o objeto comum a eles. Os historiadores não vacilam diante da história por perceberem que sua disciplina pode ser reflexiva.

Essa é seguramente a atitude correta para abordar a sociologia do conhecimento. A postura desejada poderia ser chamada de uma forma natural e não autoconsciente de autoconsciência – embora se deva admitir que essa seja uma designação grotesca. Não importa como possa ser chamada, ela pode ser alcançada por intermédio da aplicação de técnicas de investigação estabelecidas e de rotinas experimentadas e aprovadas. Trata-se do análogo intelectual de perceber a sociedade como tão estável e segura que nada poderia ser capaz de inquietá-la ou destruí-la, não importando com que profundidade seus mistérios sejam explorados.

A discussão sobre a variável da "ameaça" sugeriu haver duas condições sob as quais o conhecimento perderia sua aura sagrada. Ao lado da atitude autoconfiante discutida há pouco, havia a atitude crítica de um grupo ascendente, cético quanto ao conhecimento das fontes estabelecidas de poder. Essa é a abordagem do "desmascaramento", em geral associado à sociologia do conhecimento. Mas há muito já era evidente aos sociólogos da ciência mais sofisticados, como Mannheim, que tal abordagem não pode ser levada às últimas consequências. O ceticismo sempre considerará a sociologia da ciência proveitosa e vice-versa. Mas há diferenças profundas entre as duas atitudes. Os céticos tentarão utilizar a explicação de uma crença para estabelecer sua falsidade. Em seguida, destruirão todas as alegações de conhecimento, uma vez que não há um limite natural ao âmbito da explicação causal. A conclusão será um niilismo autodestrutivo ou uma inconsistente alegação de exceção. Apenas uma complacência epistemológica – que nos permita reconhecer que podemos explicar sem destruir – pode proporcionar uma base segura para a sociologia do conhecimento.

E quanto ao receio – difícil de expressar, mas obviamente bastante real em certas mentes – de que a fonte de energia e inspiração, nossa convicção e fé em nosso conhecimento poderiam de algum modo secar caso tais mistérios profundos fossem explorados? Tal imagem compreende algo importante, no sentido em que Durkheim diz que um crente religioso compreendeu algo importante. Mas a compreensão é apenas parcial. Uma análise mais abrangente oferece uma resposta a essa vaga ansiedade.

Há algo de verdadeiro na convicção de que o conhecimento e a ciência dependam de alguma força além da mera crença. Mas a força externa que os sustenta não é transcendente. De fato, há algo do qual o conhecimento "participa", mas não no sentido em que Platão diz que as coisas sensíveis "participam" das Formas. O que está "além" do conhecimento, o que é maior que ele, o que o sustém é, claro, a própria sociedade. Se alguém teme por ela, então corretamente teme pelo conhecimento. Mas, contanto que se possa acreditar em sua contínua existência e desenvolvimento, como quer que se investigue o conhecimento, ela estará sempre lá para sustentar as crenças que forem investigadas, os métodos utilizados e as próprias conclusões da investigação. E isso é com certeza algo sobre o qual é razoável ser complacente.

Burke teve um vislumbre da conexão crucial, embora estivesse ansioso em vez de complacente. Sobre a erudição e suas fontes de proteção e patrocínio, ele disse: "Oxalá se eles tivessem continuado todos a saber de sua indissociável união e de seu devido lugar. Oxalá se o aprendizado, não corrompido pela ambição, estivesse satisfeito em continuar o instrutor e não aspirasse a ser o mestre!" (p.154).

A consciência da união indissociável da sociedade com o conhecimento é a resposta para o receio de que o conhecimento perderá sua eficiência e autoridade caso seja voltado a si mesmo. Se o conhecimento não estivesse sujeito a nada, a confusão bem poderia ser instaurada, mas a atividade reflexiva da ciência aplicada a si mesma não despojaria a fonte real da energia que sustém o conhecimento.

Acabo de expor o campo das forças que operam sobre os debates, e nos debates, acerca da sociologia do conhecimento. Ironicamente, a própria natureza social do conhecimento mostrou-se um empecilho à sociologia do conhecimento, mas a tomada de consciência dessa relação também fornece a força para superar os receios que ela provoca. Assim esclarecido, será mais fácil responder à gama de opções que nos são abertas e deixar clara a existência de modos alternativos de ver as questões em causa – nesse caso, a natureza da racionalidade, da objetividade, da necessidade lógica e da verdade.

Examinarei agora o mais inflexível dos obstáculos à sociologia do conhecimento – o pensamento lógico e matemático. Eles representam o santo dos santos. Aqui, mais que em qualquer outro lugar, a aura do sagrado incita a um desejo supersticioso de evitar tratar o conhecimento de modo naturalista. Tanto os argumentos particulares dos dois primeiros capítulos quanto a análise geral dos dois seguintes permanecerão pouco convincentes, a não ser que uma análise sociológica possa ser apresentada para esses tópicos.

CAPÍTULO 5

Uma abordagem naturalista à matemática

Nos próximos três capítulos, argumentarei que é possível ter uma sociologia da matemática no sentido do programa forte esboçado antes. Todos aceitam que seria possível haver uma sociologia da matemática relativamente modesta que estudasse o ingresso profissional, a evolução das carreiras e tópicos semelhantes. Isso poderia com justiça ser chamado de sociologia não da matemática, mas dos matemáticos. Questão mais controversa é se a sociologia pode atingir o âmago do conhecimento sociológico. Ela seria capaz de explicar a necessidade lógica de um passo em um argumento, ou por que uma prova é, de fato, uma prova? A melhor resposta a essas questões é fornecer exemplos de tais análises sociológicas, o que tentarei fazer. Deve-se admitir que essas "provas construtivas" não são encontradas em abundância. A razão para isso é que tipicamente refletimos sobre a matemática de maneiras que afastam a possibilidade de tais investigações. Dedica-se uma enorme quantidade de trabalho a conservar uma perspectiva que coíbe o ponto de vista sociológico. Ao exibir a tática adotada para alcançar esse objetivo, espero transmitir a ideia de que não há nada óbvio, natural ou persuasivo em considerar a matemática um caso especial que resista eternamente ao escrutínio do cientista social. Com efeito, mostrarei que ocorre o contrário. Considerar a matemática como que rodeada por uma aura protetora é uma atitude em geral fatigante, difícil e aflitiva. Além disso, leva seus defensores a adotar posições em desacordo com aquilo que se admite ser o espírito da investigação científica.

A experiência usual da matemática

É um teorema da matemática elementar que:

$$x (x + 2) + 1 = (x + 1)^2$$

Ninguém que saiba algo de álgebra duvida disso; e qualquer hesitação momentânea em afirmá-lo pode ser dirimida apenas ao efetuar a exponenciação da direita e rearranjar apropriadamente os termos. Uma vez que a verdade da equação tenha sido vislumbrada, é difícil imaginar como seria duvidar dela. Com segurança, ninguém poderia, ao mesmo tempo, entender o que é asseverado e negar-lhe o assentimento – alguém poderia entender, mas negar a alegação de que Edimburgo está tão ao norte quanto Moscou? Desse modo, parece que a matemática inclui verdades que têm uma natureza extremamente persuasiva. Talvez elas sejam similares, nesse aspecto, às verdades do senso comum sobre os objetos materiais, familiares, que nos cercam. No entanto, elas têm outra propriedade que lhes confere maior dignidade que os testemunhos da percepção. Ainda que possamos imaginar, digamos, que a estante diante de nós possa estar em outro lugar, não podemos imaginar que a fórmula anterior possa ser falsa – não, pelo menos se os símbolos tiverem a eles atribuídos os mesmos sentidos que atribuímos a eles. Dessa forma, as verdades da matemática não são apenas persuasivas; são únicas e imutáveis. Se quisermos uma analogia, ela não deve ser a percepção de coisas, mas os ditames da intuição moral tais como pensados em épocas mais leais e absolutistas que a nossa. O que é correto e adequado sempre pareceu ser imediato, persuasivo e eterno. Diante de perplexidades e dilemas, não se considerava que fossem decorrentes da ausência de um curso de ação verdadeiro, mas sim da dificuldade em discerni-lo ou segui-lo. A autoridade de um passo matemático, tal como se apresenta à nossa consciência, é ao menos semelhante à autoridade moral absoluta.

Essa experiência usual da matemática está geralmente associada a certo modo de relatar o desenvolvimento da matemática, tanto numa escala individual quanto histórica. Um indivíduo diante da matemática vê-se na presença de um corpo de verdades que têm que ser aprendidas. Há uma clara distinção entre o certo e o errado; e a persistência confirma a ideia de que as verdades que passaram despercebidas estavam, não obstante, esperando que uma mente individual fosse capaz de percebê-las. Um estado de coisas semelhante parece ocorrer na história da matemática. Culturas diferentes contribuíram de modo variado para nosso estado atual de conhecimento. Todas essas contribuições parecem ser facetas de um único e crescente corpo de teoremas. Ao passo que claramente existem diferenças culturais, na religião e na estrutura social, por exemplo, todas as culturas desenvolvem a mesma matemática, ou algum aspecto preferido do único e autoconsistente corpo da matemática. Pode ser dada uma explicação do porquê de os gregos terem desenvolvido a geometria em detrimento da aritmética, ao passo que os hindus fizeram o oposto, mas isso é relativamente sem importância se comparado ao fato extraordinário, ao que parece, de não haver algo como uma matemática "alternativa".

Na verdade, alguma realidade tem que ser responsável por esse notável estado de coisas no qual um corpo de verdades autossubsistentes parece ser apreendido cada vez em maiores detalhes e domínios mais amplos. Deve ser essa realidade que os enunciados matemáticos descrevem e à qual se referem as verdades matemáticas. Pode-se ainda presumir que é a natureza dessa realidade que também explica o caráter persuasivo das demonstrações matemáticas e a forma única e imutável da verdade matemática. Deve-se admitir que a natureza exata dessa realidade em nosso pensamento cotidiano é um tanto obscura, mas talvez os filósofos possam defini-la com maior precisão. Tornaria-se clara, assim, a verdade de diversas noções intrigantes. O número, por exemplo, é uma ideia que funciona bem em contagens práticas, embora seja algo cuja real natureza é difícil de descrever. De certo modo, os números parecem ser objetos e é tentador perguntar se existe uma coisa tal como o número três. Infelizmente, tal questão proporciona respostas contraditórias a partir do senso comum. O número três parece ser tanto uma entidade singular cujas propriedades são descritas pelos matemáticos quanto, e ao mesmo tempo, algo tão diverso, e geralmente replicável, como requerem seus inúmeros usos e ocorrências. Ele parece ser tanto um quanto muitos. É nesse momento que o senso comum abandona a tarefa de clarificação e a transfere ao pensamento filosófico sistemático.

A importância da experiência, antes esboçada, que o senso comum tem da matemática se deve a ela representar um corpo de fatos que devem ser explicados por quaisquer teorias acerca da natureza da matemática. Isso é dizer: o que quer que seja a matemática, ela deve ser algo tal que possa apresentar a aparência que acaba de ser descrita. O caráter persuasivo singular da matemática é parte da fenomenologia desse objeto. Um relato da natureza da matemática não está obrigado a afirmar essas aparências como verdades, mas é obrigado a explicá-las como aparências. É uma característica notável de algumas filosofias da matemática tomar o dado fenomenológico de modo acrítico e transformá-lo em metafísica. Uma vez realizado tal movimento, estabelece-se como consequência dessa suposição a impossibilidade de uma sociologia da matemática no sentido do programa forte. É necessária uma abordagem mais crítica e naturalista.

Uma linha promissora de investigação naturalista sobre a natureza da matemática é a do psicólogo que estuda como a matemática é aprendida. A matemática pode ser vista como um corpo de habilidades, crenças e processos de pensamento aos quais os indivíduos devem ser iniciados. Uma pessoa pode obter, eventualmente, tamanha autonomia e habilidade que estará fadado a realizar contribuições criativas ao corpo dos resultados aceitos – contribuições que, por sua vez, poderão ser transmitidas a outros. Tal abordagem, em conjunto com a análise das ideias matemáticas a ela associada, pode ser denominada "psicologismo". Uma formulação anterior do psicologismo foi oferecida por J. S. Mill. Suas ideias sobre a matemática foram apresentadas em seu *A System of Logic* [Sistema de lógica] (1848). Pretendo expor a abordagem de Mill de um modo mais completo e simpático do que o usual, e exemplificarei o seu relato com trabalhos psicológicos modernos.

Talvez o mais célebre ataque ao psicologismo seja o apresentado pelo matemático Gottlob Frege em seu clássico *The Foundations of Arithmetic* [Fundamentos da aritmética] (1959). As críticas de Frege são amplamente consideradas como fatais à abordagem de Mill – por exemplo, por Barker (1964); Cassirer (1950) e Bostock (1974). Mostrarei que não o são. Não obstante, será importante examinar essa controvérsia, pois as críticas de Frege mostram, de fato, as limitações da abordagem psicológica e empirista de Mill. Argumentarei que as características da matemática que impressionaram Frege podem ser formuladas de um modo tal que estendam a abordagem naturalista de Mill, em vez de simplesmente obstruí-la. Assim que isso for feito, estará aberto o caminho para, nos capítulos seguintes, mostrar que a sociologia, em conjunto com a psicologia, pode fornecer uma abordagem adequada à natureza do conhecimento matemático e do pensamento lógico.

A teoria da matemática de J. S. Mill

Para o empirista, o conhecimento decorre da experiência. Assim, para o empirista consistente, se a matemática é conhecimento, ela também tem que decorrer da experiência. Àqueles que confeririam às verdades matemáticas um *status* completamente diferente do das verdades empíricas, e que inventariam faculdades especiais a fim de intuí-las, Mill diz: "Onde então está a necessidade de assumir que nosso reconhecimento dessas verdades tenha uma origem diferente do restante do nosso conhecimento, embora sua existência seja perfeitamente explicada ao supor que suas origens são as mesmas?" (II, V, 4).

O objetivo declarado de Mill em sua *Lógica* é o de mostrar que, na verdade, as ciências dedutivas como a geometria e a aritmética são apenas espécies das ciências indutivas tais como a física e a química o são. Assim, "as ciências dedutivas ou demonstrativas são todas, e sem exceção, ciências indutivas (...) sua evidência provém da experiência" (II, V, 1). É claro que essa tese, diz Mill, está longe de ser óbvia e deve ser comprovada para a ciência dos números, a álgebra e o cálculo. Mill não oferece, de fato, tal comprovação. O máximo que faz é insinuar algumas dicas que conduzem a tal programa. Dicas, não obstante, valiosas.

A ideia fundamental de Mill é a de que levamos ao aprendizado da matemática um estoque de experiências sobre as propriedades e o comportamento dos objetos materiais. Algumas de nossas experiências inserem-se nas categorias que mais tarde formarão as diversas ciências empíricas. Por exemplo, o fato de que a água aquecida produz vapor pertence à física. Assim como esses fatos acerca de domínios de objetos bastante limitados, também conhecemos fatos que são indiferentemente aplicáveis a domínios muito amplos de coisas. Por exemplo, domínios inteiros de objetos podem ser ordenados e selecionados, arranjados em padrões e disposições, agrupados em conjunto ou em separado, alinhados uns com os outros, tendo sua posição alterada, e assim por diante.

São essas verdades de amplo alcance sobre a ordenação e a formação de padrões de objetos que Mill acredita darem base à matemática. Os padrões e agrupamentos das coisas físicas proporcionam modelos para nossos processos de pensamento. Quando pensamos matematicamente, estamos, de modo tácito, recorrendo a esse conhecimento. Os processos de raciocínio na matemática são apenas sombras pálidas de operações físicas com objetos. O caráter persuasivo dos passos e de suas conclusões reside na necessidade física familiar das operações físicas nas quais eles são modelados. A grande aplicabilidade do raciocínio aritmético deve-se ao fato de que podemos, com maior ou menor dificuldade, assimilar muitas situações diferentes a esses modelos.

A concepção de Mill emerge claramente na seguinte passagem. Ele critica aqui os que tratariam os números e os símbolos algébricos como marcas no papel a serem transformadas por regras abstratas. Ele diz:

> Todavia, que nós tenhamos consciência deles em seu caráter de coisa e não como meros sinais, é evidente a partir do fato de que nosso processo de raciocínio como um todo é conduzido por predicarmos deles as propriedades das coisas. Com que regras procedemos ao resolver uma equação algébrica? Pela aplicação a *a*, *b* e *x*, em cada passo, da proposição segundo a qual iguais adicionados a iguais resultam em iguais, ou de que iguais subtraídos de iguais deixam iguais, ou de outras proposições construídas com estas. Elas não são propriedades da linguagem, ou dos próprios sinais, mas de magnitudes, o que é o mesmo que dizer, de todas as coisas (II, VI, 2).

Mill admite que sentimos, quase sempre, que estamos meramente transformando símbolos no papel. Não há, em geral, a consciência de nos referirmos às experiências das coisas nas quais, segundo ele, se baseia todo o processo. As visões da infância não estão presentes à mente quando efetuamos o quadrado de ($x + 1$). Isso porque, diz Mill, o hábito fez do processo algo mecânico e, com isso, fora de nossa consciência. Mas ele insiste: "Quando olhamos para trás, para ver de onde é derivada a força probatória do processo, descobrimos que em cada um dos passos, a não ser que supusermos estar pensando e falando de coisas, e não de meros símbolos, a evidência falhará" (II, VI, 2).

A ideia de Mill apresenta três consequências importantes: primeiro, ela leva a discernir uma estrutura interna e um desenvolvimento para as crenças, as quais, de outros pontos de vista, em geral são representadas como simples e imediatamente apreendidas. Por exemplo, o enunciado de que uma pedrinha mais duas pedrinhas perfazem três pedrinhas representa, para Mill, a obtenção de conhecimento empírico. Tal feito consiste em perceber que situações físicas que excitam os sentidos de modo diferente podem, "através de uma alteração de lugar e de arranjo, produzir tanto um conjunto de sensações quanto o outro". O leitor moderno pode achar exatamente a mesma observação no relato de Piaget (1952) sobre o desenvolvimento infantil do sentido de equivalência entre diferentes arranjos de objetos.

Segundo, a abordagem de Mill está claramente associada a ideias educacionais. O exercício formal com símbolos escritos deve ser rejeitado em favor da exposição de experiências básicas relevantes. Apenas elas podem conferir sentido às transformações simbólicas e dotar as conclusões alcançadas de uma significação intuitiva. A associação com a educação é explicitada quando Mill diz que as verdades fundamentais da aritmética são

> proporcionadas pela exposição aos nossos olhos e dedos de que qualquer número dado de objetos, dez bolas, por exemplo, pode, por separação e rearranjo, exibir aos nossos sentidos todos os diferentes conjuntos de números cuja soma seja igual a dez. Todos os métodos aperfeiçoados de ensino de aritmética às crianças provêm do conhecimento desse fato. Todos que queiram levar

consigo as mentes das crianças para o aprendizado da matemática, todos os que queiram ensinar os números, e não apenas cifras, ensinem-nas agora por meio da evidência dos sentidos, do modo como descrevemos (II, VI, 2).

A terceira consequência segue de tais ideias educacionais. Se há uma forte conexão entre a matemática e a experiência, deve ser então possível encontrar, nas práticas educacionais esclarecidas, evidências para a análise de Mill. Deve ser possível observar efetivamente o conhecimento matemático sendo criado com base na experiência. Deve ser possível exibir os fatos empíricos que supostamente atuam como modelos para os processos de pensamento matemático. A fim de exibi-los, utilizarei alguns exemplos extraídos do trabalho do matemático, psicólogo e educador Z. P. Dienes. A começar por seu *Building up Mathematics* (1960), Dienes formulou, de modo inteiramente independente, uma versão dos "métodos aperfeiçoados" mencionados em 1843 pelo otimista Mill.

Para entender como operações matemáticas podem resultar de situações físicas, considere o seguinte "jogo" descrito por Dienes (1964). Em consideração a Mill, apresento-o como um jogo que pode ser jogado com pedrinhas. Suponha que dispuséssemos no chão dez grupos de oito pedrinhas e depois acrescentássemos uma pedrinha. Imagine agora que oito desses grupos permaneçam bem próximos entre si enquanto outros dois formam um par isolado (ver Figura 5.1). Podemos agora tomar um dos grupos isolados e utilizá-lo para fornecer uma pedrinha a mais para cada um dos oito grupos. Desse modo, acrescentamos um membro extra a cada um deles. O grupo isolado restante pode então ser acrescido da pedrinha avulsa que foi mencionada antes. Essa rotina de disposição de um dos grupos tem a engenhosa característica reprodutível de terminar somente com grupos que têm o mesmo número de pedrinhas e com um número de grupos que é igual ao número de pedrinhas em cada grupo.

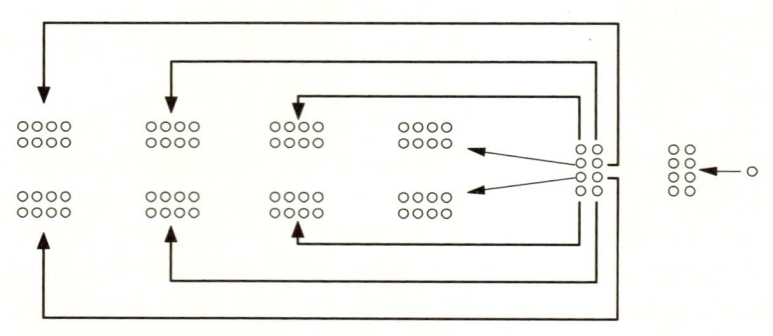

Figura 5.1 A matemática das pedrinhas de Mill (Dienes, 1964, p.13).

Temos aqui uma sequência física de ordenações, seleções e distribuições. O interessante é que ela representa apenas um exemplo de diversos casos similares que exibem exatamente o mesmo padrão de comportamento. A questão não é que podemos jogar o mesmo jogo com outras coisas que não pedrinhas, mas que ele pode ser jogado com diferentes números de objetos nos grupos e com diferentes números de grupos. Consideremos: se temos grupos com x pedrinhas em cada um, uma vez que tenhamos dois grupos a mais além do número de pedrinhas em cada grupo, ou seja, $(x + 2)$ grupos, o mesmo padrão de partição e reordenação pode ser executado – não se esquecendo da exigência de prover a pedrinha avulsa. Mediante a separação e da distribuição de um dos grupos entre os demais e da utilização da pedrinha avulsa para cobrir o grupo restante, a mesma reestruturação ocorrerá de novo, o mesmo jogo poderá ser jogado. É claro que, se houver um número errado de pedrinhas, elas não poderão, nesse caso, ser ordenadas e distribuídas do modo engenhoso que a configuração do desenho exibe.

O que acaba de ser descrito é uma propriedade física de objetos materiais, a saber, a propriedade de que essa pequena rotina pode ser posta em vigor com eles. Se buscássemos uma forma abreviada para expressar tal padrão de relações físicas, como ela poderia ser? A resposta é que uma expressão simbólica modelada na experiência desse jogo é oferecida pela própria equação que foi apresentada no início do capítulo como um exemplo de um teorema matemático simples:

$$(x + 2) x + 1 = (x + 1)^2$$

Ao analisar a equação, Dienes mostra exatamente como ela é sustentada pelas operações físicas de ordenação e distribuição antes esboçadas.

A análise de Dienes é esta: tínhamos primeiro $(x + 2)$ grupos de x pedrinhas e uma pedrinha avulsa – representado por $(x + 2)$ $x + 1$. Tal distribuição pode ser alterada do modo descrito, separando dois dos grupos. O arranjo mais numeroso dos grupos consiste de x^2 pedrinhas, o par isolado consiste de $2x$ pedrinhas e há ainda uma pedrinha isolada. Esse processo de reordenação física é a base da equação simbólica:

$$(x + 2) x + 1 = x^2 + 2x + 1$$

O próximo passo da rotina de distribuição foi o de tomar um dos grupos isolados e separá-lo fisicamente do outro. Isso é indicado por:

$$x^2 + 2x + 1 = x^2 + x + x + 1$$

O grupo de x pedrinhas que foi separado é então distribuído entre os grupos da coleção maior. Tal distribuição subjaz à transformação simbólica:

$$x^2 + x + x + 1 = x (x + 1) + x + 1$$

A pedrinha avulsa foi então acrescentada ao grupo isolado restante. Tal movimento pode ser indicado pelo uso do parênteses, assim:

$$x (x + 1) + x + 1 = x (x + 1) + (x + 1)$$

Como ressalta Dienes, tal sequência de movimentos produziu um número de grupos que possuem agora o mesmo número de objetos, a saber, $(x + 1)$. O número de grupos pode ser contado e o resultado a ser encontrado será $x + 1$. Portanto, justifica-se escrever:

$$x (x + 1) + (x + 1) = (x + 1) (x + 1) = (x + 1)^2$$

Começando do lado esquerdo da equação original, foi provado ser possível produzir o lado direito mediante uma série de operações físicas, cada uma das quais espelhada nos símbolos. O modelo físico no qual se baseia ao menos uma parte da manipulação matemática foi assim revelado. A sequência de passagens lógicas foi produzida enquanto, em cada estágio, pensava-se e falava-se apenas de coisas.

Dienes engenhosamente fornece muitos outros exemplos desse tipo. Ele expõe rotinas simples com blocos de montar para representar bases numéricas diversas, para fatorar expressões quadráticas e resolver equações; exemplificações físicas de logaritmos, potenciação, vetores e grupos matemáticos; e mesmo materiais análogos e sensíveis da simetria e da elegância que tão sutilmente guiam a mente matemática. Passa ao largo da questão que os processos físicos sejam tediosos se comparados à execução de manipulações simbólicas de maneira mais avançada. A questão, para os objetivos do presente argumento, é que eles proporcionam um relato do conhecimento que se esconde sob os procedimentos simbólicos dados como certos. Isso só pode ser obtido ao se romper o bom funcionamento dessa admirável habilidade a fim de encontrar os elementos empíricos com base nos quais ela pode ser construída.

A abordagem de Mill é indubitavelmente promissora. Objetos físicos, situações e manipulações podem funcionar de modo claro como modelos para várias operações matemáticas básicas. As experiências dessas operações físicas podem, plausivelmente, ser arroladas como a base empírica do pensamento matemático. Na busca de um entendimento naturalista do conhecimento matemático, seria insensato ignorar ou fazer pouco-caso do potencial da abordagem psicológica e empirista de Mill. Entretanto, ela não é adequada e precisa ser substancialmente aprimorada e estendida antes que possa almejar fazer jus ao conhecimento matemático. Não há modo mais apropriado de apresentar suas limitações do que examinar o intimidante tratamento oferecido a ela por Frege.

As críticas de Frege a Mill

Mill trata a matemática como um conjunto de crenças acerca do mundo físico que surgem a partir das experiências desse mundo. Os dois elementos centrais de seu relato são, portanto: i. As crenças e os processos de pensamento, concebidos como eventos mentais. ii. As situações físicas sobre as quais versam as crenças. As críticas de Frege têm, consequentemente, dois alvos. Ele critica a concepção segundo a qual os números são coisas mentais ou subjetivas e, também, a concepção segundo a qual os números são propriedades de objetos físicos ou algo que se diz acerca deles. Antes de examinar tais críticas, uma observação deve ser feita sobre os valores que as informam.

Quando Mill escreve sobre a matemática, seu estilo é urbano, não técnico, prático e sensato. Para ele, os fundamentos da matemática são suas origens psicológicas. Elas são os processos fundamentais por meio dos quais o conhecimento é gerado e transmitido. Ele pensa em termos mais apropriados para lidar com os problemas do professor de matemática elementar do que com os do profissional avançado.

Frege é inteiramente diferente. Passar do *Sistema de lógica* para os *Fundamentos da aritmética* é experimentar uma completa mudança de estilo. Neste último, há um sentido de urgência e um perspicaz senso de apreço profissional. O leitor é informado de que é imperativo encontrar definições satisfatórias para as noções fundamentais da aritmética. É um escândalo que uma ciência tão grandiosa possa ter fundamentos inseguros – ainda mais que, assim, permite-se que pensadores excessivamente influenciados pela psicologia representem a matemática de maneira errônea. Quando Frege se vê confrontado com a definição da matemática como "pensamento mecânico agregativo", ele a considera uma "grosseria típica" e afirma: "Em seu interesse próprio, considero que os matemáticos deveriam combater quaisquer concepções dessa espécie, uma vez que ela é calculada para levar ao descrédito de um dos objetos principais de seus estudos e, junto com ele, da sua ciência" (p. iv).

Frege está preocupado principalmente em manter uma fronteira entre, de um lado, a matemática e, de outro, a psicologia e mesmo as ciências naturais. Ele fala dos métodos psicológicos como tendo "penetrado até mesmo no domínio da lógica". A consequência dessa infiltração, ele informa ao leitor, é que tudo se torna nebuloso e indefinido quando, na verdade, deveriam reinar a ordem e a regularidade. Declara que os conceitos da matemática têm uma fineza de estrutura e uma pureza maior que, talvez, os de todas as outras ciências. Sobre a tarefa de oferecer um fundamento seguro, Frege pergunta exasperado:

> O que poderíamos então dizer daqueles que, em vez de desenvolverem esse trabalho onde ele não se encontra ainda completo, desprezam-no e valem-se do berçário ou enterram-se nos períodos mais remotos da evolução humana que podemos conceber para ali descobrirem, como John Stuart Mill, alguma matemática de biscoitos ou pedrinhas (p. vii).

Fundamentos da aritmética é visto hoje como um clássico da lógica. De fato ele o é, mas também é uma obra extremamente polêmica e tal aspecto tende a ser absorvido e transmitido sem maiores comentários. Ele é impregnado pela retórica da pureza e do perigo, e repleto de um imaginário de invasão, infiltração, descrédito, menosprezo e de ameaça do fracasso. Ele enfatiza a distinção entre, de um lado, o indefinido, o nebuloso, o confuso e tudo o que está em fluxo e, de outro, aquilo que é puro, refinado, ordenado, regular e criativo. É uma autêntica imagem do conhecimento sob ameaça. Desse modo, a teoria proposta antes nos Capítulos 3 e 4 levaria à previsão de que Frege mistificaria e reificaria o conceito de número e os princípios básicos da matemática. A expectativa seria de que fossem transformados em objetos misteriosos, mas alegadamente muito poderosos. Foi exatamente o que aconteceu.

Em *Natural Symbols* (1973), Mary Douglas chamou a atenção para o que ela denomina de "regra da pureza". Há, ela diz, uma tendência natural em todas as culturas para simbolizar o alto *status* e o forte controle social com o emprego de um rígido controle corporal (físico). Os processos e as erupções físicas são banidos do discurso. São feitas tentativas para retratar as interações como se elas versassem sobre espíritos incorpóreos. O estilo e o comportamento são empenhados para maximizar a distância entre uma atividade e sua origem fisiológica. Nos meus termos, invocar a regra da pureza seria uma resposta natural a uma ameaça. O estilo de Frege é um belo exemplo da regra da pureza em ação. Com efeito, ele formula explicitamente uma versão própria (p.vii). Do mesmo modo, expressa seu desprezo ao situar a teoria de Mill no berçário, associando-a gratuitamente ao processo de ingestão e ao aludir com desdém à evolução. Ela é culpada de associação com origens psicológicas.

Por que se preocupar com o estilo de pensamento de Frege? O caso é que ele já adverte que suas concepções serão formuladas em termos de uma imagem da matemática muito diferente da abordagem naturalista aqui recomendada. Teremos que estar bem atentos para separar as concepções de Frege da posição a serviço da qual elas são utilizadas. Elas não são de propriedade exclusiva de tal posição ainda que a tenham inspirado. Ao apreciar os argumentos de Frege, uma questão sempre deve ser levantada: eles podem ser reformulados e utilizados a serviço de outra imagem da matemática? Com tais retificações em mente, passemos aos próprios argumentos críticos.

Primeiro, consideremos a rejeição de Frege da ideia segundo a qual o número é algo que possui uma natureza subjetiva, mental ou psicológica. Seu argumento consiste em assinalar as diferenças entre as propriedades de entidades psicológicas, como experiências e ideias, e as propriedades de noções matemáticas. Nossos estados de consciência são coisas indefinidas, que variam a depender de como são definidos e fixados o conteúdo desses estados – ou seja, o conhecimento matemático que eles contêm. Além disso, os estados subjetivos são diferentes em diferentes pessoas, mas gostaríamos de dizer que as ideias matemáticas são as mesmas para todos.

Ademais, algumas consequências muito estranhas seguiriam caso tratássemos os números consistentemente como ideias nas mentes das pessoas. Do ponto de vista psicológico, as pessoas não compartilham ideias. Estas são estados que pertencem a mentes individuais e, portanto, uma ideia tem que pertencer à minha mente ou à sua. Em vez de dizer que o número dois é uma ideia, o psicólogo deveria, portanto, falar da minha ideia de dois e da sua ideia de dois. Mas isso ainda sugere um "algo" independente que é o foco comum dos dois estados psicológicos, como se "o" número dois não fosse, em absoluto, mental, mas o conteúdo não mental dos estados mentais. Uma abordagem psicológica consistente teria que sustentar que, apesar de falarmos cotidianamente do número dois, tudo o que existe, na verdade, é uma multidão de ideias individuais, cada uma podendo alegar com igual justiça ser "o" número dois. Em suma, haveria tantos números dois quanto existem ideias dele – uma conclusão que está em franca oposição ao modo usual de conceber a questão.

Frege, com uma pesada ironia, lembra-nos que a multiplicação dos dois ainda não está completa. Não teríamos ainda que arcar com os dois inconscientes e com os dois que virão à existência com o nascimento das novas gerações? Diante desse risco, concedamos logo a Frege que os números não são entidades psicológicas nas mentes das pessoas, mas, de algum modo, são objetos do conhecimento independentes.

Até aqui a posição de Mill não sofreu uma contraposição tão incisiva. Pode-se dizer que sua teoria comporta um componente objetivo uma vez que a aritmética versa sobre propriedades gerais de objetos, como as pedrinhas tão desprezadas por Frege. Mill está sujeito a uma crítica mais direta quando Frege se pergunta: o número é uma propriedade das coisas externas? O argumento central aqui é que o número não pode ser uma propriedade das coisas, uma vez que o modo como as coisas são numeradas depende de como nós as consideramos. Não há uma coisa tal como "o número" que pertença a, digamos, um baralho de cartas. Há um baralho, mas quatro naipes, e assim por diante. Frege diz: "Um objeto ao qual eu possa atribuir, com o mesmo direito, diferentes números não é algo que possua, realmente, tal número" (p.29). Isso diferencia o número, insiste Frege, daquilo que normalmente consideramos ser as propriedades das coisas. A importância da nossa maneira de considerar mostra que houve a intervenção de um processo de pensamento entre o objeto externo e o ato de lhe atribuir um número. Para Frege, insere-se uma cunha entre os objetos e o verdadeiro lugar, ou foco, do número. Isso quer dizer, segundo ele, que "nós não podemos simplesmente atribuir o número a ele (ao objeto) como um predicado" (p.29). Quando olhamos o desenho de um triângulo e discernimos nele três vértices, o três não pertence ao desenho. Assim: "Não vemos diretamente o três nele. Em vez disso, vemos algo diante do qual é possível pôr em operação uma atividade intelectual nossa que leva a um juízo no qual o número três ocorre" (p.32).

Por podermos variar nosso ponto de vista e, com isso, variar o número associado a um objeto, parece haver uma diferença entre, digamos, a propriedade de algo ser azul e o número três. Deve ser feita uma reserva quanto ao modo pelo qual Frege chega a essa conclusão – talvez ele tenha simplificado em excesso propriedades como o azul –, mas ela é com certeza plausível. Os números não são algo que, sem maiores problemas, existem no mundo. Há algo acerca da natureza dos conceitos de número que os diferenciam do modo como comumente pensamos nos objetos materiais e suas propriedades. As conclusões de Frege até aqui serão aceitas sem ressalvas. O número não é nem psicológico, nem é simplesmente dado nas pedrinhas de Mill.

Há vários outros argumentos apresentados por Frege contra a posição de Mill e, em breve, retornarei a eles. Até agora, Frege expulsou o número tanto do mundo psicológico quanto do mundo material. Se esses dois domínios exaurissem a gama de possibilidades, então o argumento de Frege faria dos números uma completa não entidade. Naturalmente, não é assim que Frege vê a questão. Há uma terceira possibilidade. Além dos objetos físicos e psicológicos, há aquilo que Frege denomina de "objetos da razão" ou "conceitos". Eles possuem a mais importante das propriedades, denominada "objetividade". Valerá a pena examinar com muito cuidado as características dos objetos da razão e as coisas dotadas de objetividade. Frege explica que, por "objetivo", ele entende aquilo que é independente das nossas sensações e das imagens mentais criadas a partir delas, mas não aquilo que é independente da nossa razão. O restante dessa definição negativa é dado na citação que segue, ao lado de um vislumbre fascinante de uma caracterização mais positiva. Ele diz:

> Distingo o que eu chamo de objetivo daquilo que pode ser manuseável, espacial ou efetivo. O eixo da Terra é objetivo, assim como o centro de massa do sistema solar, mas eu não diria que eles são efetivos do modo como a própria Terra o é. Geralmente falamos da Linha do Equador como uma linha imaginária, mas (...) ela não é criação do pensamento, o produto de um processo psicológico: ela apenas é reconhecida ou apreendida pelo pensamento. Se ser reconhecida fosse o mesmo que ser criada, então não poderíamos dizer nada de positivo sobre a Linha do Equador anteriormente à data de sua alegada criação (p.35).

O que deve ser feito dessa definição de objetividade, dessa terceira opção além do psicológico e do material, caracterizada pelos exemplos antes expostos? Aceitarei que Frege está inteiramente correto em sua alegação de que a matemática é objetiva, em suas definições positiva e negativa da objetividade. O que falta, no entanto, é um relato do que a objetividade efetivamente é. Temos a definição, mas qual é a natureza das coisas que a satisfazem?

Aceita a definição de objetividade de Frege, o que satisfaz tal definição?

Faz-se necessário um relato que dê substância às especificações e aos exemplos oferecidos por Frege. O que poderia ser real, mas não efetivo, nem mental ou psicológico, e exemplificado por uma noção como a Linha do Equador? Para responder a tal questão e permanecer fiel à definição de Frege, será oportuno escrutinar seus exemplos. A começar pela Linha do Equador – que *status* ela possui? A linha do Equador assemelha-se a um limite territorial, que pode também ser chamado de linhas imaginárias. E pode ser especificado quando dizemos: imagine uma linha que se estenda para o sul ao longo do rio e, em seguida, contorne a borda da floresta pelo leste etc. Admite-se geralmente que limites territoriais têm o *status* de convenções sociais, embora isso não queira dizer que sejam "meras" ou "arbitrárias" convenções. Na verdade, eles são de grande importância, uma vez que se relacionam de diversos e complexos modos com a ordem e a regularidade das vidas vividas em seu interior. Além disso, eles não podem ser mudados por capricho ou extravagância. Não se alteram apenas por termos pensado neles – um indivíduo pode ter ideias corretas ou erradas sobre eles e, caso ocorra de ninguém acalentar uma imagem mental, não desaparecem. Eles também não são objetos físicos que podem ser manuseados e percebidos, embora objetos efetivos possam ser usados como seus indicadores ou seus sinais visuais. Por fim, tais limites podem ser referidos em enunciados sobre eventos que ocorreram antes mesmo que qualquer um pensasse neles.

Esse exemplo sugere que coisas com o *status* de instituição social estejam, talvez, intimamente relacionadas com a objetividade. De fato, pode-se lançar a hipótese de que, talvez, o próprio terceiro e especial *status* entre o físico e o psicológico pertença àquilo que é social e somente a isso.

Tal hipótese pode ser testada com relação aos demais exemplos de Frege: o centro de gravidade do sistema solar e o eixo da Terra. Eles poderiam ser considerados como algo que possua uma natureza social? À primeira vista isso pode parecer implausível, mas talvez ocorra por uma tendência em cometer precisamente o erro contra o qual Frege nos advertiu, a saber, confundir as entidades objetivas com os objetos físicos ou efetivos. Frege seguramente está certo. O eixo da Terra não é uma das efetividades manifestas em nossa experiência, como a Terra sobre a qual caminhamos. Por outro lado, precisamos afirmar que essas coisas são reais, pois acreditamos que uma Terra em rotação necessite de um eixo e que qualquer conjunto de corpos massivos tem que ter um centro de gravidade. Mas o que tal insistência indica é o fato de tais noções terem um papel central a desempenhar nas nossas concepções da realidade e, em particular, nas teorias mecânicas, que nelas ocupam o lugar de honra. Entretanto, é imprescindível lembrar que tal realidade não é uma realidade empírica, mas uma imagem de mundo sistemática e altamente elaborada. Ela mantém apenas uma tênue conexão com aquilo que pode ocorrer na experiência das pessoas. Portanto, dois dos conceitos escolhidos por Frege como exemplos do que é objetivo mostram-se ser noções teóricas. Mas o componente teórico do conhecimento é precisamente o componente social.

Se a identificação do teórico com o social é passível de objeção nesse caso, pode ser proveitoso examinar uma outra imagem de mundo, ou teoria, que possua um conceito que cumpra um papel similar ao do eixo de rotação da Terra. O pensamento medieval considerava o mundo um conjunto de esferas concêntricas. No centro da Terra haveria um ponto com base no qual a totalidade do universo era ordenada. Dada a imagem esférica e estática que dominava tal cosmologia, teria que existir esse ponto e ele teria que estar onde de fato estava: no centro da Terra. Para muitas pessoas e por um longo tempo, esse ponto central foi uma parte assegurada daquilo que entendiam ser a realidade. De modo algum tratava-se de uma questão subjetiva, ainda que, como poderíamos insistir, não correspondesse à realidade. Isso não era, por exemplo, uma questão de escolha individual ou de capricho; não era um fenômeno psicológico, no sentido de diferir em mentes diversas ou de variar como um estado mental; e era algo sobre o qual as pessoas poderiam estar mais ou menos informadas. O centro do cosmo também não era um objeto efetivo, no sentido de que as pessoas poderiam esperar vê-lo ou tocá-lo. Ele era objetivo no sentido de Frege. Em um outro sentido, era um conceito teórico, parte de uma teoria cosmológica então adotada. Em um terceiro sentido, era um fenômeno social, uma crença institucionalizada, parte de uma cultura. Era a imagem de mundo herdada e transmitida, sancionada pelas autoridades, mantida pela teologia e pela moralidade; e retribuía o serviço sustentando-as.

A conclusão é a de que o modo de conferir um sentido substantivo à definição de Frege sobre a objetividade é igualá-la ao social. A crença institucionalizada satisfaz sua definição: isso é o que a objetividade é.

Para Frege, essa versão de sua definição seria, sem dúvida, inteiramente objetável. Se isso fosse possível, a sociologia seria uma ameaça ainda maior que a psicologia à pureza e à dignidade da matemática. Os argumentos de Frege foram planejados para manter a matemática impoluta e, ainda assim, apesar de seus receios de contaminação, ele produziu uma definição de objetividade que permite uma interpretação sociológica. Que tal interpretação seja capaz de esgueirar-se por meio das defesas de Frege, isso só pode ser visto como o mais forte argumento a seu favor. Como resultado, podemos aceitar a definição de Frege desde que concebamos a matemática como algo de natureza social, em vez de puramente psicológica ou como mera propriedade de objetos físicos. Tal conclusão pode parecer estranha e surpreendente. Portanto, será útil conferir a interpretação sugerida por meio da inspeção aos argumentos remanescentes de Frege contra Mill. Por sua vez, isso levará à questão de como é possível modificar a teoria de Mill de modo que ela passe a admitir os processos sociológicos que devem estar em funcionamento ao lado dos psicológicos.

A teoria de Mill modificada por fatores sociológicos

Os argumentos remanescentes de Frege ocupam-se principalmente das "questões de fato" que Mill acreditava corresponder aos números e operações matemáticas. O ponto em questão aparece na passagem a seguir. Ao responder à questão "o que vem a ser aquilo ao qual os números pertencem?", Mill diz: "Tranquilamente, alguma propriedade que pertença ao agregado de coisas (...) e tal propriedade é o valor característico com qual é formado o agregado e pelo qual ele pode ser separado em partes" (III, XXIV, 5). Frege detém-se na expressão "o valor característico". O que, ele procura saber, o artigo definido está fazendo aqui? Não há apenas um valor característico pelo qual um agregado possa ser divido, portanto não há justificativa para referir-se a "o" valor característico. Um baralho pode ser separado de muitos modos. Há vários jogos a se jogar com a organização e ordenação de pedrinhas.

Frege está certo. Mill deu um passo em falso com o artigo definido; e sua teoria não oferece justificativa para ele. Mill deveria estar respondendo de maneira inconsciente aqui às mesmas forças que levaram Frege a sustentar que os números não pertencem simplesmente aos objetos, mas que dependem do modo como são considerados. A leitura social da definição de Frege para a objetividade oferece uma pista de como essa concepção inadvertida e inconsciente de Mill pode ser combinada com o cerne de sua abordagem.

Considere o que está envolvido ao falarmos dos modos "característicos" de ordenar, separar e dispor os objetos. Sugerem-se conotações de padrões típicos, usuais ou mesmo tradicionais. Algumas pessoas são capazes de identificar, com base nos padrões característicos trançados num tapete, a região do mundo da qual este provém. Os padrões ou desenhos característicos são quase sempre entidades antes sociais que individuais. O que Mill involuntariamente fez, portanto, foi transmitir a ideia de que nem todas as possíveis disposições, ou procedimentos de ordenar e separar os objetos, são relevantes para atuar como experiências paradigmáticas da matemática. De todos os incontáveis jogos que podem ser jogados com pedrinhas, apenas alguns dos padrões que podem ser com eles estabelecidos alcançam o *status* especial de tornarem-se "modos característicos" de ordená-los e separá-los. Exatamente do mesmo modo, os incontáveis padrões capazes de ser trançados num tapete não são todos igualmente importantes para um grupo de tecelões tradicionais. Há normas para os que virão a tecer os tapetes do mesmo modo como há normas para os que virão a aprender matemática. Com efeito, as considerações que ajudam a estabelecer um dos grupos não podem ser muito diferentes das que estão em operação no outro. Ambos recorrem a um senso inato de ordem e simetria, de repetição agradável, da possibilidade de traços e remates límpidos, de transições e conexões suaves.

Frege atacou justamente o ponto no qual a teoria de Mill indicava precisar de um componente sociológico a fim de ordenar a multiplicidade de modos pelos quais as propriedades dos objetos podem ser experienciadas. A linguagem de Mill mostra que ele estava, com efeito, respondendo ao componente social, mas deixou-o escapar de seu alcance. O que expõe a teoria de Mill a todas as objeções de Frege não é nada mais do que a ausência desse componente. O seguinte pensamento é o que é fundamental à posição de Frege: a teoria de Mill trata apenas dos aspectos meramente físicos das situações. Ela não é bem-sucedida em atingir aquilo que é característicamente matemático na situação. Esse componente ausente pode agora ser reconhecido na convencionalidade, tipicidade e em tudo aquilo que conceda a certos padrões o *status* de "característico".

Há de forma clara uma aura, um certo pressentimento, em torno dos padrões característicos que exemplificam as passagens matemáticas; e tal aura pode agora ser identificada como uma aura social. É o empenho e o trabalho de institucionalização que infunde um elemento especial e seleciona certos modos de ordenar, separar e dispor os objetos. Uma teoria que tente fundar a matemática nos próprios objetos, e que não apreenda ou comunique o fato de alguns padrões serem em particular selecionados e dotados de um *status* especial, será estranhamente deficiente por mais promissora que seja sua base. É compreensível, portanto, que Bertrand Russell tenha escrito em seu *Portraits from Memory* (1956),

> Eu li a *Lógica* de Mill pela primeira vez quando tinha 18 anos e naquela época tinha fortes inclinações em seu favor. Mas, mesmo então, não podia acreditar que nosso assentimento à proposição "dois mais dois é igual a quatro" fosse uma generalização da experiência. Estava absolutamente inseguro em dizer como chegamos a esse conhecimento, mas *parecia* ser muito diferente (...) (p.116).

A admissão de um componente normativo na teoria de Mill, para fazer jus aos modos característicos de selecionar objetos, de modo algum destrói sua crença fundamentalmente naturalista. A ideia central de que o comportamento dos objetos proporciona um modelo para nosso pensamento ainda persiste. A diferença é que agora não são quaisquer desses comportamentos que funcionam como modelos, mas apenas certos padrões socialmente fixados ou ritualizados.

Entretanto, existem ainda mais algumas objeções a serem superadas. Frege quer saber qual experiência ou fato físico corresponderia aos números muito grandes, ou, ainda, aos números zero e um. Alguém já teria alguma vez tido experiências correspondentes a 1.000.000 = 999.999 + 1? E, se os números são propriedades de objetos externos, por que somos capazes de falar sensatamente em três ideias ou em três emoções que não são objetos externos?

O que Frege assinala acerca do número um é que simplesmente ter a experiência de "uma coisa" não é o mesmo que encontrar "o" número um, daí o emprego do artigo indefinido num caso e do artigo definido noutro. É evidente que Frege está correto acerca da experiência do um. Ele não é algo aleatório, mas considerado de modo especial para propósitos especiais e, tipicamente, o propósito ritualizado de contar. Corresponde não a uma coisa, mas a qualquer coisa considerada um elemento em um padrão característico. O número é o papel, e isso não pode ser confundido com qualquer objeto que indiferentemente ocupe tal papel. A experiência que está associada ao número é a experiência de conferir papéis aos objetos em padrões característicos e divisões de objetos.

E quanto à experiência associada ao zero? Frege afirma que ninguém jamais experienciou zero pedrinhas. De certo modo, isso é verdadeiro. Ele então insiste que todos os números, inclusive o zero, têm o mesmo *status*. Como o zero não apresenta uma experiência que corresponda a ele, Frege argumenta que a experiência, portanto, não tem nenhum papel em nosso conhecimento de quaisquer outros números.

Tal pressuposto, o de que os números têm uma natureza homogênea, é bastante plausível. Mas ele pode facilmente ser virado contra a teoria de Frege e utilizado em auxílio de uma forma modificada da teoria de Mill. Isso porque a ideia segundo a qual os números têm o *status* de papéis e instituições talvez seja mais atraente no caso do zero que no de qualquer outro número. É fácil pensar nele como uma convenção ou artifício conveniente, algo que tenha sido inventado e introduzido em vez de descoberto ou revelado. Com base na homogeneidade, se o zero é um artefato convencional, também o são os demais números.

Em seguida vem a questão dos números muito grandes. É claro que não podemos experienciar a divisão de 1 milhão de objetos do mesmo modo que a de cinco ou dez objetos. A aritmética tanto se aplica a grandes números quanto a pequenos; acaso isso não significa, portanto, que ela deva ser independente daquilo que a experiência pode nos dizer e que sua natureza real não possa não ter nada a ver com a experiência?

Há claramente duas opções gerais para explicar o fato de que a experiência e a aritmética se sobrepõem apenas de forma limitada. Ele pode ou ser interpretado como Frege escolheu interpretá-lo – caso em que a pequena conexão e correspondência entre a aritmética e a experiência é meramente fortuita – ou ser utilizado para conferir suprema importância à conexão limitada da aritmética com a experiência. No último caso, tudo o mais deve ser mostrado como resultado dessa associação. Eis a abordagem de Mill.

A fim de rebater as contestações de Frege, a teoria de Mill deve mostrar como a experiência pode incitar as ideias da aritmética e dotá-las de modos para operar em abstração das situações que as originaram. Tem-se que mostrar que o caso da aritmética dos números grandes é um caso derivado e ancilar dos casos que podem ser diretamente relacionados a situações empíricas. Os meios para expor como poderia funcionar tal processo já estão à mão. Encontram-se implícitos na própria ideia de que os padrões de objetos que estão ao alcance de nossa experiência podem exercer o papel de modelos. Pois consideremos como os modelos funcionam e o que ocorre quando uma parte do comportamento é modelada em outra. O resultado é precisamente desprender o comportamento derivado daquele no qual é modelado. Pense aqui nos tecelões de tapetes. Eles aprendem o modo de o padrão continuar ao assistir e trabalhar com outros tecelões. Podem em seguida trabalhar autonomamente e aplicar e reaplicar a técnica a novos casos. Poderiam, por exemplo, decidir tecer um tapete maior que qualquer um que tivessem visto alguém tecer antes, mas precisariam apenas ter aprendido e praticado em tapetes pequenos. É da natureza das técnicas que sejam assim. Portanto, um relato da aritmética pode estar baseado em experiências de âmbito limitado desde que tais experiências forneçam modelos, rotinas e técnicas que possam ser aplicadas e estendidas de maneira indefinida. Não há incompatibilidade entre a teoria de Mill e uma aritmética que opere em áreas que não possam, elas mesmas, ser exemplificadas com a nossa experiência. A objeção final de Frege serve para exibir um tópico relacionado, porém mais importante. O problema é o de como, na teoria de Mill, é possível falar do número de coisas não materiais, tal como falamos que o ciúme, a inveja e a cobiça são três emoções diferentes. Frege diz assim:

> Com efeito, seria extraordinário se uma propriedade abstraída das coisas externas pudesse ser transferida, sem nenhuma alteração de sentido, para eventos, ideias e conceitos. O resultado seria o mesmo que falar sobre eventos passíveis de fusão, ou ideias azuis, ou conceitos salgados ou juízos duros (1959, p.31).

Essa questão é crucial, pois, quando interpretada de modo geral, indaga como Mill pode explicar a generalidade com a qual a aritmética pode ser aplicada.

A resposta a tal questão deve, novamente, convergir para o modo pelo qual situações empíricas simples podem cumprir o papel de modelos. Essas situações têm que ser tais que todos os casos aos quais a aritmética possa ser aplicada possam ser assimilados a elas. Por exemplo, a razão pela qual faz sentido falar sobre três ideias deve residir, nessa teoria, em nossa propensão e habilidade para falar de ideias como se fossem objetos. Nossa aritmética é aplicável apenas até onde estivermos capacitados para utilizar a metáfora do objeto.

Vale a pena alongar essa resposta à contestação de Frege. Ela proporciona um bom caso de teste para a hipótese segundo a qual a aplicação da aritmética depende de assimilar cada caso ao comportamento de objetos. A questão é: ao pensarmos sobre fenômenos psicológicos, utilizamos de fato objetos como metáforas ou modelos, e estes últimos realmente proporcionam a via por meio da qual as operações aritméticas e os números encontram sua aplicação a tais fenômenos? Caso exista tal tendência e se ela for bem-sucedida, ainda que num grau limitado, será evidência de um forte impulso natural de utilizar a metáfora do objeto. Isso porque os fenômenos mentais são tão distantes em natureza dos objetos físicos que se poderia esperar que se submetessem apenas ao empenho mais determinado e às tendências mais fortes em pensar desse modo. Dois exemplos mostrarão que tal tendência em assimilar os processos mentais a objetos existe e opera do modo que requer a presente teoria.

Em seu *Science and Method* [Ciência e método] (1908), Poincaré apresenta o notório relato introspectivo de como ele chegou a uma de suas descobertas matemáticas. O que é de interesse aqui não é que a descoberta tenha sido matemática, mas a linguagem articulada para expressar seu estado mental numa noite não dormida, porém inspiradora. Poincaré fala de suas ideias como se fossem as moléculas da teoria cinética dos gases, agitando, colidindo e mesmo ligando-se umas às outras. Ele admite que a comparação seja grosseira, mas, apesar de todas suas reservas, foi o modo como finalmente escolheu para expressar-se. Ao adotar a metáfora do atomismo, Poincaré está, é claro, seguindo a longa tradição do "atomismo psicológico". A questão não é se tal tradição ou Poincaré estão certos, mas que, apenas, certa ou errada, existe a tendência em utilizar a metáfora. Ela pode ser evocada para explicar aquilo que Frege pensava não poder ser explicado na teoria de Mill: a aplicação do número às ideias e, também, o mecanismo de sua aplicação ampliada.

Pode-se objetar que a fala de Poincaré era relaxada e popular e, portanto, não provaria nada de sério acerca do meio pelo qual fornecemos aplicações aos conceitos aritméticos. Um segundo exemplo, mais científico, além de poder estabelecer o mesmo ponto, ajusta-se melhor aos termos da contestação de Frege: como os números podem ser aplicados a estados mentais?

A grande realização da psicofísica do século XIX foi encontrar um modo matemático de compreender os processos mentais e, em particular, formular a lei de Weber-Fechner. Ela diz que a intensidade de uma sensação é proporcional ao logaritmo do estímulo. O passo decisivo desse feito foi descobrir um modo de segmentar os processos mentais de modo que os seguimentos pudessem ser contados. Todo o aparato da aritmética – e, por fim, do cálculo – pôde então ser empregado para produzir uma formulação da lei. O estratagema utilizado para obter unidades segmentadas e contáveis foi o de introduzir a noção de "menor diferença perceptível". Uma frequência ou intensidade foi gradualmente aumentada até que a alteração pudesse ser percebida pelo sujeito. A magnitude dessa menor diferença perceptível mostrou-se proporcional à magnitude do estímulo original. Segundo a teoria da aritmética de Mill, o processo de segmentação é a maneira de pôr em funcionamento a analogia da coisa ou do objeto no assunto em discussão, de modo que as rotinas da matemática possam encontrar uma aplicação. É uma maneira de mapear os estados mentais mediante coisas contáveis e, consequentemente, de estender ainda mais a metáfora do objeto discreto.

Se esses argumentos estão corretos, pode-se dizer então que o âmbito da aritmética é o âmbito da metáfora do objeto material. Sempre que pudermos ver as coisas como objetos aos quais as operações de ordenação e separação possam ser aplicadas de forma imaginária, poderemos numerá-las e contá-las aritmeticamente. A transição ou a relação entre a aritmética e o mundo é a relação de identificação metafórica entre objetos a princípio dessemelhantes. Essa é a chave do problema geral da ampla aplicabilidade da aritmética. A teoria de Mill resolve tal problema ao concebê-lo como caso especial da generalidade de qualquer teoria ou modelo científico. O comportamento de objetos simples que estabelece a base da aritmética funciona como teorias sobre o comportamento de outros processos e, assim como a aplicação de quaisquer teorias, o problema é o de aprender a ver as novas situações como casos de exemplos anteriores e mais familiares. Ao contrário, a tendência de Frege em considerar os conceitos matemáticos puros e separados dos objetos materiais cria um abismo entre a matemática e o mundo. Nenhuma ponte perigosa entre domínios distintos é necessária na teoria de Mill, pois ela começa com a vida no mundo e gradualmente desenvolve-se a partir de pequenos inícios empíricos. (Para o papel dos modelos e metáforas no pensamento científico, ver Hesse, 1966.)

Sumário e conclusão

O interesse por uma teoria psicológica da matemática reside em proporcionar uma abordagem empírica à natureza do conhecimento matemático. A *Lógica* de Mill fornece a ideia fundamental de que as situações físicas oferecem modelos para os passos no raciocínio matemático. Como o jovem Russell percebera, esse relato não parece certo. Está faltando algo. As objeções de Frege deixaram claro o que era esse ingrediente que faltava. A teoria de Mill não faz jus à objetividade do conhecimento matemático. Ela não torna compreensível a natureza obrigatória de suas passagens. Ela não explica o porquê de as conclusões matemáticas parecerem como se não houvesse a possibilidade de serem outras em vez delas. É verdade que as situações modelares de Mill possuem uma forma de poder físico. Não podemos ordenar e selecionar os objetos à vontade. Eles não farão tudo aquilo que possamos desejar e, nessa medida, impõem-se às nossas mentes. No entanto, isso não os cobre com o manto da autoridade. Ainda somos livres para imaginar que os objetos possam comportar--se de maneira diferente do que o fazem, mas não nos sentimos igualmente livres em relação à matemática. Há, portanto, uma semelhança entre a autoridade lógica e a autoridade moral. Por sua vez, a autoridade é uma categoria social, portanto foi de grande importância descobrir que a definição de objetividade de Frege é completamente satisfeita por instituições sociais. A teoria psicológica de Mill foi, por esse motivo, desenvolvida socialmente. O componente psicológico proporcionou o conteúdo das ideias matemáticas; o componente sociológico ocupou-se da seleção dos modelos físicos e tornou compreensível sua aura de autoridade. A natureza exata dessa autoridade e o modo de funcionamento na prática serão explorados com mais detalhes no capítulo a seguir. Trata-se de uma questão delicada e interessante. Em seguida, uma versão socialmente estendida da teoria de Mill mostrou-se capaz de superar os argumentos remanescentes de Frege. Estes concerniam à análise de números como a unidade e o zero. Mediante os conceitos de modelo e metáfora, também foi possível superar os demais argumentos acerca da aritmética dos números grandes e do amplo alcance de sua aplicação.

Ao relacionar de novo a versão modificada da teoria de Mill à fenomenologia da matemática, há dois problemas remanescentes, um de menor e outro de maior importância. O problema menor diz respeito ao pressentimento, antes mencionado, de que é necessária certa realidade a fim de explicar a matemática. Segundo a presente teoria, tal pressentimento é justificável e passível de explicação. Parte dessa realidade é o mundo dos objetos físicos e parte dela é a sociedade. Mas diz-se às vezes que a matemática pura versa "sobre" uma realidade especial, e o que se tem em mente aqui é alguma alegada "realidade matemática". O mundo físico, portanto, é um candidato excluído. A presente teoria implicaria, portanto, as pessoas pressentirem obscuramente que a matemática versa sobre a sociedade? Tal enunciado soa muito estranho, mas, se a matemática versa sobre o número e suas relações, e se são criações sociais e convenções, então, deveras, a matemática versa sobre algo social. Em um sentido indireto, portanto, ela versa "sobre" a sociedade, no mesmo sentido em que Durkheim diz que a religião versa sobre a sociedade. A realidade sobre a qual parece dizer algo representa uma compreensão transfigurada do trabalho social que nela foi investido. Desse ponto de vista, é um fato animador e do maior interesse que a fenomenologia dos conceitos matemáticos seja vaga e vacilante. Por exemplo, apesar de às vezes se afirmar que as proposições matemáticas versam sobre uma realidade especial, diz-se também que elas são uma parte dessa realidade. A conexão ou o modo de participação envolvidos são sempre sugeridos, mas nunca enunciados – como quando Frege fala vagamente não de os números serem conceitos, mas de "descobrir os números" nos conceitos e da "transparência" dos conceitos puros ao intelecto. Em face de concepções tão imprecisas e pouco promissoras, minha teoria pode justificadamente tomar seu lugar caso ela apreenda alguns dos fatos mais proeminentes e sugira linhas claras de desenvolvimento.

O problema mais importante concerne à unicidade da matemática. Pouco foi dito a esse respeito. No entanto, não há dúvidas de que, segundo a presente teoria, a crença de que a matemática é única tem exatamente o mesmo *status* da crença de que há uma verdade moral única. Ora, se a história demonstra a variedade das crenças morais, ela também não demonstraria a unicidade da verdade matemática? Acaso os fatos não refutam a alegação de que a natureza da compulsão lógica é social? Tal questão será o tópico do próximo capítulo.

CAPÍTULO 6

Pode haver uma matemática alternativa?

A ideia de que possa haver variação na matemática assim como há variação na organização social parece, para alguns sociólogos, uma absurdidade monstruosa (Stark, 1958, p.162). Stark chega a dizer: "Certamente só pode haver uma ciência dos números, eternamente autoidêntica em seu conteúdo" (p.162). Apenas uns poucos autores posicionaram-se contra esse fato aparentemente óbvio. Um deles, Oswald Spengler, é muito pouco lido atualmente. Seu outrora popular *The Decline of the West* (1926) contém um longo e fascinante capítulo, ainda que por vezes obscuro, sobre esse tema chamado "O sentido do número". De maneira significativa, ele aparece de modo muito destacado logo no princípio do livro. Spengler está pronto para declarar que: "Não há e não pode haver números *per se*. Existem diversos mundos de números, pois existem diversas culturas" (v.1, p.59).

Relata-se que Wittgenstein teria lido e se impressionado com o livro de Spengler (Janik e Toulmin, 1973, p.177). Wittgenstein também aderiu à "absurdidade monstruosa" em suas sociologicamente orientadas *Remarks on the Foundations of Mathematics* [Observações sobre os fundamentos da Matemática](1956). Talvez isso explique o relativo abandono desse trabalho. Filósofos que se sentem confortáveis com outros escritos de Wittgenstein geralmente encontram pouca coerência ou sentido em seu relato da matemática (cf. Bloor, 1973). A fim de decidir se pode haver uma matemática alternativa, é importante perguntar: com o que se pareceria tal coisa? Por meio de que sinais ela poderia ser reconhecida e o que vem a ser contar como uma matemática alternativa?

Com o que se pareceria uma matemática alternativa?

Parte da resposta pode ser dada facilmente. Uma matemática alternativa seria parecida com erro ou inadequação. Uma alternativa real à nossa matemática teria que nos levar por caminhos que não estamos espontaneamente inclinados a seguir. Ao menos alguns de seus métodos e passos dos raciocínios teriam que violar nosso sentido de correção lógica e cognitiva. Talvez se obteriam conclusões com as quais apenas não concordaríamos. Ou veríamos provas de resultados que aceitamos, embora não consideremos que tais provas pareçam constituir prova alguma. Diríamos então que a matemática alternativa chegou à resposta correta pela razão errada. Inversamente, talvez vejamos linhas de raciocínio claras e, do nosso ponto de vista, persuasivas serem rejeitadas ou ignoradas. Uma matemática alternativa poderia ainda estar engastada num amplo contexto de propósitos e significados completamente estranhos à nossa matemática. Seu objetivo mal poderia ser inteligível para nós.

Embora uma matemática alternativa possa se parecer com erro, ela não seria constituída por quaisquer equívocos. Alguns erros são mais bem apreciados como desvios menores em uma direção nítida de desenvolvimento. As idiossincrasias na matemática escolar atual não constituem uma alternativa. Assim, alguma coisa além do erro é necessária.

Os "erros" em uma matemática alternativa teriam que ser sistemáticos, inflexíveis e básicos. Os aspectos que consideramos errados seriam todos, talvez, considerados coerentes e significativamente relacionados entre si pelos praticantes da matemática alternativa. Concordariam uns com os outros sobre como reagir a eles, desenvolvê-los, interpretá-los e transmitir seu estilo de pensamento às gerações seguintes. Os praticantes teriam que proceder segundo um modo que seria, para eles, natural e persuasivo.

Há, é claro, outro modo de erros inflexíveis de uma matemática alternativa tornarem-na diferente da nossa. Em vez de haver coerência e concordância, poderia ocorrer que a falta de consenso fosse justamente o aspecto em que a alternativa se diferisse da nossa. Para nós, a concordância faz parte da essência da matemática. Uma alternativa poderia ser aquela em que a disputa fosse endêmica. Aos seus adeptos, tal falta poderia ser considerada condizente à própria natureza do empreendimento, do mesmo modo que a religião é vista, em muitas partes, como uma questão de consciência individual. A tolerância cognitiva poderia tornar-se uma virtude matemática.

Esse rol de especificações é suficiente para os presentes objetivos. Se algo o satisfizer, teremos então bons motivos para chamá-lo de matemática alternativa.

Pode-se objetar que tudo o que a satisfação dessas condições mostraria é que o erro pode ser sistemático, inflexível e básico. Padrões institucionalizados de erro lógico não seriam, seguramente, tão errôneos quanto os erros individuais? Para ver como responder a essa objeção, considere a questão: pode haver moralidades alternativas? Imagine essa questão sendo feita em uma época de confiança moral absoluta. Suponha que o código moral desse tempo seja considerado uma revelação de Deus.

Tal ponto de vista confiante delineia claramente o que é certo. Qualquer afastamento, portanto, tem que estar errado – como pode então haver uma assim chamada moralidade alternativa? Acaso não violaria a natureza de Deus ser moralmente ambivalente ou ambíguo?

O único modo de responder ao absolutista moral é dizer que uma moralidade alternativa seria algo em que as pessoas sistematicamente assumem como certo coisas que o absolutista considera pecaminoso. Tais coisas estariam entrelaçadas para formar uma forma de vida que consideram certa e que transmitem a seus filhos. Uma moralidade alternativa não deve, portanto, ser assimilada ao comportamento criminoso em nossa sociedade, pois ela própria seria a norma, ainda que possa chamar a atenção por ser contrária às nossas normas. Naturalmente, o absolutista moral poderia rejeitar esse argumento ao ressaltar que a imoralidade numa escala nacional ou social não deixa de ser imoralidade. O pecado institucionalizado não deixa de ser pecado. As sociedades, como as pessoas, podem ser más.

Para os propósitos da investigação científica, é claro que esse ponto de vista moral tem que ser superado por um imperativo moral diferente: a exigência de uma perspectiva geral e imparcial. Desse modo, o antropólogo estará preparado para falar de sistemas morais alternativos desde que estes pareçam estar estabelecidos e enraizados na vida de uma cultura. Essa é a característica que deveria ser encontrada na matemática para que a discussão sobre uma alternativa fizesse sentido.

No entanto, há um outro fator complicador que deve ser observado. O mundo não consiste, em sua maioria, de culturas isoladas que desenvolvem estilos cognitivos e morais autônomos. À exata medida que o mundo é socialmente misturado, será também cognitiva e moralmente misturado. Além disso, a matemática, como a moralidade, é planejada para satisfazer as condições de pessoas que têm muito em comum na fisiologia e em ambientes físicos. Desse modo, esse é também um fator que opera a favor da uniformidade e de um pano de fundo comum de estilos cognitivos e morais. Alternativas na matemática têm que ser buscadas dentro dessas limitações naturais. Mas, ainda assim, tal uniformidade e consenso – onde existem – podem ser explicados causalmente. Não é necessário postular nenhuma vaga realidade matemática. As únicas realidades que precisam ser evocadas são aquelas assumidas na forma modificada da teoria de Mill, a saber, os mundos natural e social. Do ponto de vista de uma ciência social empírica, a questão é como os padrões observados de uniformidade e variação de crenças – em quaisquer proporções que possam ocorrer – podem ser explicados valendo-se de causas naturais.

Oferecerei exemplos de quatro tipos de variações no pensamento matemático em que cada um deles pode ser derivado de causas sociais. São eles:

i. variação no estilo cognitivo geral da matemática;

ii. variação no quadro geral das associações, relações, usos, analogias e implicações metafísicas atribuídas à matemática;

iii. variações no sentido atribuído às manipulações simbólicas e computações; e

iv. variação no rigor e no tipo de raciocínio considerado capaz de provar uma conclusão.

Uma quinta fonte de variação foi deixada para o próximo capítulo. Trata-se da variação no conteúdo e no uso de operações básicas do pensamento que são consideradas verdades lógicas autoevidentes.

Os primeiros exemplos, concernentes ao estilo cognitivo, irão contrastar aspectos da matemática grega e alexandrina a partes correspondentes da matemática contemporânea.

O "um" é um número?

Os enunciados a seguir eram lugar-comum na matemática grega antiga: o um não é um número; o um não é nem par nem ímpar, mas par-ímpar; o dois não é um número par. Hoje em dia cada uma dessas alegações é considerada falsa. Para nós, o um é um número como outro qualquer. Frege pode mencioná-lo em seus argumentos sem mais considerações. Além disso, o um é um número ímpar do mesmo modo que o dois é um número par, e não há nenhuma categoria como a de par-ímpar. O que, então, os gregos tinham em mente?

A razão pela qual diziam que o um não é um número é porque o consideravam o ponto de partida, ou o gerador, dos números. Seu sentido assemelhava-se ao nosso quando dizemos que certo número de pessoas compareceu a uma palestra, dando a entender que mais de uma compareceu. Aristóteles ofereceu sua própria versão dessa imagem estabelecida quando disse, na *Metafísica*: "'Um' significa a medida de algum múltiplo e 'número', um múltiplo medido ou uma multiplicidade de medidas. Portanto, obviamente, o um não é um número e a medida não é múltipla, mas tanto um quanto outro são pontos de partida" (**N** 1, 1087b33; Warrington, 1956, p.218).

Foram feitas tentativas ocasionais de falar do um como se ele fosse um número. Assim, Crísipo, no século III a.C., falou de um "múltiplo um". Jâmblico rejeitou a hipótese como uma contradição em termos. *Sir* Thomas Heath cita esse exemplo em sua *History of Greek Mathematics* (v.2, p.69, 1921) ao dizer que o ponto de vista isolado de Crísipo era importante porque foi "uma tentativa de colocar o um na concepção de número". Ele era importante, em outras palavras, como antecipação do nosso ponto de vista. Na perspectiva aqui adotada, talvez seja mais importante como comentário sobre a natureza da confusão lógica, pois essa foi a acusação feita por Jâmblico. O que Jâmblico vê como mera confusão, nós pressupomos como óbvio. Desse modo, talvez, aquilo que rejeitamos hoje como um absurdo lógico parecerá, um dia, ser uma verdade autoevidente. O absurdo percebido será então considerado uma função da classificação subjacente admitida. A classificação usual dos números da Grécia antiga é claramente diferente da nossa. Portanto, coisas diferentes serão consideradas violações de ordem e coerência e, do mesmo modo, coisas diferentes contarão como confusões ou contradições. Parte da classificação grega dos números é similar à nossa. Eles também separavam os números em pares e ímpares. O que dizer, então, da ideia de que o um deva ser classificado como par--ímpar? Isso ocorre porque o um gera tanto os números ímpares quanto os pares e, assim, deve participar de ambas as naturezas. Ele mantém um pé em cada lado e está além da dicotomia, representando sua origem ou ponto de partida. Há alguns paralelos antropológicos aqui. Mitos das origens quase sempre recorrem a eventos que violam as próprias categorias e classificações que pretendem explicar. Quando as pessoas contam a história do seu cosmo, procedimentos como o incesto são frequentemente invocados, como mostra nosso próprio mito de Adão e Eva. Tem-se aqui a atribuição de um *status* semelhante para violar as categorias. Pode-se esperar, então, que outros atributos do mito também se mostrem condizentes. Tal expectativa será confirmada.

Por vezes, também ao dois foi negado o caráter de número, visto que ele é o gerador dos números pares. Tal classificação, no entanto, era menos comum e seguramente perdurou menos que a ideia de a unidade não ser um número.

Esses assuntos não seriam talvez curiosidades isoladas a serem rejeitadas como meros "trocadilhos"? (cf. Van der Waerden, 1954). Se o objetivo for o de reconstruir tanto quanto possível a matemática grega em termos modernos, então, certamente, a questão pode não ser de muito interesse. Por outro lado, as diferenças na classificação podem ser sintomas de algo profundo – de uma divergência no estilo cognitivo entre a matemática grega e a nossa. Esse é o ponto de vista de Jacob Klein em seu difícil, mas fascinante, *Greek Mathematical thought and the Origin of Algebra* (1968).

Klein exibe sua diferença ao sustentar que é um erro supor uma única e contínua tradição de significado vinculado à noção de número. As mudanças desde Pitágoras e Platão têm sido caracterizadas por mais que um simples crescimento, passando pelos grandes matemáticos do século XVI como Vieta e Stevin, até o presente. Seu argumento não é o de que a noção de número passou por uma extensão para incluir primeiro os números racionais, seguidos dos números reais e, finalmente, os números complexos. Em vez disso, ele afirma que tem havido uma mudança daquilo que denomina de "intenção" do número. Nesse sentido, Klein argumenta que, quando os algebristas da Renascença assimilaram, digamos, o trabalho do matemático alexandrino Diofanto, eles, ao mesmo tempo, reinterpretaram-no. A continuidade que observamos na tradição da matemática é um artefato. Ela deriva de lermos nosso próprio estilo de pensamento nos trabalhos anteriores.

A diferença que Klein discerne nos conceitos antigo e moderno de número é esta: o número para os antigos sempre foi o número de alguma coisa; sempre foi uma quantidade determinada e referente a uma coleção de entidades. Estas, por sua vez, podem ser objetos da percepção, como um rebanho, ou podem ser unidades puras concebidas pelo pensamento em abstração de quaisquer objetos particulares. Klein argumenta que tal concepção de número é radicalmente diferente das atualmente utilizadas nos procedimentos da álgebra. Aqui, diz Klein, os números têm que ser concebidos simbolicamente, e não como um número determinado de coisas. Às vezes é difícil estarmos seguros do que Klein quer dizer com "simbólico", mas a essência de sua alegação é clara e importante. Apresentarei a tese de Klein seguindo sua discussão do trabalho de Diofanto. A fim de tornar os pormenores o mais concreto possível, darei alguns exemplos simples do trabalho de Diofanto. Eles serão tomados da tradução e comentário de Heath (1910).

Apesar de o trabalho principal de Diofanto ser chamado *Aritmética*, não é difícil compreender por que é geralmente considerado um trabalho de álgebra. Eis um problema típico de Diofanto, o problema 9 do livro II: "Dividir um número – como o 13, que é a soma de dois quadrados, 4 e 9 – em dois outros quadrados." Diofanto diz que, como os quadrados dados no problema são o quadrado de 2 e o quadrado de 3, ele tomará o quadrado de $(x + 2)$ e o quadrado de $(mx - 3)$ como os dois quadrados que procura e, além disso, assumirá que $m = 2$. Diofanto acaba de reduzir o problema de encontrar dois quadrados desconhecidos ao de encontrar uma quantidade desconhecida. Ele o faz relacionando os dois desconhecidos entre si. Assim ele tem:

$$(x + 2)^2 + (2x - 3)^2 = 13 \quad \text{daí} \quad x = 8/5$$

portanto os quadrados procurados são 324/25 e 1/25.

Claramente esse é um cálculo de um tipo hoje considerado parte da álgebra. Ele possui uma quantidade desconhecida, ou seja, uma incógnita, e uma equação é construída e manipulada para revelar o valor desconhecido. Mas, antes mesmo que isso possa parecer óbvio aos leitores atuais, algo fora do comum começa a atingi-los. Um exame do trabalho de Diofanto leva rapidamente a diferenças entre seu pensamento e aquele por trás da álgebra elementar contemporânea. Por exemplo, toda a álgebra de Diofanto consiste em procurar por números completamente determinados. Os procedimentos algébricos não são utilizados com a mesma generalização que empregaríamos. Eles estão sempre subordinados a problemas numéricos. Assim, no exemplo anterior, foram introduzidos pressupostos bastante específicos para se chegar a dois números que satisfizessem as condições requeridas. Sempre que a álgebra levar ao que chamaríamos de números negativos, Diofanto rejeita o problema original como impossível ou mal formulado. De modo similar, quando trabalha num problema passível de ser formulado por uma equação quadrática, dá tipicamente apenas um dos dois valores que satisfazem a equação. Isso é feito mesmo quando ambos os valores são positivos.

Considere outro problema da *Aritmética*, o problema 28 do livro II. Novamente, isso irá expor as diferenças em relação aos estilos modernos de pensamento. "Encontrar dois quadrados tais que a soma de seu produto com quaisquer dos dois seja um quadrado." A versão moderna dos raciocínios de Diofanto foi assim apresentada por Heath: seja o quadrado de x e o quadrado de y os números procurados. A condição que eles devem satisfazer é a de que

$$x^2y^2 + y^2 \text{ e } x^2y^2 + x^2$$

sejam quadrados. Agora, o primeiro desses valores será um quadrado se o quadrado de $x + 1$ for um quadrado. Diofanto presume então que isso possa ser igualado ao quadrado de $(x - 2)$ e, daí, $x = 3/4$. Ao substituir esse valor na segunda equação, temos que

$$9(y^2 + 1)/16$$

deve ser um quadrado. Aqui Diofanto pressupõe que

$$9(y^2 + 1) = (3y - 4)^2$$

portanto, $y = 7/24$. Assim os dois quadrados procurados são 9/16 e 49/576.

Essa explicação do raciocínio de Diofanto exibe o modo como todo o curso do argumento está subordinado ao objetivo de encontrar valores numéricos definidos. O ponto mais importante, entretanto, é que a versão de Heath dada antes não é exatamente a mesma que a linha de raciocínio do próprio Diofanto. É uma reconstrução atualizada que a formula de maneira bem diferente do original. Heath muito claramente chama a atenção para isso e, em particular, adverte que sua reconstrução procede por meio da introdução de duas incógnitas, x e y. Ele explica que Diofanto trabalha apenas com uma incógnita, sempre designada por S; assim: "podemos então dizer que, em geral, Diofanto é obrigado a expressar todas as suas incógnitas em termos, ou como funções, de uma variável" (p.52).

Esse comentário ajuda a mostrar aquilo que Klein tem em mente quando disse que Diofanto é sistematicamente reinterpretado pelos autores modernos. Note que Heath falou do símbolo S como uma "variável", sugerindo que tudo o que ocorreu na reconstrução do argumento de Diofanto foi o procedimento ter sido reduzido e simplificado ao se trabalhar com duas variáveis em vez de uma. Klein insiste que o símbolo S de Diofanto não é, em absoluto, uma variável, e que concebê-lo como tal é representar erroneamente um dos pressupostos da matemática grega. Do ponto de vista grego, o símbolo S só pode referir-se a um número desconhecido específico. Ao contrário, as variáveis não representam números desconhecidos específicos. Como sugere seu nome, representam a totalidade de um domínio de valores variados que obedecem a certa regra ou lei.

A característica que distingue uma variável de um número desconhecido pode ser exemplificada com um pouco de álgebra escolar elementar. Na escola, equações como

$$y = x^2 + x - 6$$

são ou apresentadas, ou logo imaginadas, como a equação de uma curva. A curva do exemplo assemelha-se à Figura 6.1. Ao variar os valores de x e de y na equação, o ponto que a satisfaz traça a curva. Aqui x e y são verdadeiramente variáveis.

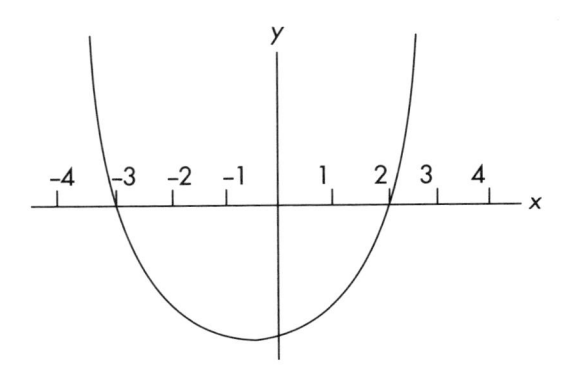

Figura 6.1

Diofanto está interessado amiúde por problemas que levam a equações como a mostrada antes, mas com seu símbolo S

em vez do nosso x. Para nós, isso levaria a dois valores de S, a saber: $+2$ e -3. Ele iria rejeitar como impossível a última solução e limitar-se ao que é, enfim, um único ponto no gráfico. Estaria interessado no ponto em que a curva atravessa o lado positivo do eixo x. Diofanto, porém, não considera que seu valor isolado de $S = +2$ seja apenas um dos valores da variável S. Para ele, não há um contexto de valores circundantes situados ao longo de uma linha curva. Não há um espaço bidimensional com coordenadas no qual a relação da equação traça uma curva. O ponto desconhecido representado pelo símbolo é, ele mesmo, pleno e completo. A rede de relações que existe ao seu redor, construída pela nossa matemática, não existe para Diofanto.

Considere a solução negativa $S = -3$, que seria rejeitada por Diofanto. Para nós, ela tem uma clara conexão com o outro valor de $S = +2$. São dois pontos relacionados entre si uma vez que representam a interseção de uma reta, $y = 0$, com a curva da equação. Removendo tal aparato interpretativo e também os números negativos, já não haverá nada que relacione os pontos entre si do modo como há para nós.

Em tudo isso, a dificuldade para nós é aprender a "desver" aquilo que somos treinados a ver. É o problema de imaginar o que seria necessário para que essa imagem alternativa restrita não fosse, afinal, restrita, mas preenchesse o mundo tão completamente como nossa imagem preenche o nosso.

Um modo de ter uma ideia dessa forma diferente de abordar os números, essa concepção enumerativa em vez de simbólica, é notar o quanto são divergentes as expectativas e intuições que guiam um matemático contemporâneo quando comparado a Diofanto. Eis uma encantadora descrição do historiador da matemática, Hankel, sobre sua experiência ao ler Diofanto. Hankel inicia salientando os muitos tipos diferentes de problemas com os quais Diofanto lidava e a falta de qualquer princípio reconhecível para agrupá-los. Ele continua:

Quase mais diversos em espécie que os problemas são suas soluções, e somos completamente incapazes de oferecer mesmo uma ampla compilação aceitável das diferentes mudanças de direção de seus procedimentos. De métodos gerais e abrangentes, não há sequer um indício detectável em nosso autor: cada questão exige um método deveras especial, o qual não convém até aos problemas mais fortemente interligados. Por suposto, é difícil a um matemático moderno, mesmo após estudar cem soluções diofantinas, resolver o 101º problema; e, caso tivermos feito tal tentativa, após o esforço inútil de ler a própria solução de Diofanto, ficaremos admirados em ver quão subitamente ele abandona a estrada principal, arremessa-se por um caminho paralelo e, com um rápido desvio, chega ao objetivo. Objetivo com o qual, no mais das vezes, não deveríamos nos contentar. Esperamos ter que escalar uma árdua trilha, para sermos recompensados ao final com uma esplêndida vista. Em vez disso, nosso guia conduziu-nos por caminhos estranhos e estreitos, mas suaves, até uma pequena elevação: e ele terminou! Ele carece da necessária energia calma e concentrada para um mergulho profundo em um único e importante problema e, desse modo, o leitor também se apressa, em agitação interna, de problema em problema, tal como num jogo de adivinhações, sem ser capaz de apreciar um deles em particular. Diofanto deslumbra mais do que encanta. Em uma prodigiosa medida, é perspicaz, inteligente, sagaz e incansável, mas não adentra inteira ou profundamente a raiz da questão. Como seus problemas parecem arquitetados sem a acedência de qualquer necessidade científica clara, mas geralmente apenas em função da solução, a própria solução carece igualmente de maior significação e completude. Ele é um executor brilhante da arte da análise indeterminada por ele inventada, mas as dívidas da ciência, ao menos as diretas, para com esse gênio brilhante são, todavia, uns poucos métodos, pois ele foi incompleto em termos do pensamento especulativo que vê na Verdade mais do que no Correto. Essa é a minha impressão geral oriunda de um estudo profundo e minucioso da aritmética de Diofanto (citado em Heath, 1910, p.54).

O importante é o quanto é fácil entender as reações de Hankel mesmo sem ser versado em matemática. Ele descreve, de modo pitoresco, mas autêntico, uma experiência bastante típica. Acaso Hankel não capta exatamente a sensação de entrar em contato com estranhas atitudes morais, políticas, estéticas ou sociais? Não seria essa a mesma experiência de unir-se a um grupo social desconhecido? Expectativas são violadas a todo instante; nossa habilidade em antecipar deixa de funcionar; é necessário muita atenção; os eventos estão sempre um passo à frente. A previsibilidade tranquila dos padrões de resposta está ausente: por que foi feito isto ou dito aquilo? Em parte, isso pode provocar admiração pelas habilidades incomuns que são mostradas; em parte, causará exasperação. Encontramos uma cegueira para possibilidades que são óbvias a nós. O relato de Hankel é uma evidência fenomenológica de que o trabalho de Diofanto representa um pensamento matemático diferente do nosso – tão diferente quanto a moralidade ou a religião de outra cultura é diferente da nossa moralidade ou religião.

A ideia segundo a qual o número era o número de unidades, e a própria unidade tinha uma natureza especial, perdurou até o século XVI. Um matemático que colaborou com a mudança foi o holandês Simon Stevin. Algumas questões de interesse sociológico emergem do exame de seus argumentos.

Apesar de Stevin ter achado necessário justificar a reclassificação da unidade como número, ele não parece ter adotado a ideia por causa dos argumentos por ele apresentados. Os argumentos foram defesas posteriores de uma posição que lhe pareceu bastante evidente. Klein cita-o como se não houvesse dúvidas de que o um fosse um número: "Não, definitivamente não, posto que eu estava tão seguro disso como se a própria natureza tivesse me dito pela própria boca" (p.191). Podemos, diante disso, presumir que a ideia estivesse se tornando "natural" ou sendo considerada certa, embora, evidentemente, houvesse desacordo suficiente sobre a questão para que fosse necessário exibir argumentos. O argumento de Stevin era o de que, se o número é composto por uma multiplicidade de unidades, então a unidade é uma parte do número. A parte tem que possuir a mesma natureza do todo, logo, a unidade é um número. Negar isso, diz Stevin, é como negar que um pedaço de pão seja, ele próprio, pão. Esse argumento pode produzir a conclusão com a qual concordamos, mas ele não é persuasivo. Exige uma simpatia inicial à ideia da homogeneidade e continuidade dos números para que sua suposição a respeito de a parte ter a mesma natureza do todo possa ser então admitida. Stevin deixa claro que são estas, de fato, as ideias com as quais ele trabalha. O que ele tem em mente, na verdade, é a analogia entre número e comprimento, ou tamanho, ou magnitude. Assim, "a comunidade e a similaridade da magnitude com o número é tão universal que quase se assemelha à identidade" (p.194).

A nova classificação dos números baseia-se em considerar como os números podem ser assimilados em uma linha, e esta é, precisamente, a analogia excluída pela ênfase precedente no ato descontínuo de enumerar. É discutível se a disputa entre a antiga e a nova imagem poderia ter sido estabelecida por meio de argumentos explícitos. Isso sempre dependerá de juízos subjacentes acerca da plausibilidade da analogia básica entre o número e a linha. Por sua vez, isso se ramifica na questão da conexão e da relativa prioridade entre a aritmética e a geometria.

O que vem a ser este elemento que altera o nosso sentido da conexão entre diferentes partes do conhecimento? O que faz de uma analogia, como a de Stevin, natural a uma pessoa, mas não a outra? A resposta tem que ser: experiências passadas e propósitos presentes. E eles têm que ser considerados tanto em seus cenários sociais quanto contra um fundo de propensões naturais e psicológicas. O que controla tais analogias matemáticas fundamentais pode ser vislumbrado na comparação entre Stevin, defensor da reclassificação do número, e aqueles que se opunham a ela, apegados à imagem grega.

Stevin era engenheiro. Todos os principais praticantes da matemática da época tinham preocupações tecnológicas ou aplicáveis (cf. Strong, 1966). Suas inclinações práticas os levaram a utilizar o número não apenas para contar, mas também para medir. Provavelmente, foram os interesses práticos que derrubaram as fronteiras entre a geometria e a aritmética. Os números vieram a desempenhar um novo papel ao indicar as propriedades do movimento, ativos processos de mudança. O número e a medida, por exemplo, tornaram-se centrais para uma compreensão intelectual da balística, da navegação e do uso de máquinas.

Para aqueles que se opunham às novas concepções, que a Natureza soprara nos ouvidos de Stevin, o número ainda possuía um caráter mais estático. O número deveria ser compreendido mediante sua classificação. Suas propriedades mais importantes eram aquelas pelas quais eram dispostos nas próprias categorias. A relação do número com o mundo era certamente importante para esses pensadores, mas em geral era concebida de uma maneira diferente da dos engenheiros, ou pensada como se possuísse aspectos muito além dos enfatizados pelos homens práticos. O número era uma exemplificação simbólica da ordem e da hierarquia do Ser. Tinha importância metafísica e teológica.

Em seu *Procedures and Metaphysics* (1966), Strong argumenta convincentemente que dois grupos diferentes constituíam, respectivamente, a facção científica e a obscurantista. Kepler teria sido quem chegou mais perto de ser um representante de ambas as tendências. Estudos mais recentes salientaram a conexão entre tais grupos e suas atitudes, sugerindo que as perspectivas prática e mística estavam frequentemente associadas, como em French (1972). Não importa o resultado desse debate histórico, um ponto geral está claro: havia uma forte associação entre a tecnologia do século XVI e a nova concepção de número. Como quer que tenha sido mediada a transição da imagem antiga para a nova, sua direção geral exige uma explicação e, como sugere o trabalho de Strong, as crescentes exigências da tecnologia proporcionam a causa mais plausível da mudança.

O ponto de vista há pouco chamado de místico ou numerológico merece um exame mais minucioso. Nisso consistirá o segundo exemplo de variação no pensamento matemático, que começa com um esboço das concepções pitagórica e platônica da matemática.

Número pitagórico e platônico

Os gregos utilizavam a matemática com propósitos práticos no mercado, mas diferenciavam enormemente tal uso do número da contemplação intelectual e superior de suas propriedades. Grosseiramente, isso corresponde à sua distinção entre "logística" e "aritmética", ou aritmética prática e teórica. Essa diferença entre dois modos de conhecer o número corresponde a uma discriminação social. Assim, no *Filebo*, Platão faz Sócrates dizer: "Não deve antes ser dito que a aritmética da multidão é uma coisa e que a dos amantes da sabedoria é outra?" (56D). Para Platão, os amantes da sabedoria, os filósofos, deveriam ser os legisladores em uma sociedade adequadamente ordenada.

A contemplação teórica do número interessava-se por uma propriedade sua chamada *eidos*. Klein explica que isso se refere ao "gênero" ou "espécie" do número ou, mais literalmente, sua "figura" ou "aparência". A fim de entender como os números podiam ter figuras ou aparências, deve-se lembrar que os números aqui se referem com exclusividade a números de coisas, e números de coisas sempre podem ser representados por números de pontos. Esses pontos quase sempre podem ser arranjados em figuras características, como quadrados, triângulos e retângulos. Torna-se natural falar de números quadrados, números triangulares, números retangulares e assim por diante, até mesmo nas três dimensões, se necessário. Frege talvez tenha pensado que um número retangular é tão absurdo quanto um conceito oblongo, mas o significado é bastante claro, como mostra a Figura 6.2.

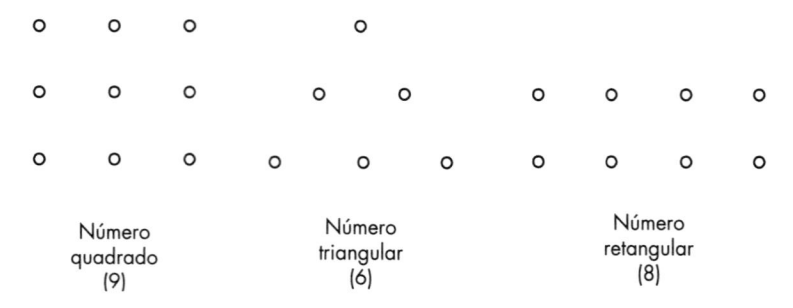

Figura 6.2 Números figurados.

Uma vez que os números tenham sido categorizados dessa maneira, é possível investigar suas propriedades como figuras. Por exemplo, números triangulares sucessivos produzem um quadrado quando somados. Os gregos usavam um artifício chamado *gnomon*. Era um número figurado tal que, quando somado a uma das figuras anteriores, não alterava a configuração geral. Por exemplo, o *gnomon* de um número quadrado deveria produzir outro número quadrado. Ele teria, portanto, que parecer com a Figura 6.3.

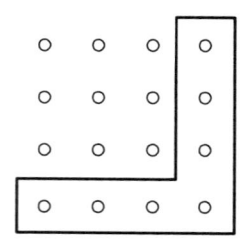

Figura 6.3 O *gnomon* de um número quadrado.

Ao contar os pontos do *gnomon*, logo surgem algumas propriedades gerais da configuração. Por exemplo, todo *gnomon* de um número quadrado pertence à sequência dos números ímpares 3, 5, 7... Destaca-se claramente que o número total de pontos em qualquer quadrado será igual à soma de alguma sequência desses números ímpares. Diversos resultados como esse, alguns dos quais bastante sofisticados, podem ser alcançados desse modo. A primeira coisa a ser comentada acerca dessa abordagem à aritmética é como ela se adapta bem ao relato de Mill. É um registro histórico de o conhecimento dos números ser estabelecido ao se observar objetos quando sujeitos a operações simples de ordenação e separação. Obviamente, algumas das conclusões da matemática grega são suscetíveis de cruzar fronteiras culturais e históricas, uma vez que dependem de experiências disponíveis a qualquer um. A segunda observação diz respeito não ao que é universal, mas ao que é peculiar a essa aritmética. Note como ela cristalizou certo aspecto da experiência – o *gnomon* – e o transformou em uma ferramenta especializada de pesquisa. Apesar de a ideia de *gnomon* ser perfeitamente inteligível do ponto de vista da nossa aritmética, ela não é para nós uma ideia digna de atenção especial. Claro, em nosso conhecimento grandemente ampliado, podemos ter ideias que cumpram papéis similares, mas ela não é, para nós, uma das operações básicas e centrais em nosso pensamento matemático. Como Klein observa: "Na verdade, operações com o *gnomon* (...) geralmente só fazem sentido quando o objetivo da investigação é a descoberta de tipos de figuras e números" (p.56). A matemática moderna e a teoria dos números mostram certo interesse por tipos de números, mas nada que se compare à abordagem catalográfica dos pensadores pitagóricos e platônicos. Para eles, a aritmética frequentemente assume a forma de uma história natural dos gêneros, espécies e subespécies das figuras dos números.

Qual era o interesse por essa forma de aritmética teórica? A resposta é que esses autores encontraram na aritmética um esquema classificatório que simbolizava a sociedade, a vida e a natureza. Sua ordem e hierarquia apreendiam, para eles, tanto a unidade do cosmo quanto nossas aspirações e papéis dentro dele. Os vários tipos de números "representavam" propriedades como Justiça, Harmonia e Deus. A classificação dos números ressonava com as classificações do pensamento e da vida cotidianos. A contemplação da primeira era um meio de alcançar com o pensamento o verdadeiro significado das últimas. Esse era um modo de estabelecer contato intelectual com as essências e potências que subjazem à ordem das coisas. Ela quase pode ser considerada uma forma peculiar de matemática "aplicada" graças à íntima relação que se pensava manter com questões práticas.

Em seu nível mais simples, os modos de correspondência entre a matemática e o mundo aparecem na forma pela qual os pitagóricos e, mais tarde, os neoplatônicos lidavam em conjunto com propriedades sociais, naturais e numéricas. A famosa Tábua de Opostos revela esse alinhamento de suas categorias:

Macho	Fêmea
Luz	Escuridão
Bem	Mal
Ímpar	Par
Quadrado	Retângulo etc.

Em versões mais elaboradas da visão pitagórica, as propriedades específicas dos números eram frequentemente investidas de significado e estudadas em conformidade. Por exemplo, o número dez estava relacionado à saúde e à ordem cósmica. O número não apenas simbolizava as forças cósmicas; pensava-se que mantivesse ou participasse de algum modo da eficácia divina. O conhecimento do número era então um meio de situar a mente em preciosos estados morais de força e graça.

É possível agora compreender a extensão da oposição que as ideias de Stevin enfrentaram. Não era uma questão menor tratar o um como meramente outro número qualquer, pois isso seria ignorar e transgredir as classificações e significados que haviam sido elaborados. Isso iria confundir e emaranhar o intrincado padrão de correspondências e analogias que unia os números. Stevin estava introduzindo o nivelamento e a secularização do número. O número ameaçava perder sua complexa estrutura hierárquica e seu poder como símbolo teológico. Seria adequado, afinal, chamar a especulação pitagórica e neoplatônica de matemática? Não seria melhor apenas dizer que uma pequena porção de matemática real acabou por ser elaborada de modo um tanto fortuito sob os auspícios de alheias motivações especulativas e religiosas? Stevin foi certamente um representante da matemática real, ao passo que seus opositores eram antimatemáticos. Eles não representam um modo alternativo de praticar a matemática, mas, antes, uma maneira de não praticar, em absoluto, a matemática. Como Stark (1958) argumentou em um contexto similar: "Se pudermos expressá-lo assim, sua matemática era como a nossa, mas estava carregada de magia" (p.162).

O que tal resposta mostra é que nosso pensamento acerca da matemática foi posto numa encruzilhada. Ao adotar uma atitude formal e dicotômica, "ou um ou outro", pode-se fazer parecer que não há fontes importantes de variação na matemática que requeiram explicação. É claro que se não reconhecemos o misticismo numérico como uma forma de matemática, não há questão alguma quanto a ele ser uma alternativa. Caso nos permitamos ativamente selecionar e distinguir os exemplos históricos em componentes genuinamente matemáticos e aquelas partes que não são consideradas em absoluto matemática, a unidade eterna e autossuficiente da matemática estará garantida. Estará garantida porque será um artefato de nossas avaliações. É possível protestar contra tal atitude formalista por este motivo: ela torna tautológico que não haja uma matemática alternativa; diz que não existe uma matemática alternativa "verdadeira" ao mesmo tempo que se arroga o direito de definir o que conta como "verdadeiro". Mas exemplos são melhores que protestos formais. O próximo exemplo confrontará a premissa nas quais essas atitudes formais e dicotômicas se baseiam. Tal premissa é o pressuposto de que a matemática pode perfeitamente ser pensada em total isolamento de um contexto de princípios interpretativos que lhe confere significado. O que obstrui o caminho da sociologia da matemática é a ideia de que a matemática tenha uma vida só sua e um significado só seu. Isso é assumir que há uma importância intrínseca residente nos próprios símbolos esperando ser percebida ou compreendida. Sem tal pressuposto, não haveria nenhuma justificativa histórica para resolver o que deve ser considerado a matemática propriamente dita. Não haveria base para isolar e discriminar retrospectivamente a "verdadeira" matemática.

A metafísica da raiz de dois

Atualmente, admite-se que a raiz quadrada de dois seja um número, a saber, o número que ao ser multiplicado por ele mesmo tem como produto o número dois. Ele é em geral chamado de número irracional, um nome remanescente de uma época em que houve uma preocupação considerável sobre seu *status*. A inquietação residia no fato, bem conhecido por Aristóteles, de que nenhuma fração p/q jamais poderia ser precisamente igual à raiz quadrada de dois.

A prova dada por Aristóteles é baseada na seguinte ideia. Suponhamos que a raiz de dois seja igual a uma dada fração p/q. Além disso, consideremos que tal fração tenha sido simplificada cancelando todos os fatores comuns a p e q. Em particular, significa que você não pode dividir tanto p quanto q por dois. Assim, podemos escrever:

considerando que $\qquad p/q = \sqrt{2}$
então $\qquad\qquad\quad p^2 = 2q^2$

Isso quer dizer que o quadrado de p tem que ser um número par, pois é igual a um número divisível por dois, a saber, duas vezes o quadrado de q. Mas, se o quadrado de p é par, p tem que ser par. Ora, se p é par, q tem que ser ímpar uma vez que foi definido que p/q havia sido simplificada e quaisquer fatores comuns, como o dois, removidos. Se p é par, pode ser representado da seguinte forma:

$$p = 2n$$
então $$p^2 = 4n^2 = 2q^2$$
portanto $$q^2 = 2n^2$$

Agora a mesma sequência de argumentos que haviam estabelecido que p é par e q ímpar pode ser conduzida para q. Se o quadrado de q é igual a duas vezes o quadrado de n, então o quadrado de q tem que ser par, bem como q. Portanto, p tem que ser ímpar. Obviamente, isso é o oposto do que se concluiu há pouco. Além disso, toda essa sequência de passos pode ser mecanicamente repetida. O resultado é que p e q ora são classificados na categoria de números pares, ora na de números ímpares, ora na de pares de novo e assim por diante.

É comum terminar o cálculo após a primeira mudança de p da condição de par para a de ímpar e julga-se tratar de uma contradição evidente. A existência de tal contradição significa que uma das premissas do argumento tem de estar errada, e o único pressuposto duvidoso era o de que a raiz quadrada de dois poderia ser representada por uma fração da forma p/q. Portanto, ela é rejeitada.

O que significa essa sequência de cálculos e como ela obtém o significado a ela atribuído? Acaso o cálculo prova que a raiz de dois é um número irracional? Estritamente, prova apenas que a raiz de dois não é um número racional, mas para nós dificilmente ela poderia ter qualquer outro significado: se a raiz de dois não é um número racional, então ela é um número irracional. Entretanto, não foi isso que a sequência provou aos gregos. Para eles, prova que a raiz de dois definitivamente não é um número. Essa série de computações era uma das razões para manter separadas todas as considerações referentes aos números propriamente ditos das considerações referentes às magnitudes. Por exemplo, os seguimentos geométricos com comprimento igual à raiz de dois podem ser especificados, como no caso da hipotenusa de um triângulo retângulo cujos lados iguais tenham o comprimento unitário. Isso mostra apenas o abismo que separa a geometria da aritmética.

O que, então, a prova realmente prova? Ela prova que a raiz quadrada de dois não é um número ou que é um número irracional? O que ela prova, é claro, depende dos pressupostos prévios acerca do número com base nos quais o cálculo é enfocado. Se o número significa basicamente um número enumerável, uma coleção ou padrão de pontos, então o cálculo significará algo completamente diferente daquilo que significaria caso os números estivessem intuitivamente vinculados à imagem de uma linha contínua.

A prova não terá uma significação "intrínseca". Não fará sentido algum escrutinar um a um seus passos na esperança de que o significado da prova se encontre nas marcas do papel ou nas rotinas simbólicas da própria computação. Isso é particularmente manifesto no fato de tais rotinas formarem uma sequência interminável capaz de ser repetida incessantemente. Não há nada na própria computação que impeça alguém de jogar o jogo de mostrar que p e q são pares e depois ímpares recursivamente.

Podemos até mesmo imaginar que essa versão do cálculo poderia levar à ideia de que isso é uma prova de p e q serem tanto pares quanto ímpares. Por que seria absurdo? Imagine uma cultura na qual as pessoas tenham aprendido muitas coisas importantes com a aritmética, mas nunca tenham encontrado muita vantagem nas categorias de ímpar e par. Elas podem ter utilizado tais propriedades em alguns de seus cálculos, mas nunca cogitaram essa clivagem ou lhe deram muita importância. Nessa cultura, por exemplo, eles nem sonhariam em erigir a Tábua de Opostos como os pitagóricos, muito menos em delimitar o ímpar e o par em correspondência com outras dicotomias cósmicas. Talvez, ao contrário dos pitagóricos, o dia e a noite, o bem e o mal e o branco e o preto não pareçam também oposições óbvias ou importantes. Afinal, o dia transforma-se gradualmente em noite, o bem em mal, o preto em banco. Vamos supor que estamos falando de uma nação de negociadores, mediadores, miscigenadores e pacificadores, cuja visão de mundo e circunstâncias sociais enfatizem a interligação das coisas. Tal cosmologia seria inteligível e poderia ser altamente sofisticada. A computação, lida como prova de que os números podem ser tanto pares quanto ímpares, seria natural e perfeitamente adequada, além de confirmar ainda mais a crença de que as delimitações rígidas não são realísticas.

A questão por trás desse exemplo fantasioso é a mesma por trás do episódio histórico que o antecedeu. Certas condições devem estar presentes antes mesmo que a computação tenha qualquer sentido. Tais condições são sociais no sentido de residirem no sistema de classificações e significados socialmente sustentado de uma cultura. Consequentemente, eles variarão e, conforme variarem, também o farão os significados de partes da matemática.

Se o significado particular de uma computação depende de pressupostos prévios, sua influência geral é ainda mais contingente. A descoberta das magnitudes irracionais é frequentemente chamada de a "crise dos irracionais" na matemática grega. Foi uma crise porque a separação entre a magnitude e o número, por ela sugerida, era oposta à tendência anterior dos gregos de imaginar linhas e figuras como construídas exclusivamente por pontos. (Popper proporciona um relato vívido dessa cosmologia do atomismo numérico no Capítulo 2 de *Conjectures and Refutations* [Conjecturas e refutações], 1963.) A descoberta pode, de fato, ter provocado o declínio da abordagem anterior, mas não era necessário que isso assim ocorresse. O que foi uma crise poderia ter sido não mais que uma anomalia despropositada. Caso aqueles que aceitavam tal cosmologia tivessem encontrado outras expressões de seu ponto de vista fundamental ou outros possíveis desdobramentos para ocupar--se, crise alguma precisaria ter ocorrido. A contingência desse resultado é evidente com base no fato de que, séculos mais tarde, o mesmo atomismo numérico tornou-se, novamente, a base de trabalho criativo. Por exemplo, Roberval, o matemático francês do século XVII, imaginou que as linhas fossem feitas de pontos e prosseguiu com o uso de artifícios aritméticos, como somatórios e aproximações, a fim de calcular áreas de triângulos, volumes de pirâmides e somas de cubos e potências maiores. Provou resultados que nós hoje consideramos casos especiais do cálculo integral (cf. Boyer, 1959, p.142). Talvez um antigo grego Roberval pudesse ter evitado a ocorrência da crise dos irracionais. Certo é que o teorema a respeito da raiz de dois não inibiu o trabalho de Roberval.

Um caso semelhante de procedimentos matemáticos aos quais se atribuíram diferentes significados em diferentes épocas é o proporcionado pelo uso dos infinitesimais. Esse será o próximo exemplo. Ele ilustra ainda o sobe e desce dos padrões de rigor na matemática.

Infinitesimais

Diz-se às vezes que "na realidade" uma curva é feita de muitas linhas retas pequeninas. Claramente, a analogia entre uma curva contínua e um conjunto de linhas descontínuas unidas aumenta quanto menores e mais numerosos forem os segmentos. Tal intuição e outras similares estavam na raiz da ideia dos infinitesimais e da noção de "limites". No limite, talvez os diminutos segmentos de linha pudessem efetivamente ser idênticos à curva (ver Figura 6.4). A longa história dessas ideias culminou no cálculo.

Pensar em termos de infinitesimais também leva a considerar áreas e sólidos como se fossem feitos de segmentos, ou lâminas, ou elementos. Desse modo, pode-se alcançar uma apreensão intelectual de figuras que de outra forma seriam difíceis de compreender.

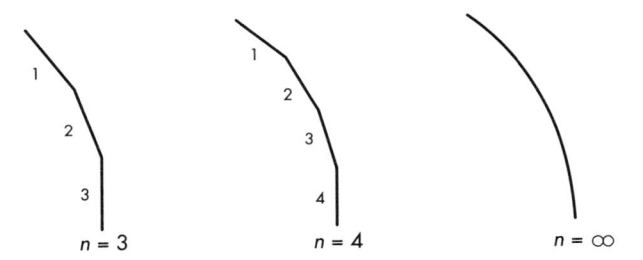

Figura 6.4 Segmentos e limites.

A história dos infinitesimais é muito complicada, mas para o presente argumento basta ilustrar algumas poucas questões gerais. Nos séculos XVI e XVII, o uso dos infinitesimais tornou--se bastante comum no pensamento matemático. Um de seus principais expoentes foi Cavalieri (1598-1647). Ele recorreu explicitamente à analogia entre o modo como um sólido é feito de segmentos infinitesimais e o modo como o volume de um livro é constituído pelas lâminas finas de suas páginas. Também sugeriu que uma superfície é formada por linhas infinitesimais do mesmo modo que um tecido é constituído por fios finos (Boyer, 1959, p.122).

Uma típica utilização pujante dos infinitesimais por volta da mesma época encontra-se na derivação de Wallis (1616-1703) da fórmula da área de um triângulo. Pensemos num triângulo composto de minúsculos paralelogramos, cuja espessura seja, nos termos de Walli, "praticamente nada além de uma linha" (Boyer, 1959, p.171). A área de cada paralelogramo é quase igual à sua base vezes sua altura. Se considerarmos, com Wallis, haver efetivamente uma infinidade (∞) desses segmentos, então a altura de cada segmento será h/∞, onde h é a altura total do triângulo. A área total, claramente, é a soma das áreas dos paralelogramos. A primeira, um mero ponto no vértice, será zero. O último segmento terá uma área b (h/∞), onde b é o comprimento da base e h/∞ sua altura infinitesimal (ver Figura 6.5).

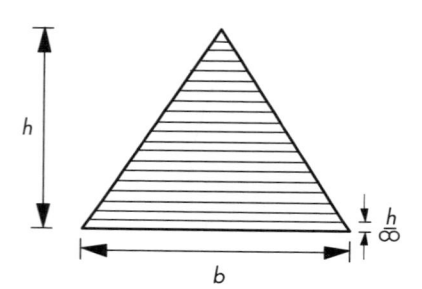

Figura 6.5

A partir do topo, cada segmento será um pouco maior que o anterior pela adição, a cada vez, de uma pequena quantidade constante. Desse modo, os comprimentos dos paralelogramos entre o topo e a base estarão em progressão aritmética. Wallis sabia que a soma dos termos de uma progressão aritmética é o número de termos multiplicado pelo seu valor médio. Ele não viu razão para deixar de aplicar esse modelo ou padrão de inferência à sequência infinita de segmentos infinitesimais. Assim, a área do triângulo foi obtida ao se multiplicar as seguintes quantidades: o comprimento médio de um segmento $b/2$; o número de segmentos, que era infinito ∞; a altura de cada segmento, h/∞. Segue disso:

$$\text{Área total} = b/2 \cdot \infty \cdot h/\infty$$

Ao cancelar as quantidades infinitas, tem-se:

$$\text{Área total} = \tfrac{1}{2}\,\text{base} \cdot \text{altura}$$

Muitas outras linhas de pensamento engenhosas de tipo similar produziram uma explosão de investigações e resultados. O *status* preciso dos infinitesimais não era de modo algum consensual, mas o trabalho seguiu em frente. Por que, por exemplo, o símbolo de Walli, $1/\infty$, não era igual a zero? Como pode um somatório de elementos com valor zero resultar na área finita de um triângulo? Alguns pensadores, como Cavalieri, eram agnósticos acerca da realidade dos infinitesimais. Outros, como Galileu, produziram extensos argumentos filosóficos a seu favor (cf. Carruccio, 1964, p.200).

Os historiadores, ao olharem esse período fecundo, comentam às vezes a falta de rigor presente na utilização dos infinitesimais. Seguramente, aos matemáticos modernos, os termos do cálculo de Walli não possuem nenhum sentido estrito. Hoje em dia, não encontramos sentido ou utilização para símbolos como ∞/∞ ou para a operação de cancelar infinitos. Por outro lado, os historiadores reconheceram com certeza o valor do abrandamento do rigor que permitiu a esses termos aparecerem explicitamente pela primeira vez nos cálculos. Antes dessa época, eles eram proibidos, e agora também o são. Como diz o historiador Boyer, "felizmente", homens como Walli não se preocupavam muito com o rigor (1959, p.169).

Muito antes da época de Walli, o pensador grego Arquimedes também havia percebido a utilidade de imaginar que figuras podiam ser segmentadas em lâminas. Arquimedes utilizou essa ideia em conjunto com metáforas ainda mais mecânicas a fim de facilitar a compreensão matemática de algumas formas e figuras difíceis. Ele imaginou, por exemplo, como podiam ser comparados segmentos de figuras de diferentes formas. Desse modo, foi capaz de formular equações que dão o volume da esfera ao relacioná-la a formas mais simples como o disco e o cone (para a descrição desse raciocínio, ver Pólya, v.1, p.155, seção 5, 1954).

O "método dos teoremas mecânicos" é esboçado por Arquimedes numa carta na qual ele frisa que o método não prova nem demonstra de fato os teoremas que é capaz de sugerir (Carruccio, 1964): "De fato, eu mesmo observei pela primeira vez certas coisas pelo intermédio de meios mecânicos e em seguida demonstrei-as geometricamente, pois a pesquisa feita desse modo não constitui demonstração real" (p.111).

A prova real para Arquimedes é a geométrica, e não aquela baseada em metáforas mecânicas de segmentação e comparação. Tais provas geométricas condizem à condição de não envolver infinitos efetivos. O abrandamento de rigor no século XVI correspondia exatamente à convicção crescente de que o estilo, considerado por Arquimedes meramente heurístico, na realidade era capaz de provar coisas. Curiosamente, os matemáticos daquele século não sabiam do método que Arquimedes havia utilizado para chegar a seus resultados. Conheciam apenas a versão geométrica na qual a prova havia sido formulada. Isso não lhes dava sequer um indício dos pensamentos e motivos anteriores aos raciocínios. Assim, era comum a opinião de que Arquimedes obtivera um método secreto para realizar sua matemática – e de fato ele o teve. O segredo, no entanto, tratou-se de um acidente histórico: o relato de Arquimedes sobre seu método não foi redescoberto senão em 1906.

A grande tendência de intensificação do rigor na matemática do século XIX restabeleceu o interdito dos infinitos e infinitesimais efetivos que, muitos séculos antes, esteve presente no pensamento grego, mas que havia sido prescrito no século XVI. O novo rigor reconstruiu as conquistas de homens como Cavalieri e Wallis, que haveriam de culminar no cálculo. Tal reconstrução excluiu muitos dos métodos pelos quais esses feitos foram alcançados. A multiplicação por $1/\infty$ de Wallis e seu confiante cancelamento de infinitos no numerador e denominador das frações nunca mais foram vistos.

Tal oscilação sugere que possa haver dois diferentes fatores ou processos na matemática e que haja uma tensão entre eles ou, ao menos, que possam ser combinados em proporções variadas.

Na base da matemática que hoje associamos ao cálculo, tem persistido uma intuição constante de que curvas, figuras ou sólidos podem ser considerados de fato passíveis de segmentação. Esse é um modelo ou metáfora ao qual as pessoas recorreram quando tentaram pensar sobre tais assuntos. É claro que matemática não é o mesmo que pensamento intuitivo. Ela é disciplinada e controlada. Esse fator constante tem sido organizado pelos padrões variáveis de prova e disciplina lógica considerados corretos em diferentes épocas. Para Arquimedes, as intuições mecânicas básicas tinham que ser filtradas pela geometria. Essa era a única via de expressão considerada capaz de constituir um controle lógico adequado. O filtro estava menos rigoroso durante o século XVI. A intuição pôde expressar-se com um vigor metafórico mais irrestrito. É claro que isso trouxe consigo a desvantagem da confusão e da divergência de opinião. Havia um papel maior para a crença individual e diferenças criativas, mas isso implicou a ameaça de um colapso da certeza pela proliferação não controlada de desacordo, anomalia e idiossincrasia.

Um problema importante é derivado de considerar desse modo as variações de rigor. Que fatores determinam o equilíbrio histórico entre as propensões intuitivas comuns e os variáveis padrões e estilos de controle rigoroso que agem sobre elas? A questão não diz respeito apenas à intensidade do controle rigoroso, mas também à sua forma particular.

Tal problema é idêntico ao que hoje os historiadores das ciências empíricas enfrentam vigorosamente. As rotinas básicas de computação e manipulação e as intuições básicas de similaridades, modelos e metáforas podem ser consideradas aspectos empíricos da matemática. Eles corresponderiam à entrada de dados da experiência e do experimento nas ciências naturais. Os princípios interpretativos mais elevados que incorporam o significado, a prova e o rigor correspondem às teorias explicativas, aos paradigmas, aos programas de pesquisa e aos quadros metafísicos gerais do cientista natural. Parece não haver razões para que a matemática deva ser tratada de modo diferente das ciências empíricas. Mais sobre isso será dito a seguir.

Conclusão

Foram apresentados diversos casos que podem ser lidos como exemplos de formas alternativas do pensamento matemático em relação ao nosso. Ao exibir divergências de estilo, significado, associação e padrões de rigor, fica claro que existem variações significativas no pensamento matemático que precisam ser explicadas. Além disso, é plausível supor que tais variações possam ser elucidadas com a busca de causas sociais.

Os exemplos também oferecem evidência para consolidar a forma (modificada) da teoria de Mill. Eles mostraram que a matemática é baseada na experiência, mas uma experiência selecionada de acordo com princípios variáveis e à qual são atribuídos significados, conexões e usos variáveis. Em particular, os exemplos também consolidaram a ideia segundo a qual uma parte da experiência é utilizada como um modelo para, por meio destes, conceber um vasto domínio de problemas. Extensões analógicas e metafóricas desses modelos foram acentuadamente exibidas.

Tais variações no pensamento matemático tornam-se quase sempre invisíveis. Uma tática para atingir esse fim já foi comentada: é a insistência dicotômica de que um estilo de pensamento só merece ser chamado de matemática contanto que se aproxime do nosso. Contudo, há outros modos de encobrir a variação que são menos óbvios. Eles frequentemente estão representados nos escritos da história da matemática.

Escrever história é necessariamente um processo interpretativo. Deve-se adicionar ao que os matemáticos do passado pensaram e concluíram algum sentido ou comentário contemporâneo para que possam ser entendidos. Há muitos modos de fazê-lo: comparar e contrastar; separar o útil do inútil e o que tem sentido do que não tem; tentar descobrir coerência e sistematização; interpretar o obscuro e incoerente; preencher as lacunas e chamar a atenção para os erros; explicar o que os pensadores podiam, poderiam ou teriam feito caso tivessem mais informação, perspicácia ou mais sorte do que efetivamente tiveram; oferecer comentários detalhados que reconstruam pressupostos subjacentes e crenças norteadoras; e assim por diante. Esse aparato de comentário e interpretação exegéticos medeia de modo inevitável nossa compreensão do passado. Trata-se de um extenso e formidável aparato. Da mesma proporção que seu tamanho é seu alcance para impor os padrões e preocupações atuais ao passado. De fato, certas imposições como essas são características necessárias de qualquer entendimento. A única questão é: que padrões devem ser impostos e que interesses governarão o trabalho empenhado na manufatura do nosso sentido do passado?

Se os historiadores desejassem exibir o caráter acumulativo da matemática, o aparato interpretativo bem os capacitaria a fazê-lo. Os contraexemplos dessa imagem de progresso seriam considerados períodos de desenvolvimento lento ou desvios errôneos ou guinadas equívocas. Em vez de exibir alternativas, a tarefa consistiria em separar o joio do trigo. Não é de admirar que fosse possível ao historiador Cajori (1919), que escreveu na mesma época de Splenger, dizer que a matemática é preeminentemente uma ciência acumulativa, que nada é perdido, e que as contribuições do passado distante brilham hoje tão de modo tão intenso quanto as contribuições modernas.

Seria injusto e por demais simplório dizer que em tais relatos a história tenha sido falsificada. Nenhum padrão de comentário e interpretação exegéticos, ou de integridade, foi violado. Na verdade, tais virtudes são espantosa e extremamente evidentes. Em vez disso, deve ser dito que tais virtudes são empregadas segundo os interesses de uma imagem geral progressista e é esta que tem que ser contestada. Os exemplos neste capítulo surgiram da previsão da abordagem naturalista: há descontinuidade e variação na matemática assim como há descontinuidade entre o que é e o que não é matemática. Outros valores devem nos mover para que isso seja completamente esclarecido e visto como um problema que necessita de explicação. Um desses valores, por exemplo, é o interesse pela mecânica do pensamento lógico e matemático. Tal questão estava obviamente envolvida na discussão entre Frege e Mill, e dela me ocuparei no próximo capítulo.

CAPÍTULO 7

Negociação no pensamento lógico e matemático

O propósito deste capítulo é o de retomar a análise da compulsão lógica. A intenção é acrescentar ao relato até aqui oferecido um processo inteiramente novo, o qual chamarei de "negociação". O Capítulo 5 alegou que o caráter persuasivo do nosso raciocínio é uma forma de compulsão social. Tal como está, isso é demasiado simplório, uma vez que não é em todos os casos que as convenções sociais persuadem, e são capazes de fazê-lo, mediante a internalização direta de um sentido do certo e do errado. Assim como as pessoas barganham em questões de dever e legalidade, também barganham em questões de compulsão lógica. Assim como nossos papéis e obrigações podem conflitar, também o podem os veredictos de nossas intuições lógicas. Essas qualificações inevitáveis e incisivas não encontram explicação nem solução no relato até aqui oferecido. Quando tais fatores forem levados em consideração, surgirá um retrato mais detalhado dos poderes criativos ou inventivos do pensamento. Será possível um entendimento mais sofisticado daquilo que precisamente corresponde à compulsão de um argumento lógico ou matemático.

Será um retrato que, mais do que nunca, exige uma perspectiva sociológica para fazer-lhe justiça.

Um modo de abordar tais questões é retornar à "lógica" de Mill. No decorrer de uma árida discórdia entre Mill e o bispo Whately, ele faz algumas insinuações provocantes e inquietantes sobre a natureza do raciocínio formal. O contexto é pouco promissor. Mill debate com Whately a questão: o silogismo contém uma *petitio principii*? O problema pode ser enunciado de modo bem simples ao se considerar o seguinte argumento silogístico:

Todos os homens são mortais.
O duque de Wellington é homem.
Portanto, o duque de Wellington é mortal.

Se estivermos em condições de afirmar a primeira premissa, de que todos os homens são mortais, então já devemos saber que o duque é mortal. O que estamos fazendo, portanto, ao concluir ou inferir sua mortalidade na conclusão do silogismo? Seria correto dizer que o silogismo opera em círculo? Mill acredita que há, de fato, um círculo aqui. Parte da explicação do raciocínio que ele em seguida oferece a fim de justificar sua concepção é bem conhecida, mas alguns de seus aspectos mais sugestivos passaram despercebidos.

O conselho de lorde Mansfield

A parte mais conhecida da teoria de Mill diz que o raciocínio opera, em seus termos, do particular para o particular. Considerando que o duque de Wellington estava vivo quando Mill escreveu, a inferência de sua mortalidade deu-se mediante generalização indutiva e associação de ideias. A experiência fornece generalizações indutivas confiáveis acerca da morte e estas são naturalmente extrapoladas para cobrir casos que parecem adequadamente similares aos que ocorreram no passado. O caso do duque de Ferro é assimilado aos casos anteriores consignados na generalização. Mill diz que o processo real de inferir consiste na passagem de casos particulares passados para novos casos particulares. O processo de pensamento envolvido, portanto, não depende, nem procede, da generalização de que todos os homens são mortais. Ele progride sem o apoio da premissa maior do silogismo. Como diz Mill: "Nós não apenas podemos raciocinar de particulares a particulares, sem passar por gerais, como permanentemente raciocinamos assim" (II, III, 3).

Se a premissa geral de um silogismo não está envolvida com nossos atos de raciocínio, que *status* deve ser atribuído a ela? É aqui que Mill faz suas insinuações. As proposições gerais são, para Mill, meros "arquivos" das inferências que já fizemos antes. O raciocínio, ele prossegue, repousa em atos específicos de assimilar os novos casos aos antigos e "não em interpretar o registro de um ato". Na mesma discussão, Mill refere-se à generalização de que todos os homens são mortais como um "memorando". A inferência da mortalidade de qualquer pessoa específica não segue, diz Mill, do próprio memorando, mas, em vez disso, dos próprios casos anteriores que davam base ao memorando.

Por que chamar a premissa maior de um silogismo de arquivo, registro ou memorando? Falar de premissas e princípios desse modo transmite duas ideias. Primeiro, sugere que são derivados ou meros epifenômenos. Segundo, ao mesmo tempo que indica que não são centrais no próprio ato de raciocinar, sugere que desempenham alguma função positiva, ainda que não seja a atribuída a eles em geral. A linguagem de Mill sugere aqui um papel burocrático ou escriturário, um modo de documentar e arquivar o que ocorreu.

Mill exemplifica com nitidez e estende seu relato por intermédio da história do conselho de lorde Mansfield a um juiz. O conselho era o de anunciar as decisões de forma incisiva, pois elas provavelmente estariam corretas, mas em hipótese alguma lhes dar razões, pois quase de forma infalível estariam erradas. Lorde Mansfield, diz Mill, sabia que a atribuição de razões seria uma reflexão tardia sobre a decisão tomada antes. O juiz seria guiado, de fato, pela experiência passada e seria absurdo supor que a razão ruim pudesse ser a fonte de decisões acertadas. Se as razões não produzem conclusões e não passam de reflexões tardias, quais relações elas mantêm com as conclusões? Mill considera a conexão entre os princípios gerais e os casos a eles pertencentes como algo que tem que ser criado. Uma ponte interpretativa tem que ser construída. Desse modo: "Essa é uma questão, tal como expressam os alemães, de hermenêutica. A operação não é um processo de inferência, mas um processo de interpretação" (II, III, 4).

Mill trata o silogismo de modo similar. Suas estruturas formais são associadas a inferências efetivas mediante um processo interpretativo. É "um modo no qual nossos raciocínios podem sempre ser representados". Quer dizer: a lógica formal representa um modo de exposição, uma disciplina imposta, uma estrutura superficial planejada e mais ou menos artificial. Tal exposição deve ser o resultado de um esforço intelectual especial e deve, ela própria, envolver alguma forma de raciocínio. O surpreendente é a ordem da causalidade e prioridade revelada nessa explicação. A ideia central é que os princípios formais da razão são ferramentas dos princípios informais do raciocínio. A lógica dedutiva é a criatura de nossas propensões indutivas; é o produto de reflexões interpretativas tardias. Irei referir-me a tal ideia como a prioridade do informal sobre o formal.

Como se expressa a prioridade do informal sobre o formal? A resposta é dupla. Primeiro, o pensamento informal pode utilizar o pensamento formal. Ele pode buscar fortalecer e justificar suas conclusões previamente determinadas formulando-as em um modelo dedutivo. Segundo, o pensamento informal pode pretender criticar, iludir, contornar ou evitar os princípios formais. Em outras palavras, a aplicação dos princípios formais é sempre um possível objeto de negociação informal. Tal negociação é aquilo a que Mill se refere por processo interpretativo ou hermenêutico. Ela diz respeito à ligação que tem sempre que ser forjada entre qualquer regra e qualquer caso ao qual, alegadamente, tal regra se aplique.

A relação entre os princípios ou a lógica formal e o raciocínio informal é visivelmente delicada. O pensamento informal parece reconhecer a existência e a potência do pensamento formal – por que mais ele o exploraria? – e, ao mesmo tempo, parece ter vontade própria. Se Mill está correto, ele segue seu próprio caminho, passando indutivamente de particular a particular e governado por vínculos associativos. Como ele pode fazer as duas coisas ao mesmo tempo?

Considere o silogismo: todo *A* é *B*, *C* é um *A*, então *C* é *B*. Esse é um padrão persuasivo de raciocínio. Ele surge do nosso aprendizado das propriedades simples da contenção física. Temos uma tendência informal de raciocinar do seguinte modo: se uma moeda for posta numa caixa de fósforos e se a caixa de fósforos for posta numa caixa de charutos, temos então que abrir a caixa de charutos para recuperar a moeda. Esse é o protótipo do silogismo. A situação simples fornece um modelo para o padrão geral que será considerado formal, lógico e necessário. Princípios formais, como o silogismo anterior, estão atrelados a propensões naturais para extrair conclusões. Por essa razão, podem ser aliados valiosos ou os principais inimigos de quaisquer causas. Nesse sentido, pode vir a ser importante subsumir um caso problemático sob tal padrão ou distingui-lo dele, a depender dos propósitos informais.

A fim de evitar a força de uma inferência, é evidente que se torna necessário contestar a aplicação das premissas, ou dos conceitos nas premissas, ao caso em questão. Talvez o item designado pela letra *C* não seja de fato um *A*, talvez nem todas as coisas tidas como *A* sejam realmente *B*s. Em geral, devem ser feitas distinções, limites devem ser novamente traçados, similaridades e diferenças apontadas e exploradas, novas interpretações desenvolvidas, e assim por diante. Essa forma de negociação não coloca em questão a própria regra silogística. Afinal, a regra está engastada em nossa experiência do mundo físico e deve ser-lhe, portanto, assegurada algum domínio de aplicação. Ademais, é possível que amanhã desejemos recorrer a ela. O que pode ser negociado são quaisquer aplicações particulares.

O pensamento informal, portanto, tem tanto um uso positivo para os princípios formais quanto a necessidade de evitá-los. Alguns propósitos informais exercerão pressão para modificar ou elaborar as estruturas lógicas e significados, ao passo que outros promoverão sua estabilidade e manutenção. O pensamento informal é tanto conservador quanto inovador.

A ideia segundo a qual a autoridade lógica é autoridade moral pode incorrer no risco de descuidar destes elementos mais dinâmicos no pensamento lógico: definições concorrentes, pressões opostas, padrões de inferências contestados ou casos problemáticos. Esquecê-los seria presumir que a autoridade lógica sempre funciona por ser tomada como certa. A tese atual é a de que ela também funciona apenas por ser levada em consideração: por ser um dos componentes nos nossos cálculos informais. Pode-se dizer que a autoridade amparada por ser tomada como certa esteja em equilíbrio estático, por oposição à imagem de equilíbrio dinâmico. A aceitação estática pode até ser uma forma mais estável e persuasiva de autoridade, mas mesmo tal estabilidade pode ser perturbada.

Não há razões para que uma teoria sociológica não devesse opinar sobre os dois fenômenos. Aliás, a coexistência desses estilos alternativos de coerção é uma característica central de todos os aspectos do comportamento social. Em algumas pessoas e em determinadas circunstâncias os preceitos morais ou legais, por exemplo, podem ser internalizados como valores emocionalmente carregados que controlam o comportamento. Em outros casos, tais preceitos podem ser apreendidos simplesmente como elementos de informação: coisas que surgem na mente quando planejamos a ação ou prevemos as respostas dos outros. A colaboração entre esses dois modelos de influência social na matemática – e o problema teórico de desenredá--los – serve apenas para fortalecer sua similaridade com outros aspectos do comportamento.

A aplicação negociada dos princípios formais de inferência explica certos exemplos importantes de variação no comportamento lógico ou matemático. É claro que, quanto mais formalizados estiverem os princípios lógicos em questão, mais explícito e deliberado será o processo de negociação; e quanto menos explícito o princípio, mais tácita a negociação. Mostrarei o caráter negociador dos princípios lógicos servindo-me de três exemplos. O primeiro diz respeito à deposição negociada de uma verdade lógica autoevidente. O segundo exemplo concerne à questão muito discutida de se os membros da tribo Azande têm uma lógica diferente da nossa. O terceiro caso será o da negociação de uma prova na matemática. Este será baseado no brilhante estudo histórico sobre o teorema de Euler realizado por I. Lakatos (1963-1964). Lakatos oferece aqui algo de grande valor para o sociólogo, muito mais do que poderiam sugerir suas observações metodológicas discutidas antes.

Os paradoxos do infinito

Considere novamente o silogismo: todos os *As* são *B*, *C* é um *A*, então *C* é um *B*. Foi mostrado que tal raciocínio é baseado na experiência de contenção e confinamento. Qualquer um que duvide de como ou por que o silogismo é correto tem apenas que olhar para a forma diagramática equivalente na qual ele pode ser expresso (ver Figura 7.1). O diagrama associa o silogismo a um importante princípio do senso comum, a saber, que o todo é maior que a parte.

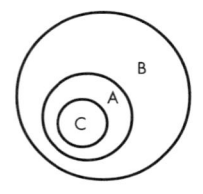

Figura 7.1 O todo é maior que a parte.

É tentador presumi-lo porque as experiências de contenção são ubíquas; estampam, uniformemente e sem exceção, o princípio em todas as mentes. Não é surpreendente que aqueles que acreditam na universalidade da lógica citem tais princípios como evidência. Stark (1958) diz:

> Desde que proposições puramente formais sejam consideradas, não há problema de relatividade. Um exemplo de tais proposições é a asserção de que o todo é maior que a parte. Apesar de tudo o que tenham argumentado os super-relativistas, não pode haver sociedade alguma na qual essa sentença não valha, pois sua verdade salta logo da definição de seus termos e, portanto, ela é absolutamente independente de qualquer condicionamento concreto extramental (p.163).

Stark não está dizendo que essa verdade é inata. Ele permite que ela proceda da experiência, mas a conexão com esta é tão direta que nada pode insinuar-se entre a mente e sua apreensão imediata dessa necessidade. Experiências desse tipo são universais e assim surgem os mesmíssimos juízos. Sempre e em qualquer lugar, o todo é maior que a parte.

Seguramente é correto dizer que essa ideia está disponível em todas as culturas. É um aspecto da nossa experiência ao qual sempre podemos recorrer e, desse modo, sempre servirá de alguma aplicação. Mas não quer dizer que qualquer aplicação particular seja persuasiva ou que sua verdade seja imediata, ou que não haja problema de relatividade. Com efeito, esse caso é em particular interessante porque mostra o oposto do que Stark pensa. Há um campo da matemática, denominado aritmética transfinita, baseado com sucesso numa rejeição explícita do princípio de que o todo é maior que a parte. Entendido adequadamente, esse exemplo mostra, portanto, que verdades aparentemente autoevidentes apoiadas por modelos físicos persuasivos podem ser subvertidas e renegociadas.

Considere a sequência de números inteiros: 1, 2, 3, 4, 5, 6, 7... Selecione dessa sequência interminável outra sequência interminável apenas de números pares: 2, 4, 6... É possível assim associar as sequências:

1	2	3	4	5	6	7...
2	4	6	8	10	12	14...

Nos termos do senso comum, os números pares podem ser contados. Mais tecnicamente, diz-se que os números pares podem ser colocados em uma correspondência um a um com os inteiros. Tal correspondência um a um nunca será quebrada. Para cada número inteiro haverá sempre emparelhado um número par. Da mesma forma, para cada número par haverá um único inteiro. Vamos supor agora que seja dito que conjuntos de objetos que tenham uma correspondência um a um entre seus membros tenham o mesmo número de membros. Isso parece intuitivamente razoável, mas significa que há um mesmo número de números pares e de inteiros. Os números pares, todavia, são uma seleção, uma mera parte, um subconjunto dos inteiros. Portanto, a parte é tão grande quanto o todo, e o todo não é maior que a parte.

O inexaurível suprimento de inteiros pode ser expresso ao se dizer que há um número infinito deles. Agregados infinitos, portanto, têm a propriedade de uma parte poder ser colocada em correspondência um a um com o todo. Essa propriedade dos agregados infinitos já era conhecida muitos anos antes do desenvolvimento da aritmética transfinita. Ela foi considerada evidência de que a ideia mesmo de agregados de tamanho infinito era paradoxal, autocontraditória e logicamente imperfeita. Cauchy, por exemplo, negou sua existência com base nisso (Boyer, 1959, p.296). No entanto, aquilo que outrora foi motivo para repudiar os conjuntos infinitos veio a ser aceito como sua própria definição. Assim, Dedekind (1963, p.63) diz: "Um sistema S é dito infinito quando é similar a uma parte de si mesmo", onde "similar" nessa definição é o que vem sendo chamado de correspondência um a um.

Como uma contradição pôde vir a transformar-se em uma definição; como é possível tal renegociação? O que ocorreu foi que o modelo físico de contenção, que dá base à convicção de que o todo é maior que suas partes, cedeu lugar a outra imagem ou modelo dominante: a de objetos serem colocados em correspondência um a um entre si. Essa é também uma situação fácil de exemplificar e experienciar concreta e diretamente. Uma vez que tal modelo alternativo tenha se tornado o centro das atenções, as rotinas simples de alinhar números pares com inteiros tornam-se uma base natural para concluir que a parte (os números pares) é tão grande quanto o todo (todos os números inteiros). O pensamento informal subverteu um princípio aparentemente persuasivo ao salientar as implicações de um novo modelo informal. Um novo domínio de experiência foi localizado e explorado. Se princípios lógicos persuasivos consistem em uma seleção socialmente sancionada de nossa experiência, sempre podem, portanto, ser contrapostos pelo recurso a outros aspectos dessa experiência. Os princípios formais parecem especiais e privilegiados graças tão somente à atenção seletiva. Dados novos interesses e propósitos, novas preocupações e ambições, existem condições para um reajuste.

A conclusão é que não há um sentido absoluto em virtude do qual alguém tenha que aceitar o princípio de que o todo é maior que a parte. Os próprios significados das palavras não nos persuadem a concluir algo em particular, pois não tornam persuasiva a decisão de que qualquer novo caso tenha que ser assimilado aos casos anteriores dessa regra. No máximo, aplicações prévias desse modelo criam a pressuposição de que casos novos e similares também serão regidos pela mesma regra. Mas a pressuposição não é compulsão, e os juízos de similaridade são processos indutivos e não dedutivos. Se for apropriado falar de compulsão ou persuasão, então o caráter persuasivo de uma regra reside apenas no hábito ou na tradição de que alguns modelos são usados em vez de outros. Se somos persuadidos na lógica, será do mesmo modo que somos persuadidos a aceitar certos comportamentos como corretos e outros como errados. Será porque assumimos determinada forma de vida como certa. Wittgenstein expressa isso de modo lacônico quando diz nas *Remarks on the Foundations of Mathematics* (1956): "Não é assim: enquanto alguém pensar que não pode ser de outro jeito, ele extrai conclusões lógicas" (I, 155). Wittgenstein ainda assim acredita que é certo dizer que somos persuadidos pelas leis da inferência do mesmo modo que somos persuadidos por quaisquer outras leis na sociedade humana. Consideremos, pois, uma sociedade com leis muito diferentes das nossas e vejamos se seus membros são de fato persuadidos a raciocinar de maneira diferente.

A lógica Azande e a ciência ocidental

O livro de Evans-Pritchard (1937) sobre os azandes descreve uma sociedade profundamente diferente da nossa. Sua característica mais notável é que nada de importante jamais é feito por um azande sem antes consultar um oráculo. Uma pequena quantidade de veneno é ministrada a uma galinha e é feita ao oráculo uma questão que pode ser respondida com um "sim" ou um "não". A morte ou a sobrevivência da ave fornece a resposta do oráculo. Toda e qualquer calamidade humana é vista pelos azandes como relacionada à bruxaria. Bruxos são pessoas cujos poderes malévolos e más índoles são a causa do problema. A principal forma de detectá-los é, obviamente, o oráculo. Ser um bruxo não é simplesmente uma questão de disposição. É um traço físico herdado, que consiste numa substância na barriga chamada de substância-bruxaria. Um bruxo transmitirá a substância-bruxaria a todos seus filhos enquanto uma bruxa transmite a todas suas filhas. Tal substância pode ser detectada em exames *post-mortem* e estes são por vezes realizados para estabelecer ou refutar acusações de bruxaria.

Pareceria uma inferência lógica clara que apenas um, único, decisivo e incontestável caso de bruxaria bastasse para estabelecer a totalidade de uma linhagem de pessoas que foram ou serão bruxos. Igualmente, a decisão de que um homem não é um bruxo deveria absolver toda a linhagem masculina. Os azandes, no entanto, não agem de acordo com essa inferência. Como escreve Evans-Pritchard:

> Para nossas mentes parece evidente que a prova de que um homem é um bruxo implica a totalidade de seu clã ser, *ipso facto*, de bruxos, uma vez que o clã azande é um grupo de pessoas relacionadas biologicamente umas com as outras por intermédio da linhagem masculina. Os azandes percebem o sentido desse argumento, mas não aceitam suas conclusões e, caso o fizessem, envolveriam toda a noção de bruxaria em contradição (p.24).

Na teoria, a totalidade do clã de um bruxo deveria ser de bruxos. Na prática, apenas a linhagem paterna próxima de um bruxo conhecido é também considerada de bruxos. Por quê?

O relato de Evans-Pritchard é claro e direto. Ele explica tal ocorrência ao considerar o grau de prioridade que os azandes conferem a exemplos específicos e concretos de bruxaria em detrimento de princípios gerais e abstratos. Exemplifica o foco de interesse dos azandes ao indicar que eles nunca fazem ao oráculo a pergunta geral de se esta ou aquela pessoa é um bruxo. Eles perguntam se esta ou aquela pessoa está exercendo bruxaria a alguém aqui e agora. Desse modo, "os azandes não percebem a contradição como nós percebemos, pois não têm interesse teórico no assunto e as situações nas quais expressam suas crenças na bruxaria não os pressionam com essa questão" (p.25). Essa análise envolve claramente duas ideias centrais. Primeiro, existe de fato uma contradição nas concepções dos azandes, quer eles a percebam, quer não. Os azandes institucionalizaram um equívoco lógico ou, ao menos, um grau de cegueira lógica. Segundo, se os azandes percebessem o erro, uma de suas principais instituições sociais seria insustentável. Ela estaria sob o risco de ser considerada contraditória ou logicamente imperfeita e, portanto, sua sobrevivência estaria ameaçada. Em outras palavras, é vital aos azandes manter seu erro lógico sob pena de convulsão social e da necessidade de uma mudança radical de sua conduta. A primeira ideia é uma crença na unicidade da lógica e a segunda, uma crença na potência da lógica. A lógica é potente porque a confusão lógica pode causar a confusão social.

Pode-se recorrer às ideias de Wittgenstein a fim de contestar essa análise. Como mostrou a citação ao final da última seção, Wittgenstein por vezes iguala o fato de extrair uma conclusão lógica ao fato de pensar que algo não pode ser de outro jeito. Os passos lógicos são aqueles que tomamos como certos. Os azandes, por sua vez, claramente tomam como certo que a totalidade do clã de um bruxo não pode ser de bruxos. Para eles, isso não pode ser de outro jeito. Segundo tal concepção, portanto, é lógico não extrair tal conclusão. Uma vez que isso seria lógico para nós, deve haver mais de uma lógica: uma lógica azande e uma lógica ocidental. A premissa da unicidade utilizada por Evans-Pritchard é então rejeitada.

Essa abordagem foi desenvolvida por Peter Winch em um artigo intitulado "Understanding a Primitive Society" (1964). Ele argumenta citando as *Observações* de Wittgenstein. Somos convidados a considerar um jogo "tal que quem quer que o inicie pode sempre ganhar pelo emprego de um estratagema simples.

Mas isso não é percebido – trata-se então de um jogo. Agora alguém chama nossa atenção para isso – e ele deixa de ser um jogo" (II, 77). Note que ele deixa de ser um jogo em vez de nunca ter sido um jogo. Somos convidados a ver o jogo, o estado do conhecimento dos jogadores e suas consequentes atitudes, tudo como uma totalidade. O jogo, com o conhecimento adicional do estratagema, constitui uma totalidade diferente; forma uma atividade diferente. De modo similar, podemos ver as crenças dos azandes, com suas limitações, aplicações e contextos particulares, como uma totalidade singular e autossuficiente. Elas constituem um jogo que pode ser jogado. Nossa percepção dessa totalidade estaria distorcida caso a víssemos como simples fragmento de um jogo maior ou diferente.

A fim de salientar o caráter autossuficiente dos procedimentos dos azandes, Winch, em seguida, chama a atenção para algumas diferenças entre a analogia do jogo com o caso em discussão. O jogo inicial se torna de fato obsoleto com a nova informação. Assim que o estratagema for conhecido, o jogo naturalmente desaba com o impacto do conhecimento. Isso mostra que ele não é independente, mas uma parte precária de um sistema maior. Os azandes não abandonam simplesmente a bruxaria quando lhes são mostradas (o que para nós seriam) suas plenas implicações lógicas. Não são levados à confusão. Winch sugere que isso seja uma evidência de que a bruxaria azande e sua lógica não são comparáveis à perspectiva ocidental. Não estão relacionadas como a parte está para o todo. Trata-se de um jogo completamente diferente que não tem uma extensão natural no nosso jogo.

O importante a observar nessas objeções à análise de Evans--Pritchard é que uma, e apenas uma, de suas duas ideias centrais foi contestada. O caso de Winch tem problemas com a unicidade da lógica, mas não contesta sua potência. De fato, parece concordar com essa crença. A crítica parece conceder que, caso houvesse uma contradição lógica na crença dos azandes, a instituição da bruxaria estaria, de fato, ameaçada. Ela explica por que a bruxaria não sofre nenhuma ameaça por meio da sugestão de que deve haver uma lógica diferente. Se Mill está correto, a lógica é o oposto exato da potência. A aplicação dos esquemas lógicos é meramente um modo de organizar nossas reflexões tardias e é sempre um objeto passível de negociação. Consideremos como o caso dos azandes poderia ser analisado ao descartarmos tal suposição de potência, comum aos dois relatos anteriores.

Lorde Mansfield estaria orgulhoso dos azandes. Eles colocaram em ação seu conselho ao apresentarem suas decisões incisivamente mesmo dispensando uma estrutura elaborada de justificação. Seguem os pronunciamentos do oráculo acerca de quem está envolvido com bruxaria e, com a mesma confiança, sabem que nem todos no clã do malfeitor são bruxos. Essas duas crenças são estáveis e centrais em suas vidas. O que dizer então da inferência lógica que põe em perigo a totalidade do clã? A resposta é que ela não constitui ameaça alguma. Não há risco de que suas crenças estáveis sejam postas em questão. Se porventura a inferência viesse a ser uma questão, a ameaça seria habilmente negociada – algo nada difícil. Seria necessário apenas serem estabelecidas algumas poucas distinções perspicazes. Por exemplo, poderia ser admitido que todos no clã de fato herdam a substância-bruxaria, mas que não significa que todos sejam bruxos. Poderia ser alegado que, na verdade, qualquer um em qualquer clã tem potencial para ser um bruxo, mas esse potencial é efetivado apenas em algumas pessoas e estas seriam os bruxos propriamente ditos. Há evidência de que os azandes ocasionalmente têm atitudes como estas. Uma pessoa que tenha sido acusada antes de ser um bruxo não será sempre tratada como tal. Os azandes dizem que isso se deve à sua substância-bruxaria estar "fria". Para todos os efeitos e propósitos, ele não é mais um bruxo. A lógica não constitui ameaça à instituição da bruxaria, pois um fragmento da lógica sempre pode ser contraposto a outro. Isso nem mesmo é necessário, exceto quando alguém usa a inferência com o fim de fazer a ameaça e, se o fizer, é o usuário, e não a lógica, que constitui uma ameaça.

A situação pode ser representada como na Figura 7.2, que mostra que os fatores verdadeiramente influentes são dois elementos considerados socialmente na situação: o uso do oráculo e a inocência geral do clã como um todo. Eles são sancionados pela tradição e centrais na forma de vida dos azandes. Uma extrapolação lógica de um deles não perturbará o outro. Caso qualquer justificativa para a coexistência desses dois aspectos da sociedade seja necessária, uma estrutura adequada de reflexões posteriores poderá ser criada. Se uma estrutura de justificativa falhar, outra sempre poderá ser produzida.

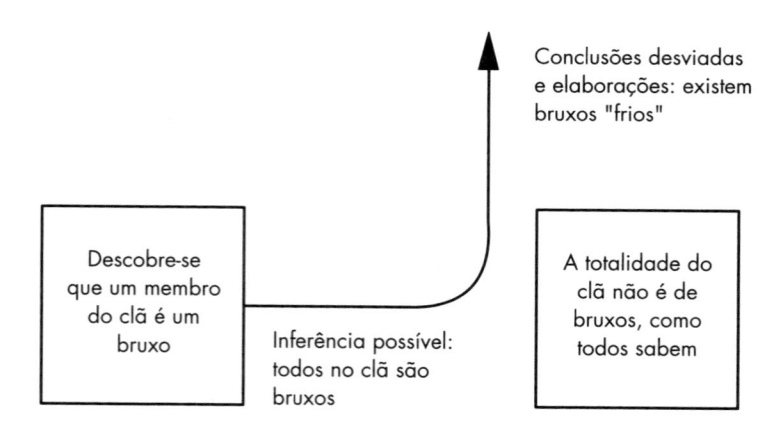

Figura 7.2 A impotência da lógica.

O fato de que podemos imaginar estender a acusação de bruxaria à totalidade do clã deve-se apenas a não sentirmos efetivamente a pressão contrária a essa conclusão. Podemos deixar nossos pensamentos estenderem-se livremente e sem oposição. Se percebêssemos a pressão desse absurdo óbvio e, logo, sentíssemos a necessidade de dar razões, poderíamos fazê-lo com facilidade. As principais variáveis sociais desse quadro dividem-se em duas classes. Há as instituições que são assumidas e há o grau de elaboração e desenvolvimento das ideias que unem as instituições. No caso dos azandes, a elaboração é mínima. Em outras culturas ela pode ser altamente desenvolvida. A direção e o alcance dessa elaboração podem ser plausivelmente considerados uma função dos propósitos sociais das pessoas e do estilo e intensidade de suas interações. As ideias não serão algo que se desenvolve ou deixa de se desenvolver sem nenhuma razão, como que por eflorescência espontânea ou governadas por sua própria dialética interna. Vão se desenvolver à exata medida que as situações causarem seu desenvolvimento, e não mais que isso. Para perceber a integridade dessa conclusão, considere um exemplo. Suponha que um antropólogo alienígena raciocinasse conosco do seguinte modo: na sua cultura, um assassino é alguém que mata deliberadamente outra pessoa. Pilotos de bombardeiros matam pessoas deliberadamente, logo, são assassinos. Podemos perceber o sentido da inferência, mas, sem dúvida, resistiríamos à conclusão. Nosso pretexto seria de que o observador alienígena não entendeu de fato o que é um assassino. Ele poderia não ter percebido a diferença entre os dois casos que ele mistura. Talvez pudéssemos responder: um assassinato é um ato da vontade individual. Os pilotos de bombardeiro estão cumprindo um dever específico sancionado pelos governos. Nós distinguimos as funções especiais próprias às forças armadas. Consultando suas anotações, o antropólogo pode então nos dizer que observou pessoas balançarem os punhos na direção das aeronaves e em seguida gritarem "assassinos!". Nossa resposta agora poderia ser que há, de fato, uma analogia entre o assassinato e a morte nas guerras, e que, sem dúvida, eram as similaridades e não as diferenças que preponderavam no pensamento das vítimas que ele observou. Poderíamos acrescentar que dificilmente seria de esperar que as pessoas fossem lógicas sob tal provocação, e aquilo que ele observou é um lapso compreensível dos cânones da conduta estritamente racional. O antropólogo poderia então nos brindar com outras questões acerca dos condutores (civis) de veículos que matam pessoas. Ele ficaria decisivamente fascinado pelo modo intrincado como os conceitos de acidente, fatalidade, homicídio involuntário, responsabilidade, engano e intenção proliferam em nossa cultura. O antropólogo pode até mesmo concluir que percebemos o sentido de seus argumentos, mas tentamos evitar sua força lógica por meio de um emaranhado inconstante e *ad hoc* de distinções metafísicas. Nessa cultura, talvez dissesse, não se possui interesse prático pelas conclusões lógicas. Opta-se pela selva metafísica, pois, de outro modo, sua instituição de punição como um todo estaria ameaçada.

O antropólogo cético estaria errado. Não agimos assim para proteger nossas instituições do colapso diante da pressão da crítica lógica. Em vez disso, é porque rotineiramente aceitamos as atividades dos pilotos de bombardeiro e dos condutores de veículos que ajustamos nosso raciocínio. As instituições são estáveis e nosso raciocínio informal faz os ajustes necessários. Se podemos sentir a força das inferências lógicas do antropólogo é porque já somos críticos das instituições. Ser crítico quer dizer tirar proveito da analogia entre o assassinato e outras atividades. A assimilação indutiva informal dos casos é anterior aos passos formais com os quais podemos expressar nossa reprovação.

Esse processo de elaboração é um aspecto geral na nossa cultura e impregna nossa ciência quase tanto quanto o faz com o senso comum. Um exemplo interessante da história da ciência diz respeito, de novo, à tão desprezada teoria flogística da combustão. Segundo tal teoria, recordemos, o que hoje chamamos um óxido era considerado, para começar, uma substância simples que era chamada "cal". A teoria prosseguia com a assunção de que:

$$METAL = CAL + FLOGISTO$$

Quando um metal era aquecido e transformado em cal, o flogisto era extraído dele. Todavia, era sabido que a cal era mais pesada que o metal. A remoção ou extração do flogisto resultava num acréscimo do peso. Como algo poderia ser retirado e mesmo assim causar um acréscimo? É tentador pensar na subtração de um número negativo, pois seria equivalente a adicionar, deste modo: $-(-a)=+a$. Portanto, é fácil acreditar que a conclusão lógica a ser extraída desse resultado experimental é que o flogisto tem um "peso negativo". Os historiadores por vezes dizem que a teoria flogística "implica" que o flogisto tem um peso negativo (por exemplo, Conant, 1966). Obviamente, o peso negativo é uma propriedade deveras estranha e sua implicação mostraria que a teoria é estranha ou implausível ou fadada ao fracasso. Entretanto, de fato, a maioria dos que aceitavam a teoria não se sentiram persuadidos a chegar a tal conclusão. Em vez disso, como bons seguidores de Newton, sentiam-se persuadidos a não acolher a noção de peso negativo.

O que disseram, no lugar disso, foi muito simples. Quando o flogisto deixa um metal, outra substância intervém e toma o seu lugar. A extração do flogisto não resulta na cal pura, mas em uma mistura de cal e outra coisa. A água foi a candidata escolhida porque parecia ter relação com diversas reações que envolviam o flogisto, e seu papel exato era bastante obscuro na época. A teoria foi um passo no sentido de torná-la menos obscura. Agora, mesmo ao assumir que o flogisto tinha um peso genuíno e positivo, sua remoção poderia ser acompanhada de um acréscimo de peso. Era necessário apenas que a água que entrasse em seu lugar tivesse um peso maior. A compulsão lógica que segue de um modelo de subtração simples é evitada por meio de um modelo de substituição.

Aos que estão determinados em ver o pior nessa admirável teoria antiga, tal elaboração não parecerá nada além da expressão de uma ingenuidade que persiste no erro. Será acolhida com exasperação como se fosse apenas uma tentativa de evitar a conclusão lógica verdadeira, porém condenatória, de que o flogisto tinha peso negativo. Na verdade, essa é uma atitude bastante comum na elaboração de uma teoria científica. Ela é idêntica a uma tática executada alguns anos depois para tirar de uma situação difícil a teoria atômica da química (Nash, 1966).

Gay-Lussac havia descoberto uma clara regularidade empírica no modo como os gases se combinavam. Suponha que dois gases, A e B, combinem-se para formar um gás C. Ele descobriu que um volume de gás A sempre combinava com 1, 2, 3 ou outro número natural pequeno de volume do gás B, desde que os volumes fossem medidos sob as mesmas condições de temperatura e pressão. A teoria atômica de Dalton havia ensinado aos cientistas a utilidade de pensar sobre as combinações químicas como se ocorressem pela combinação direta dos átomos. Os resultados de Gay-Lussac sugeriam então que, se um volume de A se combinava, digamos, com um volume de B, devia ser porque os mesmos volumes dos gases continham um mesmo número de átomos.

O único problema com essa ideia simples e muito útil era que, às vezes, um volume de A combinava-se com um volume de B para produzir um gás C, que ocupava dois volumes à mesma temperatura e pressão. Esse era o caso do nitrogênio com o oxigênio. A ideia de que os volumes continham o mesmo número de átomos só poderia agora ser mantida se os átomos se partissem ao meio. Sem isso, o volume duplo teria apenas metade do número de átomos por volume. Dalton resistiu a tal conclusão e estava disposto a sacrificar o claro resultado experimental, bem como a ideia simples e útil por ele sugerida. Os átomos com certeza eram indivisíveis. Teria então Gay-Lussac simplificado demasiadamente seus achados experimentais?

A conclusão de que os átomos tinham que ser partidos a fim de manter a ideia simples de que há um mesmo número em volumes iguais é, no entanto, facilmente contornável. Tudo o que tem que ser assumido é que cada partícula de gás consiste, na verdade, de dois átomos. Quando A e B combinam, o que ocorre é que o composto é formado por um átomo de *A* em substituição a um átomo de *B*. A combinação ocorre não segundo a adição simples, mas, novamente, segundo a substituição. Essa foi a hipótese de Avogrado. Sua plausibilidade física e química era difícil de ser estabelecida, mas sua base lógica era muito simples. Como elaboração das doutrinas básicas da teoria atômica, ela estava próxima à elaboração mediante a qual a teoria flogística foi desenvolvida. Tudo isso sugere que os azandes pensam de modo muito semelhante ao nosso. Sua relutância em extrair a conclusão "lógica" com base em crenças é similar à nossa relutância em abandonar as crenças do senso comum e nossas teorias científicas mais fecundas. Aliás, sua aparente recusa em serem lógicos tem a mesmíssima origem de nossos desenvolvimentos de estruturas teóricas refinadas e sofisticadas. Suas crenças sobre a bruxaria parecem responder às mesmas forças que nossas crenças, embora, é claro, as forças operem em diferentes graus e direções. Nossas inferências estão com mais frequência engastadas em um conjunto de distinções justificativas. Mantemos arquivos mais elaborados, registros de nossas negociações mais elaboradas e nossos memorandos anotam coisas diferentes. Ainda assim, as similaridades tornam plausível ambicionarmos uma teoria explicativa da elaboração intelectual que circunscreva tanto os azandes quanto o cientista atômico.

Com isso, como fica a questão de os azandes terem uma lógica diferente da nossa? O quadro que surgiu é os azandes terem a mesma psicologia que nós temos, mas instituições radicalmente diferentes. Se relacionarmos a lógica à psicologia do raciocínio, estaremos inclinados a dizer que eles têm a mesma lógica. Se relacionarmos a lógica mais estritamente ao quadro institucional do pensamento, estaremos inclinados a considerar que as duas culturas têm lógicas diferentes. Estaria de acordo com os capítulos anteriores sobre a matemática escolher o segundo caminho. Entretanto, bem mais importante que questões de definição é o reconhecimento fundamental de que fatores tanto psicológicos quanto institucionais estão envolvidos no raciocínio. Nossas propensões naturais para inferir, como todas as nossas outras propensões naturais, não formam por si mesmas um sistema ordenado e estável. Alguma estrutura impessoal se faz necessária para estabelecer limites e alocar cada tendência em uma esfera considerada apropriada. Uma vez que não há um estado natural de equilíbrio, uma linha de inferência virá a conflitar com outra, tão certo como um apetite ou desejo conflitará com outros. Deixar por conta própria, ou dar expressão natural, a uma tendência significa apenas restringir ainda mais as outras. Isso faz o problema da alocação e, consequentemente, a necessidade de negociação serem inevitáveis.

Eis um exemplo matemático desse ponto. Recorde que a prova de a raiz quadrada de dois não ser um número racional continha passos que poderíamos deixar por conta própria, mas cuja expressão "natural" não seria permitida na matemática contemporânea. A rotina segundo a qual se prova que um número é ímpar e depois par pode ser repetida indefinidamente. O que de fato ocorre é que tal conclusão vai de encontro ao pressuposto de que um número não pode ser tanto par quanto ímpar. O resultado não é nem um confronto estático, nem a rejeição de um ou outro lado da oposição. Em vez disso, uma distinção é feita. Para os gregos, era a distinção entre números e magnitudes e, para nós, é a distinção entre números racionais e irracionais.

As negociações criam significado. A conclusão de que a raiz quadrada de dois é um número irracional não pode se descoberta em nenhum dos conceitos envolvidos na negociação. Ela é lançada na situação a fim de resolver um problema e, com isso, reage às várias forças da situação. É por isso que os gregos produziram uma resposta diferente da nossa. Os limites e conteúdos dos nossos conceitos não são mais descobertos que os limites de nossos países ou os conteúdos de nossas instituições. Eles são criados. Isso será exemplificado agora com outro caso da história da matemática. Ele mostra com grande transparência o caráter criador da negociação.

A negociação de uma prova na matemática

Por volta de 1752, Euler notou o seguinte fato: tome um sólido, como um cubo ou uma pirâmide, e conte o número de cantos, ou vértices (V), o número de arestas (A) e o número de faces (F). Será descoberto que eles satisfazem a fórmula: $V-A+F=2$. Um breve exame de outras figuras, como as da Figura 7.3, mostra que a fórmula também funciona para elas.

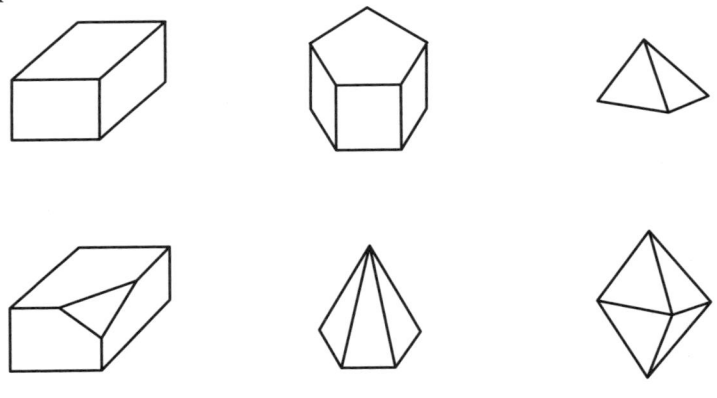

Figura 7.3

Figuras desse tipo são chamadas poliedros, e as formas de suas superfícies são polígonos. Euler acreditava que essa fórmula era verdadeira para todos os poliedros e, com base no exame de um grande número de casos, sentiu-se justificado em chamar o resultado de teorema. Hoje em dia, um resultado obtido dessa forma nunca seria dignificado com esse nome. Seria considerado detentor de não mais que uma certeza indutiva ou moral. Generalizações indutivas sempre podem ser vítimas de um contraexemplo ulterior. Um teorema genuíno tem que possuir uma prova.

A natureza da prova e o tipo de certeza que a acompanha é algo que qualquer relato naturalista da matemática tem que tornar compreensível. A imagem usual de uma prova é a de que ela dota o teorema de um caráter definitivo e de uma completa certeza. Isso parece colocar os teoremas matemáticos além do alcance das teorias sociopsicológicas. Com a análise de Lakatos do prolongado debate sobre o teorema de Euler, algumas ideias estereotipadas sobre a natureza da prova poderão ser dissolvidas e estará aberto o caminho para uma abordagem naturalista.

Em 1813, Cauchy propôs uma ideia engenhosa que parecia validar o teorema de Euler. Ela girava em torno de um "experimento mental" que pode ser realizado com os poliedros. Imaginemos que os poliedros sejam feitos de folhas de borracha e que uma de suas faces seja removida. A soma de V, A e F será feita agora com o valor de F reduzido de um. Quer dizer que $V-A+F=1$ desde que, é claro, a fórmula original que resultava em 2 seja aplicável à figura. Uma vez que a figura teve uma face removida, é possível imaginá-la aberta e esticada num plano. Quando assim achatados, o cubo e o prisma pentagonal, por exemplo, pareceriam como na Figura 7.4.

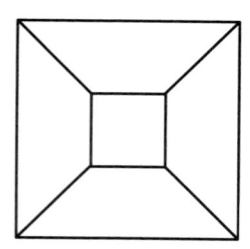 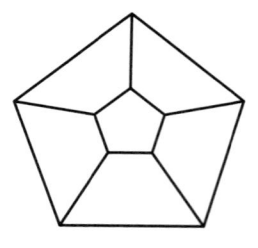

Figura 7.4

O próximo passo da prova (Figura 7.5) é desenhar linhas diagonais nas formas achatadas de modo que as superfícies sejam transformadas em conjuntos de triângulos. Ao acrescentar uma aresta para formar um triângulo, o número A é obviamente acrescido de 1, assim como o número de faces F. Cada nova aresta cria uma face. O valor da operação $V-A+F$ permanece, portanto, inalterado no processo de triangulação porque os dois acréscimos cancelam-se mutuamente na fórmula.

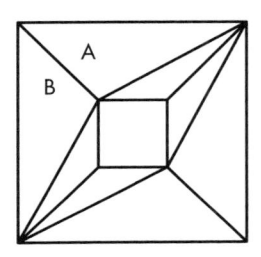 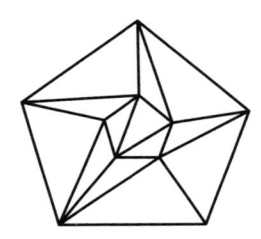

Figura 7.5

O último passo da prova é remover os triângulos um a um. Quando é removido um triângulo, como o marcado com A na Figura 7.5, uma aresta e uma face desaparecem. Portanto, o valor da fórmula ainda permanece inalterado. Aplica-se o mesmo a outro triângulo, como o marcado com B. Como o triângulo A já havia sido removido, a retirada de B significará que duas arestas, um vértice e uma face foram extraídos. De novo, o valor da fórmula permanece inalterado. Visto que todas essas operações deixam a fórmula inalterada, pode-se argumentar: se a fórmula de Euler é válida para o poliedro original, então $V - A + F = 1$ deve ser válida para o triângulo que sobra quando todos os outros tiverem sido removidos. De fato, ela é válida para ele, então a fórmula original pode ser validada.

A questão geral da prova é que ela mostra como a propriedade percebida por Euler é uma consequência natural do fato de um triângulo ter três ângulos, três lados e uma face. O experimento mental original era apenas um modo de ver o poliedro como que formado por triângulos. Tal visão foi elaborada pela exposição clara e pelo rearranjo do fato no processo de achatar e triangular. O trabalho efetuado pela prova consiste em tomar um fato surgido da inspeção e assimilá-lo a um esquema mais bem conhecido. Assim como o modelo da contenção física ou o modelo de dispor coisas em correspondência um a um, o modelo de achatar e triangular recorre à experiência. Ele chama a atenção para elementos da nossa experiência, isola-os e transforma-os em um modo rotineiro de ver as coisas. O fato intrigante torna-se manifesto com o uso de um esquema simples.

Provas como a de Cauchy infringem claramente o conselho de lorde Mansfield. Ao dar razões para sua afirmação, elas abrem uma frente na qual podem ser atacadas. Talvez não haja dúvidas de que alguns poliedros ajustem-se à fórmula de Euler, mas é duvidoso se o raciocínio de Cauchy explicar por que isso tem que ser assim. Por exemplo, acaso todos os poliedros poderiam ter uma face removida e serem esticados do modo como a prova exige? A triangulação produz sempre uma nova face a cada nova aresta? A remoção de quaisquer triângulos deixa a fórmula inalterada? A resposta a todas essas questões é possivelmente negativa. Lakatos relata que Cauchy não observou que a retirada de triângulos deve ocorrer com muito cuidado, pela remoção inicial dos triângulos mais externos, para que a fórmula permaneça inalterada como exige a prova.

Surge aqui uma situação interessante. A prova pretende e parece aumentar a necessidade do resultado, mas, ao mesmo tempo, levanta mais questões do que havia de início. Lakatos ilumina, com grande habilidade, a dialética entre, por um lado, o aumento de recursos fornecido pelas ideias de uma prova e, por outro, a criação de novos problemas e argumentos.

Lhuilier, em 1812, e Hessel, em 1832, indicaram ambos uma exceção ao teorema de Euler e à prova de Cauchy. Considere a Figura 7.6, que mostra um cubo aninhado dentro de outro, sendo que o cubo interior pode ser pensado como uma cavidade no cubo maior e circundante. A inspeção direta do número de faces, arestas e vértices mostra que ele não satisfaz o teorema. Tampouco o experimento mental de Cauchy pode ser conduzido. Remover uma face de qualquer um dos cubos não permite que a figura seja esticada em um plano.

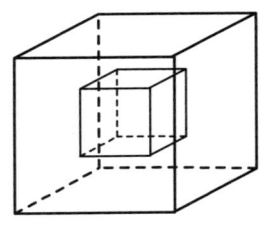

Figura 7.6

Quando uma prova é confrontada a um contraexemplo, o problema é decidir se isso mostra que a prova não é realmente prova nenhuma ou se talvez o contraexemplo não seja de fato um contraexemplo. Talvez apenas limite o alcance da prova. Se for considerado que a prova estabelece de uma vez por todas a verdade da proposição provada, então algo tem que estar errado com o contraexemplo. Claramente o contraexemplo dos cubos aninhados é bem mais complicado que os casos originais que sugeriram o teorema, mas certamente satisfaz a definição de poliedro apresentada por Legendre em 1794. Ele é, em outras palavras, um sólido cujas faces são polígonos. Talvez essa definição estivesse errada e o que deveria ter sido denotado por "poliedro" – ou, ainda, o que foi imaginado nesse tempo todo – fosse uma superfície composta de faces poligonais. Tal definição foi proposta por Jonquières em 1890. Isso excluiria o contraexemplo dos cubos aninhados. Ser um sólido, ainda mais um sólido peculiar, passa a não ser mais necessário para que algo seja considerado um poliedro. O teorema agora está seguro, pois versa sobre poliedros.

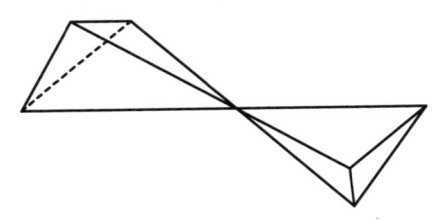

Figura 7.7

Hessel também tinha uma resposta para isso. Considere duas pirâmides que estão unidas pelo vértice como na Figura 7.7. Trata-se de uma superfície formada por faces poligonais, mas $V-A+F=3$ e o experimento mental de Cauchy também não se aplicam. Ela não pode ser esticada num plano após a remoção de uma das faces. É claro que pode ser levantada a mesma questão: seria tal esquisitice um poliedro? Em 1865, Möbius já havia definido o poliedro de um modo que barraria esse contraexemplo. Ele dissera que um poliedro era um sistema de polígonos tal que dois polígonos encontram-se em cada aresta e no qual é possível ir de uma face a outra sem passar por um vértice. Claramente a última cláusula exclui as duas pirâmides unidas num ponto. Mesmo que a elaboração do significado de poliedro dada por Möbius exclua os exemplos de Hessel, há outros ainda capazes de atravessar as defesas. Por exemplo, a moldura apresentada na Figura 7.8 satisfaz a definição de Möbius, mas a prova de Cauchy não se aplica: ela não pode ser achatada.

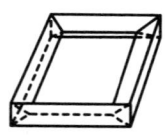

Figura 7.8

Em resposta a isso, a prova foi limitada e assim enunciada: para todo poliedro simples, $V-A+F=2$, onde "simples" significa que ele pode ser achatado. Ainda assim, existem mais problemas. Um cubo com um outro sobre si produz uma saliência. Desta vez, o problema não é achatá-lo, mas aplicar o processo de triangulação (ver Figura 7.9). Quando esticado, a área hachurada torna-se um anel. Caso uma linha seja adicionada para unir A e B durante a triangulação, o número de arestas sofre acréscimo, mas não o número de faces. Falha, assim, um dos passos centrais da prova. A fim de afastar esse problema, o teorema pode ser modificado novamente. Pode-se adicionar uma cláusula que exclua as faces anelares das figuras às quais ele é aplicável. Desse modo, passa a enunciar: para todo poliedro simples, com faces apenas conexas, $V-A+F=2$. E assim a história continua.

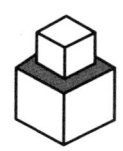 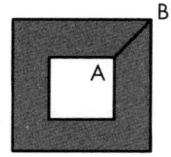

Figura 7.9

O processo como um todo foi o seguinte. O teorema veio ao mundo como uma generalização indutiva. Uma prova foi apresentada e isso expôs a generalização à crítica no próprio ato de mostrar por que ela teria que ser verdadeira. Contraexemplos revelaram que não estava claro o que era e o que não era um poliedro. O significado do termo "poliedro" precisava de uma definição, pois era completamente indeterminado na zona de penumbra revelada pelos contraexemplos. Teve que ser criado ou negociado. A prova e o âmbito do teorema puderam então ser consolidados mediante a criação de uma elaborada estrutura de definições. Tais definições foram criadas com base no conflito entre a prova e os contraexemplos. Elas são o memorando ou o registro do curso das negociações. A prova não seguiu das definições. Em vez disso, a estrutura formal final da prova é uma função dos casos particulares que foram antes considerados de modo informal. Como as reflexões tardias de lorde Mansfield, as definições de Lakatos, na verdade, vêm no final de uma obra matemática, e não no início. É certo que o teorema pode ser agora apresentado como sendo originado inexoravelmente das definições. Mas tais definições refletirão, na verdade, os propósitos daqueles que as forjaram. Por exemplo, revelarão que tipos de figuras e que aspectos das figuras são considerados importantes e interessantes. A amplitude de suas elaborações indicará a área onde foi necessário pisar com cuidado; onde, por exemplo, o território adjacente já havia sido bem trabalhado para outros propósitos.

Esse procedimento não torna os teoremas trivialmente verdadeiros ou as provas inúteis. Lakatos recorda-nos de algo que o conselho de lorde Mansfield deixara passar: a ideia da prova é um recurso valioso. Ela é semelhante aos modelos físicos de Mill. Estabelece a pretensão de compreender as coisas à luz de certo modelo e o utiliza para traçar conexões e analogias. Há dois modos principais pelos quais a ideia da prova pode ser um recurso. Primeiro, ela proporciona a antecipação ou a criação de contraexemplos. Do mesmo modo que um advogado examina um caso para localizar seus pontos fracos e antecipar a estrutura provável dos argumentos do oponente, também uma prova pode ser escrutinada. Segundo, quer o teorema seja bem ou mal-sucedido, a ideia da prova existe e pode ser utilizada novamente como modelo e guia para trabalhos posteriores. Vimos como Roberval usou as ideias da prova do "atomismo numérico" dos gregos antigos, mesmo tendo elas caído em descrédito após a descoberta das magnitudes irracionais. Seus recursos totais ainda não haviam sido esgotados.

Lakatos pretende que seu exemplo mostre que a matemática, como qualquer outra ciência, procede pelo método das conjecturas e refutações (cf. Lakatos, 1962; 1967). Seus esforços para assimilar a matemática à epistemologia popperiana indica que ele, como os sociólogos, deseja dissipar a aura de perfeição estática e a unidade persuasiva que circundam a matemática. Para que seja possível a abordagem popperiana à matemática, há de haver um lugar para crítica, desacordo e mudança. Quanto mais radical, melhor. Assim como na análise popperiana da física e da química, não pode haver certeza absoluta ou ponto final onde a essência das coisas estaria revelada. Os poliedros não têm essência. Nessa abordagem, não há essências lógicas e últimas na matemática, assim como não há quaisquer essências materiais e últimas.

A fim de transmitir essa imagem, Lakatos concentrou sua atenção naquilo que chama de "matemática informal". Ela seria as áreas em desenvolvimento que ainda não foram organizadas em sistemas dedutivos rigorosos. "Formalizar" uma área da matemática quer dizer apresentar seus resultados de forma que procedam de um conjunto de axiomas enunciados de modo explícito. Idealmente, cada passo se torna simples e mecânico, de forma que proceda segundo regras de inferência enunciadas explicitamente. Para Lakatos, esse ideal de conhecimento matemático é a morte do pensamento verdadeiramente criativo. Os processos de inovação matemática são obscurecidos pela formalização, e a natureza real do conhecimento é, assim, encoberta.

O caráter autoevidente por vezes alegado para os axiomas dos sistemas formais, bem como os passos intuitivos triviais do raciocínio dos quais dependem os resultados, são, para Lakatos, meras ilusões. Algo é óbvio apenas porque não esteve sujeito a pesquisas críticas. A crítica destrivializa o trivial e mostra precisamente o quanto sempre foi assumido como certo aquilo que achamos ser autoevidente. Não há, portanto, fundamento último algum para o conhecimento matemático nas aparentemente simples e triviais verdades lógicas.

Ao rejeitar a ideia de que sistemas formalizados e axiomatizados representam a estrutura real da matemática, Lakatos mostrou que para ele, como era para Mill, o informal tem prioridade sobre o formal. Essa imagem da matemática como conhecimento conjectural pode encontrar apoio no fato de o programa de formalização e axiomatização ter encontrado problemas técnicos severos e talvez insuperáveis. Tais dificuldades técnicas certamente seriam menos surpreendentes – e talvez fossem até mesmo previsíveis – caso fossem empunhados na matemática ideais intelectuais que dispensassem a busca por fundamentos permanentes.

Oferecer a prova de um resultado matemático, para Lakatos, é um pouco como oferecer uma explicação teórica para um resultado empírico nas ciências naturais. As provas explicam por que um resultado, ou um resultado conjetural, é verdadeiro. Como mostrou a discussão sobre o teorema de Euler, uma prova pode ser refutada por contraexemplos e salva outra vez com o ajuste do âmbito e do conteúdo das definições e categorizações. Casos que parecem ser explicados por uma prova podem ser explicados de modo mais persuasivo de outras maneiras e podem até mesmo se tornar contraexemplos em decorrência disso. De modo similar, a ideia de uma prova que funciona, ou deixou de funcionar, em uma área pode ter novas e diferentes utilidades em uma outra, tal como os modelos e metáforas da teoria física. Como outras teorias, as provas conferem significado àquilo que explicam. A invenção de novas ideias de prova ou de novos modelos de inferência pode alterar radicalmente o significado de um resultado lógico informal ou matemático informal. Foi assim quando vimos que uma nova interpretação do que consiste dois conjuntos terem o mesmo número de elementos permitiu atribuir sentido à ideia de que a parte pode ser tão grande quanto o todo. Essa abertura à invenção e negociação, com todas suas possibilidades de reordenar a atividade matemática anterior, significa que qualquer formalização pode ser subvertida. Ou seja: quaisquer regras podem ser reinterpretadas e desenvolvidas de novos modos. Em princípio, o pensamento informal pode sempre passar a perna no pensamento formal.

A analogia entre uma prova e uma explicação ou teoria das ciências naturais dá a oportunidade para Lakatos aplicar seus valores popperianos. O resultado é facilmente previsível. Os períodos de mudança rápida na matemática, em que há crítica vigorosa dos fundamentos, são considerados bons. Períodos em que as definições, axiomas, resultados e provas tornam-se pressupostos seguros são considerados períodos de estagnação. Uma prova que seja tratada como final e tenha atribuída a ela uma certeza rigorosa será o equivalente da teoria de Newton na física. Ela impressiona tanto as pessoas que paralisa suas faculdades críticas. Um triunfo que virou um desastre. Quase tão previsível é a conexão que Lakatos em seguida estabelece entre tais avaliações e sua percepção da posição de Kuhn. Essa associação é importante para o sociólogo. Lakatos sugere que os períodos de estagnação correspondem aos períodos de "ciência normal". Durante tais períodos, certas partes da matemática e certos estilos de argumento têm a aparência de verdades eternas. Temos apenas que olhar por trás da avaliação (de que a revolução permanente é boa e a estabilidade é má) para perceber que isso leva a uma teoria sociológica da compulsão lógica. O que é considerado lógico é aquilo que é tido como certo. Em quaisquer situações, a matemática está baseada e progride por meio daquilo que seus praticantes tomam como certo. Não há outros fundamentos senão os sociais.

Também está claro que a análise da matemática de Lakatos sugere que algo muito próximo de uma história "kuhniana" da matemática pode ser possível quando paradigmas assumidos puderem ser identificados para explicar os períodos de estabilidade ou "estagnação". De fato, historiadores contemporâneos estão empenhados em escrever a história da matemática aproximadamente desse modo, talvez participando da mesma alteração de estilo historiográfico que influenciou o *Estrutura das revoluções científicas*. A rejeição dos pressupostos lineares e progressistas da geração anterior de historiadores da ciência é hoje lugar-comum.

Essa nova forma de história da matemática empregará exatamente as mesmas técnicas exegéticas de interpretação e comentário que sua predecessora, mas terá diferentes fins em vista. Também terá que sintetizar os fragmentos da evidência documental incompleta e narrar uma história coerente em torno dos resultados obtidos, dos teoremas supostamente provados e das disputas que nunca chegaram a ser completamente articuladas ou resolvidas. Ainda precisará interpretar, interpolar, comentar e expor. Mas agora os historiadores poderão estar mais inclinados a buscar a integridade dos diferentes tipos de trabalho, a relacionar as coisas entre si de modo que possam pertencer a épocas mais ou menos independentes, cada uma delas com suas próprias preocupações, paradigmas ou *Weltanschauungen*. Assim como antes, uma unidade subjacente tem que ser construída e os pensamentos por trás dos documentos deixados pelos matemáticos ainda têm que ser conjecturados.

Caso a sociologia da matemática consistisse apenas em tal estilo de escrita histórica, os historiadores da matemática poderiam sensatamente insistir que já fizeram a sociologia da matemática. Entretanto, é necessário algo mais, e diferente, pelas seguintes razões. Um estilo historiográfico que saliente a descontinuidade periódica e a integridade de diferentes épocas, em detrimento do progresso linear, pode ser adotado por muitas razões diferentes. Algumas delas podem ser muito distantes da perspectiva da sociologia do conhecimento. O fato de o idealismo hegeliano ver a história como formada por diferentes épocas com diferentes espíritos condutores lembra-nos de que não há aqui nenhuma conexão necessária com uma abordagem científica e causal. Mais importante que o padrão geral e o mero estilo historiográfico são os problemas que ela é dedicada a esclarecer. São as questões teóricas que o pesquisador esclarece que determinam quando a história tem alguma relação com a sociologia do conhecimento. É isso que confere ao trabalho de Kuhn seu efeito poderoso.

Com que problemas a história da ciência deveria lidar para que pudesse auxiliar a sociologia da ciência? A resposta é que ela deve ajudar a mostrar como e por que as pessoas pensam do jeito que pensam. Deve ajudar a mostrar como são produzidos os pensamentos e como eles obtêm, mantêm e perdem seu *status* de conhecimento. Ela deve lançar luz sobre como nos comportamos, como funcionam nossas mentes e sobre a natureza da opinião, da crença e do juízo. Ela só o fará caso tente mostrar como a matemática é construída de componentes naturalistas:

experiências, processos de pensamento psicológicos, propensões naturais, hábitos, padrões de comportamento e instituições. Para tanto, é necessário ir além de um estudo dos resultados do nosso pensamento. A tarefa é ir além do produto, aos próprios atos de produção.

Se houver alguma vantagem real em escrever a história da matemática de modo diferente da grande tradição progressista, só poderá ser por causa da importância teórica das novas questões que ela puder ajudar a responder. A sociologia do conhecimento proporciona algumas dessas novas questões. São esses problemas sociopsicológicos que os presentes capítulos sobre a matemática tentaram trazer para o primeiro plano.

Retornando à discussão de Lakatos do teorema de Euler: que processo subjacente ele traz à luz? A resposta é que ele revela um fato muito importante acerca dos processos mentais e sociais. Mostra que as pessoas não são governadas por suas ideias ou conceitos. Mesmo na matemática, o mais cerebral de todos os assuntos, são as pessoas que governam as ideias e não as ideias que governam as pessoas. A razão é simples. As ideias desenvolvem-se por intermédio de algo ativamente acrescentado a elas. São construídas e manufaturadas de modo que sejam passíveis de extensão. Tais extensões de significado e de uso não preexistem. Os usos futuros e significados expandidos dos conceitos, suas implicações, não estão presentes em forma embrionária. O exame atento, a reflexão ou a análise não podem revelar o modo correto ou errado de utilizar um conceito numa nova situação. Notemos que no teorema de Euler os contraexemplos e a ideia da prova tiveram que ser ativamente postos em contato com o conceito de poliedro. Na decisão quanto ao que contava como poliedro, não havia sentido em dizer que a questão já havia sido decidida apenas pelo sentido do conceito. Este, no que diz respeito ao contraexemplo, simplesmente não existe. Não havia nada escondido no conceito que nos proibisse de seguir por um ou outro caminho. O conceito de poliedro não poderia governar nosso comportamento ao decidir o que teria que ser incluído ou excluído do seu domínio. Isso não quer dizer que nada atue como restrição nessas circunstâncias. A extensão e a elaboração dos conceitos pode plausivelmente ser vista como estruturada e determinada. Elas são determinadas pelas forças em operação na situação de escolha – forças que podem ser sistematicamente diferentes para pessoas diferentes.

Eis um simples exemplo: uma criança está aprendendo a palavra "chapéu" e foi ensinada a reconhecer alguns chapéus. Ela nota em seguida uma tampa de bule e a chama de chapéu. Sua extensão do conceito está baseada em associar o novo caso particular aos casos particulares anteriores. Tal não é mediado por nenhuma entidade abstrata chamada de "significado do conceito de chapéu". A associação se dá mediante as similaridades e as diferenças percebidas entre o novo objeto e os casos anteriores. A autoridade dos pais logo tolherá a extensão natural do conceito efetuada pela criança e sustentará que o objeto na verdade não é um chapéu, mas uma tampa. Um limite socialmente mantido é traçado no livre curso da tendência psicológica. A criança vê então um abafador de bule. Seria uma tampa ou um chapéu? A escolha, que pode ser um tanto óbvia, espontânea e irrefletida, será o resultado das várias tendências de resposta que convergem para o caso em questão. O hábito mais antigo e talvez mais forte competirá com as novas restrições. Caso o abafador de bule tenha uma estranha semelhança com os chapéus da mãe, essa característica certamente encerrará o caso. Ou melhor, até que a voz da autoridade trace outra sisuda distinção.

Nessa simples situação de aprendizado, não é difícil adotar uma atitude naturalista e perceber a extensão dos conceitos surgir dos fatores em operação na criança. É fácil entender como a experiência passada pode empurrar para esta ou aquela direção. Também não é difícil reconhecer que as extensões do uso não são atraídas para algum suposto significado real dos conceitos.

Em vez disso, são causadas por diversos fatores derivados da experiência passada. Deverá ser possível transferir essa perspectiva aos dados do exemplo de Lakatos. É claro que tal exemplo não apresenta o que causou a diversidade de juízos sobre o que deveria ser considerado um poliedro. Essa seria uma questão de examinar os comprometimentos e a experiência profissional dos atores. O que ele mostra é o âmbito de operação desses fatores e é nesse sentido que apreciar o papel criativo da negociação aumenta a necessidade de uma perspectiva sociológica. Ele remove ainda o mito de que as ideias estabelecem antecipadamente os caminhos que os pensadores têm que seguir. Remove, enfim, a crença confiante, embora superficial, de que o papel das ideias no comportamento excluem os fatores sociais como causas, como se os dois estivessem em disputa.

CAPÍTULO 8

Conclusão: onde nos encontramos?

As categorias do pensamento filosófico formam uma paisagem intelectual. Seus grandes marcos são chamados de "verdade", "objetividade", "relativismo", "idealismo" e assim por diante. Irei concluir assinalando minha posição com relação a alguns desses marcos e reafirmando aqueles que identificam a atitude que defendi.

No decorrer da argumentação, pressupus e endossei aquilo que penso ser o ponto de vista da maior parte da ciência contemporânea. No mais das vezes, a ciência é causal, teórica, neutra, em geral reducionista, empirista até certo ponto e irredutivelmente materialista como o senso comum. Isso quer dizer que ela é oposta à teleologia, ao antropomorfismo e àquilo que é transcendente. A estratégia geral foi a de associar as ciências sociais, tanto quanto possível, aos métodos das outras ciências empíricas. De modo bastante ortodoxo, afirmei: proceda apenas como as demais ciências e tudo estará bem.

Ao delinear o programa forte na sociologia do conhecimento, tentei dar nitidez àquilo que penso que a sociologia efetivamente pratica quando adota de modo consciente a atitude naturalista de sua disciplina. O perigo deriva de abdicar de suas implicações integrais, não de seguir adiante com elas. Apenas uma visão parcial seria a presa para inconsistências. Selecionei diversos argumentos que parecem apontar as objeções filosóficas mais centrais à sociologia do conhecimento científico. Sempre tentei respondê-las não por meio de retiradas ou condições, mas da elaboração da perspectiva básica das ciências sociais. Com efeito, os temas centrais deste livro, que as ideias sobre o conhecimento estão baseadas em imagens sociais, que a necessidade lógica é uma espécie de obrigação moral e que a objetividade é um fenômeno social, têm todas as características de hipóteses científicas francas e diretas.

As imperfeições das visões desenvolvidas aqui, sem dúvida, são inúmeras. Aquela que lamento mais profundamente é a de que, embora tenha enfatizado o aspecto materialista da abordagem sociológica, o materialismo apresentado tende, ainda assim, a ser passivo em vez de ativo. Não se pode dizer, espero, que seja totalmente não dialético, entretanto seguramente representa o conhecimento como teoria e não como prática. Parece-me que a possibilidade de encontrar a combinação correta esteja ali, ainda que não tenha sido percebida. Nada do que foi dito é uma negação do poder técnico e da praticidade de muito do nosso conhecimento, mas suas relações precisas com a teoria permanecem um problema. Por exemplo, como as nossas habilidades manuais se relacionam com nossa consciência? Quão diferentes são as leis que governam essas duas coisas? O máximo que pode ser dito em defesa é que os críticos da sociologia do conhecimento raramente fazem melhor. Aliás, parecem possuir menos recursos para lidar com o problema do que aqueles que sustentam uma abordagem naturalista. É proveitoso lembrar que a filosofia de Popper faz da ciência uma questão de teoria pura em vez de técnica confiável. Ele oferece uma ideologia apenas ao mais puro dos cientistas e deixa o engenheiro e o técnico sem nenhum auxílio.

Infelizmente, o processo de assinalar nossa posição, de descobrir onde nos encontramos, tem suas dificuldades. Como a paisagem pela qual avançam os peregrinos de John Bunyan, a topografia do intelecto não é moralmente neutra. Os altos Cumes da Verdade brilham de modo convidativo, mas as abomináveis Fendas do Relativismo são armadilhas para os incautos. A racionalidade e a causalidade lutam entre si como se fossem as forças do Bem e do Mal. As respostas automáticas e as avaliações costumeiras são tão inapropriadas como previsíveis à sociologia do conhecimento. Veja o relativismo, por exemplo. Os filósofos por vezes surpreendem-se ao considerar que o relativismo moral parece ser filosoficamente aceitável, ao passo que o relativismo cognitivo não. Suas intuições são diferentes nos dois casos e eles buscam, então, razões para justificá-las. Em termos científicos, é possível e desejável ter uma mesma atitude para com ambas, a moralidade e a cognição. O relativismo é tão somente o oposto do absolutismo e é com certeza preferível a este. Ao menos ele pode, em algumas formulações, ser mantido autenticamente à luz de nossa experiência social.

Não se nega que o programa forte na teoria do conhecimento esteja apoiado em uma certa forma de relativismo. Ele adota o que pode ser chamado de "relativismo metodológico", uma posição resumida nas condições de simetria e reflexividade que foram antes definidas. Todas as crenças têm que ser explicadas de um mesmo modo geral, não importa como são avaliadas.

Um modo pelo qual a sociologia do conhecimento poderia, de forma polêmica, justificar seu relativismo é insistir que ela não é nem mais nem menos culpada que outras concepções acerca do conhecimento que usualmente escapam à acusação. Quem acusa a teoria de Popper de relativista? Aliás, quando tal acusação é levantada contra a sociologia do conhecimento, não são aqueles que se impressionam com tal filosofia os que com frequência o fazem? E ainda assim a sociologia do conhecimento pode formular com facilidade o essencial de sua posição com os termos dessa mesma filosofia. Todo o conhecimento, poderia dizer o sociólogo, é conjectural e teórico. Nada é absoluto ou final. Portanto, todo conhecimento é relativo à situação local dos pensadores que o produziram: as ideias e conjecturas que são capazes de conceber; os problemas que os afligem; o jogo entre os pressupostos e as críticas em seu ambiente; seus propósitos e objetivos; as experiências que têm e os padrões e significados que aplicam. O que são todos esses fatores senão determinantes naturalistas das crenças que podem ser estudados sociológica e psicologicamente? A situação não se altera pelo fato de que explicar o comportamento e a crença abrange, por vezes, aceitar suposições acerca do mundo físico que envolve os atores. Apenas quer dizer que conjecturas, digamos, da astronomia ou da física são utilizadas como hipóteses subsidiárias. Se Popper estiver correto, também esse conhecimento é conjectural. A totalidade da explicação é uma conjectura, ainda que uma conjectura sobre conjecturas.

Do mesmo modo, um sociólogo pode acolher a insistência de Popper de que aquilo que torna o conhecimento científico não é a verdade de suas conclusões, mas as regras de procedimento, os padrões e as convenções intelectuais com os quais está em conformidade. Dizer que o conhecimento é uma questão de padrões e convenções é apenas dizer que ele é uma questão de normas. Uma teoria convencionalista como a de Popper pode ser vista como um esqueleto abstrato para o relato acerca do conhecimento mais realista oferecido pela sociologia.

Considerar todo o conhecimento conjectural e falível é, de fato, a forma mais extrema de um relativismo filosófico. Mas Popper seguramente está correto em acreditar que podemos ter conhecimento, e conhecimento científico, que não é nada além de conjecturas. A existência mesma da ciência é constituída por seu *status* de atividade em curso. Em última instância, é um padrão de pensamento e de comportamento, um estilo de lidar com as coisas que possui normas e valores característicos. Ela não necessita de uma sanção metafísica derradeira para apoiá-la ou torná-la possível. Não é necessário haver uma coisa como a verdade, além de uma verdade relativa, conjectural, assim como não há a necessidade de haver padrões morais absolutos além daqueles localmente aceitos. Se podemos viver com o relativismo moral, podemos viver com o relativismo cognitivo.

A ciência pode ser capaz de funcionar sem uma verdade absoluta, mas tal coisa pode, ainda assim, existir. Tal intuição residual certamente se apoia em uma confusão entre a verdade e o mundo material. Quando insistimos que deve haver alguma verdade permanente, parece que é o mundo material, externo, que temos em mente. Tal instinto parece inexpugnável. Mas acreditar em um mundo material não é uma justificativa para a conclusão de que há um estado final ou privilegiado de adaptação a ele que constituiria a verdade ou o conhecimento absoluto. Como argumentou Kuhn com grande clareza, o progresso científico – que é real o bastante – é como a evolução darwiniana. Não há um objetivo para a adaptação. A ideia de uma adaptação final ou perfeita não tem sentido. Atingimos a posição atual do progresso e evolução do nosso conhecimento, como o fizemos na evolução de nossa espécie, sem nenhum farol para nos guiar e sem nenhum objetivo.

Assim como a sociologia do conhecimento é acusada de relativismo, como se isso fosse um crime em vez de uma necessidade, ela é também acusada de subjetivismo. Onde a sociologia do conhecimento se encontra com relação ao Rochedo da Objetividade? Ela diz que o conhecimento objetivo verdadeiro é impossível? Enfaticamente, não. O que foi proposto, por exemplo, na discussão de Frege foi uma teoria social da objetividade. Se a objetividade tivesse sido pensada como não existente, não haveria a necessidade de desenvolver uma teoria para explicá-la. Nem tampouco esse foi um modo de dizer que a objetividade é uma ilusão. Ela é real, mas sua natureza é totalmente diferente do que se poderia esperar. Outras teorias da objetividade são negadas no relato sociológico, não o próprio fenômeno. Aqueles que se dizem defensores da objetividade deveriam refletir sobre o seguinte: uma teoria sociológica provavelmente confere à objetividade um papel mais proeminente na vida humana do que eles próprios. Segundo tal teoria, o conhecimento moral também poderia ser objetivo. Como muitos aspectos de uma paisagem, o conhecimento parece diferente quando visto de ângulos diferentes. Aborde-o por uma via inesperada, vislumbre-o de um ponto de observação pouco usual, e ele poderá não ser reconhecido de início.

Não há dúvidas de que serei exposto à acusação adicional de "cientificismo", ou seja, de uma crença demasiadamente otimista no poder e no progresso da ciência. Curiosamente, tal crítica terá que ombrear outra acusação, já examinada de modo extenso: a de que tal abordagem cientificista, quando adotada pela sociologia do conhecimento e aplicada à própria ciência, denigre a ciência. Tenho motivos para que esta contradição seja deixada embaixo das portas dos críticos e não nas do programa forte. No entanto, a acusação de cientificismo é bem apontada. Fico mais que feliz ao ver a sociologia apoiando-se nas mesmas fundações e pressupostos que as demais ciências, sejam quais forem o *status* ou as origens. Na verdade, a sociologia não tem outra opção a não ser a de apoiar-se nessas fundações, nem pode pretender adotar um modelo mais apropriado. Isso porque essas fundações são a nossa cultura. A ciência é a nossa forma de conhecimento. Que a sociologia do conhecimento venha a perdurar ou desvanecer com as demais ciências é tanto eminentemente desejável como sina; e altamente provável como previsão.

Posfácio: ataques ao programa forte

Desde sua publicação em 1976, *Conhecimento e imaginário social* conquistou alguns amigos e muitos inimigos. Ele tem sido condenado por sociólogos como "sociologicamente irrelevante" e um "fracasso" (Ben-David, 1981, p.46, 54), por antropólogos como "sociocêntrico" e incompatível com a "unicidade" da natureza humana (Archer, 1987, p.235-6), por cientistas cognitivos como "reincidente" e "reciclador de clássicos [...] equívocos manualescos" (Slezak, 1989, p.571) e por filósofos um "disparate manifesto" e "catastroficamente obscurantista" (Flew, 1982, p.366). Por trás desses erros, os críticos viram a mão sinistra da ideologia e identificaram-na como marxista, irracionalista, anticientífica e behaviorista. Tais polêmicas com certeza animam a tediosa rotina da investigação acadêmica. Eu as aprecio como qualquer um, mas existem certos perigos. A sociologia do conhecimento exige cabeça fria. Temos que evitar estereótipos emotivos quer sejam da ciência ou quaisquer outros. Aqueles que se contentam com estereótipos, em vez de atentar para os detalhes precisos do que os sociólogos do conhecimento escreveram, serão incapazes de apreender sequer as doutrinas mais centrais da posição que estão atacando. Como exemplo instrutivo, considere os argumentos de Bartley (1987).

Como não atacar o programa forte

W. W. Bartley lista este livro, junto com outros trabalhos de colegas de Edimburgo, como representativo das abordagens correntes da sociologia do conhecimento (p.442, nota 25). Ele diz que sua própria discussão "pode ocupar-se dela apenas em linha gerais". Ele não irá, diz, "tratar dos praticantes individuais" (p.443). O resultado é que ele ataca uma concepção que é o oposto completo das defendidas nos trabalhos citados. Ele pensa que a sociologia do conhecimento é o estudo de como os processos sociais *distorcem* o conhecimento. Sua queixa é a de que os sociólogos não se aprofundam o bastante na tarefa de erradicar tais fatores deformadores. Assim:

> Se o problema que atrai os sociólogos do conhecimento é a distorção, então os sociólogos do conhecimento precisam levar em consideração todos os tipos de influências deformadoras, as que estão presentes em todos os veículos de conhecimento, não apenas as distorções de caráter social (p.446).

Mas esse não é o problema que atrai o sociólogo do conhecimento. Aliás, o quadro retratado por Bartley, dependente que é de uma atitude avaliativa, é precisamente aquele que este livro dedica-se a rejeitar (ver, por exemplo, p. 22-29). O significado do postulado da simetria (a ser discutido com detalhes em breve) é o de que nossas melhores e mais estimadas realizações científicas não poderiam existir como tais sem que tivessem o caráter de instituições sociais. Elas são, portanto, tão socialmente influenciadas e sociologicamente problemáticas como qualquer outra instituição. Seu caráter social não é um defeito, mas parte de sua perfeição.

Há muita coisa interessante no artigo de Bartley, assim como nos escritos de outros críticos. Pena ele ter perdido a oportunidade de genuinamente colaborar com os sociólogos da ciência. Teria descoberto, por exemplo, que uma das posições por ele defendida, longe de contradizer a posição dos sociólogos (como ele pensa), é de fato *partilhada* com eles. A principal tese positiva do artigo de Bartley é apresentada quando ele diz que "aprendeu de Popper que nós nunca sabemos do que estamos falando" (p.425). Quer dizer com isso que nunca chegamos a uma apreensão final da essência das coisas. Nosso conhecimento é sempre provisório e conjectural, e mesmo os significados dos nossos conceitos são passíveis de alteração quando novas teorias são desenvolvidas para lidar com fatos novos e inesperados. Mas não há nada nisso que deixe de concordar com a sociologia do conhecimento. É algo central a ela e reconhecido pelo nome de "finitismo". A ideia vem de Mill e Wittgenstein, apesar de o termo nessa acepção ser emprestado de Hesse (ver Hesse, 1974; Barnes, 1982, cap.2). Temos que pensar na aplicação de um conceito caso a caso, mediada por juízos complexos de similaridade e diferença e, a todo instante, informada pelos propósitos locais dos usuários do conceito. *Grosso modo*, o significado é construído enquanto prosseguimos. É o resíduo das aplicações passadas e suas futuras aplicações não estão completamente determinadas pelo que ocorreu antes. Nesse sentido, portanto, o "finitismo" dos sociólogos condiz com o quadro de Bartley de não sabermos "do que estamos falando". É claro que a própria teoria de Bartley não é aquela derivada de Mill ou Wittgenstein, mas permanece o fato de o fenômeno ser comum a ambas. Assim como Bartley associa a impenetrabilidade de nossos conceitos à sua objetividade, também o faz o sociólogo do conhecimento, embora para ele, como expus em minha discussão de Frege no capítulo 5, a objetividade seja social. Com efeito, o finitismo provavelmente é a ideia isolada mais importante na visão sociológica do conhecimento. Ele mostra o caráter social do mais básico de todos os processos cognitivos: a passagem de uma instância de aplicação do conceito à próxima. A falha em perceber isso, junto com o equívoco de confundir o programa forte com o programa fraco (ou seja, o paradigma da "distorção"), compromete a contribuição de Bartley.

Covariância, causalidade e ciência cognitiva

Os problemas clássicos enfrentados pela sociologia do conhecimento são a covariância e a causalidade (Merton, 1973). Seja S = sociedade e C = conhecimento: se S é a causa de C, ao variar S deve-se produzir variação em C. Caso descubramos que S pode variar enquanto C permanece o mesmo, então S não pode ser a causa de C. E isso, ao que parece, é o que descobrimos. Ben-David (1984) examinou alguns dos estudos de caso históricos citados em apoio ao programa forte e declarou que não passaram no teste da covariância e causalidade. Ele quis saber

> se a relação entre os interesses sociais dos cientistas e suas ideias existe em todos ou apenas em alguns casos; e se o interesse social ou perspectiva inicialmente associados a uma teoria (...) continuam a existir com o tempo, perpetuando assim o viés ideológico sob a máscara da tradição científica (p.51).

Sua resposta foi negativa. Tais estudos mostram que "o viés ideológico não é um fenômeno geral na ciência" (p.51).

Apesar de poderem ser levantadas objeções contra esse modo de colocar o problema (por exemplo, ele é todo formulado com base no estereótipo da "distorção"), a questão geral parece correta. Não encontramos, por exemplo, as teorias de campo na física associadas exclusivamente a formas sociais orgânicas; ou as teorias atômicas ligadas a sociedades individualistas. Essas conexões gerais seriam rompidas, nem que fosse apenas porque as teorias criadas por um grupo passam a outros grupos na condição de recursos culturais herdados. No entanto, isso não é fatal à sociologia do conhecimento. Apenas exclui uma definição isolada e implausível de seu exercício, mas deixa outros intocados. A falta de "relações sistemáticas" entre a "situação social" e os "tipos de teoria" – para usar os termos de Ben-David – pode depender de quão amplamente esteja definido o "tipo". O argumento de Ben--David passa ao largo da possibilidade de os sociólogos poderem ainda explicar o porquê de um corpo herdado de ideias ser modificado do modo como o é, mesmo que a teoria resultante seja do mesmo tipo geral. Por exemplo, um dos estudos que Ben-David cita mostrou como o atomismo antigo (no qual a matéria era automovida e auto-organizada) foi passado para Robert Boyle e modificado diante de sua insistência de que a matéria era passiva e apenas a força era ativa (ver Jacob, 1978; discutido em Bloor, 1982). Mesmo que a modificação tenha sido feita para favorecer um interesse identificável de natureza política, o fato de a teoria ainda ser do mesmo tipo (a saber, uma teoria atômica) significa, na perspectiva de Ben-David, uma exceção à covariância e causalidade. Tal permite que ele trate o estudo como se fosse evidência contrária à sociologia do conhecimento, ao invés de – como de fato o é – evidência a seu favor.

Tal resposta ainda deixa intocada a previsível conclusão de Ben-David segundo a qual apenas alguns, e não todos, episódios na história da ciência podem ser considerados crucialmente dependentes de interesses sociais particulares. Temos que lembrar, é claro, que nem todos os interesses são de amplos tipos políticos, como no caso de Boyle, antes mencionado. Alguns são estritos interesses profissionais. Mas, mesmo assim, a questão permanece e está seguramente bem colocada. No entanto, ela seria fatal apenas à alegação de que o conhecimento dependa *exclusivamente* de variáveis sociais tais como o interesse. Tal alegação seria absurda e com certeza não foi defendida neste livro (ver, por exemplo, Figura 2.1, p.56). Nenhuma imagem defensável do conhecimento pode excluir um cenário no qual, por exemplo, a experiência sensorial afeta um conjunto de pessoas e provoca uma mudança na cultura delas. Tais contingências não removem ou trivializam o componente social no conhecimento; apenas o colocam como pano de fundo, e o pressupõem, enquanto o foco explicativo move-se para outro lugar. A única teoria que estaria em dificuldades diante dessa possibilidade seria uma história monocausal que negasse qualquer papel para tudo aquilo que não fosse processo social, ou seja, a alegação quase sem sentido de que o conhecimento é "puramente social" ou "meramente social". Ao divulgar a evidência do modo como o fez, Ben-David tacitamente identificou essa teoria à sociologia do conhecimento. Mas o programa forte não diz que o conhecimento é puramente social? Não é isso que quer dizer o epíteto "forte"? Não. O programa forte diz que o componente social sempre se faz presente e é sempre constitutivo do conhecimento. Não diz que ele é o *único* componente, ou que é o componente a ser necessariamente localizado como o estopim de toda e qualquer mudança: ele pode ser uma condição prévia. As exceções aparentes à covariância e causalidade podem ser meramente o resultado da operação de outras causas naturais além das sociais.

O que isso diz a respeito da busca por "leis" na sociologia do conhecimento? Quer dizer que quaisquer dessas leis existirão, não na superfície do fenômeno, mas entrelaçadas numa realidade complexa. Sob esse aspecto, não serão diferentes das leis da física. Virão a ser mais facilmente reconhecíveis quanto mais se mantiverem estáveis outros fatores contribuintes. Suas manifestações superficiais possivelmente serão tendências estatísticas cuja força variará bastante, não por serem elas mesmas estatísticas, mas porque as condições de visibilidade são contingentes. Mas com o que se parecerão essas leis? Os críticos escarnaram dos sociólogos por não produzirem "leis de cobertura putativas testáveis e precisamente especificadas" (por exemplo, Newton-Smith, 1981, p.263). Gostaria de esclarecer o seguinte. O finitismo por si mesmo, tal como descrito na seção anterior, é uma verdade geral acerca do caráter social da aplicação dos conceitos à qual não há exceções. Dessa forma, *todas* as aplicações conceituais são contestáveis e negociáveis, e *todas* as aplicações aceitas têm o caráter de instituições sociais. Leis como essa não são o que os críticos esperam em resposta à sua contestação, mas talvez isso diga mais sobre eles que sobre a sociologia do conhecimento. Leis putativas mais próximas às que os críticos têm em mente provêm da teoria de Douglas da "grade social", ligando o estilo cosmológico à estrutura social. Tais candidatas são de fato putativas, e não bem confirmadas ou testadas, mas são um início. Eu as discuti em conexão com as descrições de Lakatos das respostas às anomalias matemáticas em Bloor (1978) e com respeito ao trabalho de cientistas industriais em Bloor e Bloor (1982).

A falsa imputação de que o conhecimento é "puramente social" também é base da alegação de que há uma incompatibilidade fundamental entre o programa forte e trabalhos recentes na ciência cognitiva (cf. Slezak, 1989). Supostamente, a sociologia do conhecimento pressuporia o "behaviorismo" e é, portanto, contradita por qualquer trabalho que forneça um relato da maquinaria interna de nosso pensamento. Em particular, existem hoje modelos computacionais capazes de mimetizar os processos de pensamento envolvidos na descoberta científica. Equipados com alguns poucos princípios heurísticos gerais, computadores foram alimentados com dados dos quais puderam extrair padrões com a forma de leis naturais. Dito de um modo mais dramático, os computadores mostraram que podem descobrir regularidades como a lei de Boyle, a lei de Ohm, a lei de Snell etc. (p.569). Depois disso, quem precisa da sociologia do conhecimento? A psicologia será suficiente. Tais trabalhos, dizem os críticos, justificam a "epistemologia tradicional" rejeitada neste livro. Em particular, justificam o modelo "teleológico" que busquei substituir. A conclusão é dita tratar-se de "uma refutação do programa forte tão decisiva quanto é possível se obter" (p.592).

Permanece uma questão em aberto se o modo de extrair o padrão dos dados pelo computador é o mesmo do cérebro, mas, apesar disso, tal trabalho deve seguramente ser bem acolhido. Os únicos sociólogos a se incomodar com ele seriam aqueles insensatos o bastante para negar a necessidade de uma teoria de fundo sobre os processos cognitivos individuais. Considero algo evidente que não podemos ter estruturas sociais na ausência de estruturas neurais. A ciência cognitiva, do tipo descrito, é o estudo justamente desse conhecimento de fundo da "racionalidade natural" que os defensores do programa forte assumem como certo. Veja, por exemplo, Barnes (1976) sobre nossas propensões naturais indutivas e Bloor (1983, cap.6) sobre nossas propensões naturais dedutivas. A posição correta a ser assumida pelo sociólogo é a de que, embora uma teoria das nossas capacidades individuais de raciocínio seja necessária a um relato sobre o conhecimento, ela não é suficiente.

Para entender por quê, consideremos que nosso cérebro tenha exatamente o grau de habilidade em processar informações suposto pelos modelos cognitivos dos críticos. Mostrarei que isso não elimina nem trivializa os aspectos sociais do conhecimento. Considere que a pessoa A extraia, digamos, a lei de Boyle de um conjunto de medições e que B, C etc. tenham os mesmos poderes cognitivos e acesso a dados similares. Temos agora um conjunto de indivíduos, cada um com suas técnicas pessoais para compreender suas experiências. Cada um tem a própria versão pessoal da lei de Boyle. Não temos, no entanto, um grupo que conheça a lei de Boyle tal como nós a conhecemos, pois ainda não temos uma versão da comunidade científica com um corpo partilhado de conhecimento. Tudo o que possuímos é uma versão computadorizada daquilo que os filósofos costumam chamar de "estado de natureza", ou seja, indivíduos em isolamento da sociedade.

O elemento que falta é a interação entre A, B, C etc., a interação que criaria a sociedade. A fim de provê-la, vamos agora supor que A, B e C tentem coordenar suas ações entre si. Irão enfrentar o problema da ordem social e, para resolvê-lo, descobrirão também que precisam resolver o problema da ordem cognitiva.

Têm de coordenar as técnicas pessoais de cognição. Seu problema será o de controlar e manter o domínio sobre a anarquia do juízo privado. Se for dito que tal problema não surge na ciência cognitiva, uma vez que os computadores são idênticos, infalíveis e trabalham com os mesmos dados, então isso desqualifica seus modelos por serem fantasiosos. Realisticamente, temos que permitir que, no mais das vezes, diferentes cérebros individuais ou computadores estarão trabalhando com diferentes conjuntos de dados e que, mesmo aqueles com conjuntos idênticos, chegarão esporadicamente a diferentes resultados. Por esse motivo, existe o problema de decidir quem está de posse dos dados "corretos" e quem deles extraiu as conclusões "corretas". Com efeito, a própria noção de "correção" tem que ser construída. Os problemas são agravados pelo fato de que qualquer lei aceita encontrar prontamente anomalias. A tarefa de mobilizar um consenso sobre a resposta correta às anomalias confrontará os diferentes objetivos e interesses das partes envolvidas.

Os sociólogos possuem, portanto, um tópico além daqueles tratados pelos cientistas cognitivos cujo trabalho tem sido citado contra o seu. Aqueles, mas não estes, estudam como é constituída uma representação coletiva do mundo com base em representações individuais. Tal concepção partilhada do mundo e governada, por exemplo, pelas leis de Boyle, será mantida pelo grupo como uma convenção e não como um conjunto atomizado de disposições individuais. Isso quer dizer, em termos gerais, que um dos fatores que amparam a crença de A é que B, C etc. também a mantêm e, por sua vez, ao fazê-lo, assumem que A a mantém. Esse entendimento recíproco ajuda a conservar a estabilidade da crença diante das tendências individuais de divergência. O conteúdo particular da crença partilhada, que incorpora as anomalias e as decisões que a relacionam ao restante da cultura, será o resultado da interação entre A, B, C etc. na negociação de um consenso. A negociação é um processo social cujo resultado será determinado por todas as contingências naturais que podem ter algum efeito sobre ela. Para um estudo dos notáveis e surpreendentes interesses que historicamente influenciaram as negociações em torno dos experimentos originais de Boyle com a bomba de vácuo, ver Shapin e Shaffer (1985). Antes de passar a outras objeções, duas questões residuais devem ser esclarecidas. Primeiro, Ben-David argumentou que, como a negociação é um processo social, não deveríamos inferir que seu resultado fosse socialmente determinado. Ele poderia ser "racionalmente determinado" (1981, p.45). Dada a dicotomia racionalista tradicional entre o racional e o social (ou seja, o modelo da "distorção"), tal precaução é correta. Mas, uma vez que os pressupostos racionalistas sejam postos de lado em favor de uma perspectiva naturalista, a inferência é válida. O que confere certo interesse à objeção, mesmo para o naturalista, é que pressupostos sobre a racionalidade natural podem ter um papel na negociação de uma convenção. *A* e *B* naturalmente fazem certas inferências e consideram que *C* e *D* farão o mesmo; e que eles abrigarão as mesmas expectativas que eles. Precisamente porque algumas tendências de raciocínio são naturais, elas terão uma posição privilegiada na conversação recíproca que serve de base para a nossa construção de convenções. Desse modo, entrarão em nossas convenções e elas próprias se tornarão convenções. Nada disso, no entanto, apaga a diferença qualitativa entre representações individuais e coletivas ou convencionais.

Segundo, deve estar claro que nenhuma teoria (naturalista) sobre a nossa racionalidade natural – por conseguinte, nenhum modelo computacional do pensamento – poderá de fato ser aceita pelos epistemólogos tradicionais. Apenas é errado presumir – como meus críticos assumiram – que tais relatos causais possam ser igualados às assunções teleológicas que identifiquei por trás dos ataques racionalistas à sociologia do conhecimento. (Examinar Flew, 1987, p.415, acerca dos computadores dará uma noção da diferença. Ver também Geach, 1977, p.53.) A falha em apreciar a oposição fundamental entre os relatos racionalistas tradicionais acerca do conhecimento e os relatos naturalistas é algo que voltaremos a encontrar na discussão do postulado da simetria. Por enquanto, a ideia a ser preservada é a de que a ciência cognitiva e a sociologia do conhecimento estão, na verdade, do mesmo lado. Ambas são naturalistas e suas abordagens são complementares.

A refutação definitiva das explicações por interesse

Inúmeros estudos históricos inéditos das disputas científicas invocam o papel dos interesses – ver Shapin (1982), que lista dezenas de títulos apenas sob a rubrica de "interesses profissionais investidos". A importância de tais estudos é que se concentram em eventos que trazem à consideração a subestrutura social da ciência, usualmente pouco visível na prática cotidiana. Ao ver como são resolvidas as disputas, passamos a notar o caráter convencional das forças que jazem latentes. Isso é verdadeiro mesmo que os conflitos de interesse particulares que provocaram a disputa se dissipem quando o cenário histórico se altera. Por exemplo: na década de 1820, Edimburgo foi o palco de uma controvérsia mordaz sobre a anatomia do cérebro. Os anatomistas da universidade, encorajados pelos filósofos locais, consideravam o cérebro relativamente homogêneo e unificado. Os seguidores da frenologia viam-no como uma república de diferentes faculdades. Ambos os lados formaram equipes de anatomistas competentes e conduziram dissecações cuidadosas, mas não entraram em acordo, dentre outras coisas, sobre a estrutura de vários órgãos no interior do cérebro ou quanto aos percursos das fibras que os conectava ao tronco cerebral. Shapin (1975; 1979a; 1979b) mostra que tal divergência pode se tornar inteligível ao relacionar as posições assumidas aos interesses das partes em disputa. As pessoas da universidade formavam um grupo de elite cujo conhecimento esotérico incorporava uma ideologia sutil de hierarquia e unidade social. Seus críticos eram oriundos sobretudo da classe média mercantil da cidade, que buscava um conhecimento prático e facilmente acessível sobre as pessoas e seus talentos, a fim de justificar o ensejo por reformas e o desejo de criar uma estrutura social mais diversificada e igualitária. Ambos os lados, argumenta Shapin, podem ser vistos como que submetendo a natureza a usos sociais, ao fazê-la sustentar as próprias visões de sociedade e seus papéis dentro dela.

Os argumentos desse tipo encontraram enorme resistência. Inegavelmente, a terminologia das explicações por interesse é intuitiva e há muito nela a ser esclarecido, mas, em vez de considerar como dificuldades técnicas, os críticos veem isso como defeitos de princípio. Nessa acusação, é central a sugestão de que recorrer a interesses compromete o historiador com um regresso infinito. A premissa é que interesses têm sempre que ser interpretados pelos próprios atores. Tais interpretações, por serem frouxas e revisáveis, anulam a conexão entre o interesse e o comportamento que se pretende explicar.

Acima de tudo, pergunta Brown (1989), por que os interesses são introduzidos? Porque, alega-se, as teorias são subdeterminadas pelos dados. As observações nas mesas de dissecação não chegaram a provar o caso contra ou a favor dos frenologistas e, portanto, os interesses sociais devem ter feito a balança pender. A evidência insuficiente *pareceu* ser suficiente às mentes predispostas. Claramente, não segue apenas da subdeterminação que aquilo que fez pender a balança seja social, mas, mesmo que aceitemos esse passo, a explicação não funcionará, pois levanta exatamente o mesmo problema. Se a observação não determinar, os interesses também não o farão. Os interesses, tanto quanto as observações, são compatíveis com muitas interpretações teóricas. Brown diz:

> Uma teoria particular T pode servir aos interesses de um cientista, mas mais de uma teoria seria capaz de fazê-lo. Na verdade,

assim como há infinitas teorias diferentes que igualmente fazem jus ao conjunto finito de dados empíricos, há infinitas teorias que igualmente farão jus aos interesses dos cientistas (p.55).

A ideia de que há uma "infinidade" de teorias a se escolher não é essencial ao argumento e pode ser deixada de lado. A questão é que, se um sociólogo postular outro interesse I_2 para explicar por que uma teoria foi escolhida, dentre todas as outras candidatas que poderiam expressar o interesse I_1, então começaremos um regresso infinito. Em termos históricos, em vez de lógicos, Brown está colocando a questão do porquê de a classe média ter escolhido a *frenologia* quando inúmeras outras teorias poderiam, da mesma forma, servir a seus interesses (p.55). Desse modo, as explicações por interesse são apanhadas entre a subdeterminação e o regresso infinito. Isso, diz Brown, é a "refutação definitiva" (p.54).

Começarei com o problema histórico e em seguida formularei a resposta em termos mais gerais. Nos trabalhos mencionados, Shapin antecipou as questões de Brown. É verdade que outras teorias poderiam ter expressado os interesses da classe média tão bem como a frenologia. Esta, aliás, pode ser vista como uma má escolha. Era necessária uma teoria para legitimar a mudança e a reforma; e a frenologia, tal como fora desenvolvida pelos fundadores, versava sobre os traços característicos inatos das pessoas. Seus seguidores em Edimburgo modificaram-na ao dizer que os dons naturais poderiam ser fortalecidos ou enfraquecidos mediante seu exercício e utilização. Tudo o que importava de fato, sugere Shapin, era que alguma teoria fosse encontrada e que pudesse plausivelmente contrapor-se à filosofia do "senso comum". Talvez qualquer coisa materialista, empirista e não esotérica teria servido como o não X contra a elite X. Foi uma contingência histórica a frenologia estar disponível e, assim, ela bastou (Shapin, 1975, p.240-3).

Essa resposta reconhece a subdeterminação da qual depende a crítica, mas resolve o problema pela referência ao acidental. Uma vez que a sorte favoreça uma das muitas candidatas possíveis, ela pode tornar-se o principal veículo para a expressão do interesse. Assim que algumas pessoas tenham visto como uma teoria pode ser utilizada e posta em operação, outras se unem ao clamor. Sua utilização pelos outros se torna uma razão a mais para utilizá-la. O mecanismo que está implícito nesse esboço é, de fato, bastante preciso e até mesmo modelos matemáticos foram desenvolvidos por economistas. Eles têm sido usados para explicar por que os mercados produzem soluções estáveis, mas em geral não adequadas, a certos problemas. Explicam, por exemplo, como uma dentre duas tecnologias concorrentes pode dominar a outra (mesmo quando ela não é a tecnologia superior), ou como surge uma distribuição geográfica particular da indústria (ainda que não seja a melhor). Sua ideia principal é a de que soluções estáveis são atingidas por meio de retroação positiva. O fato de algumas pessoas utilizarem uma tecnologia torna-se motivo para que outras a utilizem. O fato de uma indústria já estar situada num lugar é motivo para que outras se localizem ali. Pequenas vantagens aleatórias no início do processo – ou uma distribuição inicial casual – vêm a ser reforçadas por retroação positiva até que o sistema alcance uma solução altamente estável, embora extrema; a dominação total de uma opção (Arthur, 1990). Tais mecanismos poderiam explicar como a classe média de Edimburgo pôde definir-se pela frenologia precisamente na circunstância de subdeterminação descrita pela crítica.

Ainda assim, não seria verdadeiro que os interesses tenham sempre que ser interpretados? Tal fato, tem sido dito, já é por si só suficiente para gerar um regresso infinito. Yearley (1982) cita, em apoio, o trabalho sobre seguir regras que enfatiza o caráter interpretativo de suas aplicações práticas. Ele sugere que sociólogos que recorrem a interesses estariam na posição de citar regras para seguir regras e assim *ad finitum* (p.384). Todavia, a literatura sobre seguir regras seguramente aponta na direção contrária e oferece a resposta à objeção do regresso. Wittgenstein assinalou que, uma vez que possa propriamente ser dito que seguimos regras, *tem que* haver um meio de segui-las *sem que* isso envolva interpretação (Wittgenstein, 1967, §201). A analogia com os interesses que temos sido convidados a empregar levaria, portanto, a rejeitarmos a premissa do ataque. Os interesses *não* têm que funcionar porque refletimos sobre eles, os escolhemos ou os interpretamos. Alguns deles, por algum tempo, apenas *causam* nosso pensar e agir de determinados modos. A base real das objeções às explicações por interesse é o receio de categorias causais. É o desejo de celebrar a liberdade e a indeterminação, bem como a relutância em construir explicações em vez de simplesmente descrever.

Essas respostas não resolvem aquilo que denominei o problema "prático" presente no uso das explicações por interesse. No entanto, elas respondem à investida segundo a qual tais explicações teriam sido apanhadas num dilema entre a subdeterminação e o regresso infinito. Elas mostram, portanto, que a refutação "definitiva" não é, afinal, uma refutação.

A acusação de idealismo

Flew (1982) deve falar por muitos quando diz que os sociólogos do conhecimento almejam, de maneira dissimulada, desqualificar, como possíveis causas das crenças que sucedem ser verdadeiras, todos os efeitos, sobre o crente, exercidos pelos fatos em que ele venha a acreditar verdadeiramente (p.366). A causa do problema, segundo Flew, é o postulado da simetria. A referência aos fatos tem que ser negada para que as crenças verdadeiras possam ser equiparadas às crenças falsas e, assim, considera-se que possuam o mesmo tipo de causa (p.366). Por vezes, a acusação é expressa em termos de ignorar "as influências causais do conteúdo da crença" (p.368), ou a eficácia dos "objetos efetivamente percebidos" (p.367). Desse modo, "fato", "objeto" e "conteúdo" são utilizados indiscriminadamente. Mas o que são "fatos"? Infelizmente, o termo é tomado como se fosse bem compreendido. Na verdade, ele é fonte de muita perplexidade. Foi por isso que a disputa entre Strawson e Austin acerca da verdade transformou-se na questão de se os "fatos" são aquilo que *enunciam* os enunciados verdadeiros, ou se são aquilo *sobre o que* são os enunciados (Strawson, 1950; Austin, 1961). O ataque de Flew não é bem definido em relação a tal escolha, mas veremos que ela leva a duas questões bem diferentes da sociologia do conhecimento. Felizmente, ambas podem ser respondidas de modo consistente com o materialismo do programa forte.

Considere a concepção dos fatos como objetos. Temos aqui que separar os fatos de suas formulações verbais. Nesse caso, o resultado do postulado da simetria é o oposto daquilo que Flew expõe. Os objetos no mundo, em geral, influenciarão igualmente aqueles que possuem crenças verdadeiras e aqueles que possuem crenças falsas sobre eles. Imagine Priestley e Lavoisier observando alguma substância química queimar. Ambos veem o mesmo objeto no mundo, ambos dirigem sua atenção e observação para as mesmas coisas. Mas um diz: "Na combustão, um objeto queimando libera flogisto na atmosfera" e o outro diz: "Na combustão, um objeto queimando retira oxigênio da atmosfera". Não ocorre a questão de desqualificar, como possível causa, os objetos diante deles. Tais causas, no entanto, não são suficientes para explicar a descrição verbal que fornecem a seu respeito. Isso é válido tanto para as versões que nós próprios aceitamos como verdadeiras quanto para as versões que rejeitamos como falsas. (Para uma excelente discussão utilizando um exemplo histórico, ver Barnes, 1984.)

Considere agora os fatos como aquilo que os enunciados enunciam, por oposição àquilo sobre o que eles são. Os fatos aqui pertencem ao "conteúdo" das atitudes proposicionais em vez de pertencerem aos seus "objetos". Todavia, lidamos com uma subclasse de tais conteúdos, qual seja, crenças selecionadas pela sua verdade, que mantêm, por isso, uma relação privilegiada com a realidade. O que vem a ser a classe assim selecionada? Ela é um tipo natural de crença, ou algo análogo a um tipo natural? Os químicos descobriram existir dois óxidos de cobre; teriam os filósofos descoberto que existem dois tipos de crença, distinguidas por possuírem ou não a propriedade de corresponder à realidade? Tal alegação, no entanto, nunca poderá ser validada. Não podemos nos fazer de Deus e comparar nosso entendimento da realidade com a realidade tal como ela é em si mesma, em vez de tal como ela é entendida por nós (ver p.63-9). Mas se as verdades não compõem um tipo natural, que espécie de classe formam? A alternativa a comporem um tipo natural é formarem um tipo social. Elas compõem uma classe como a classe das notas promissórias válidas, ou a classe dos agraciados com a Cruz da Vitória, ou a classe dos casados. O ingresso nessas classes é o resultado de como foram tratadas por outras pessoas, embora não devamos nunca esquecer que a razão desse tratamento terá sido prática, complicada e, ela própria, uma parte da realidade.

Existem tentativas interessantes de argumentar que os enunciados verdadeiros formam um tipo natural genuíno, por exemplo, tratando-os como entidades que amparam determinada relação biológica e funcional com a realidade (cf. Millikan, 1984). Tais explorações são naturalistas e lançaram muita luz sobre questões semânticas. Todavia, substituem de modo tácito a relação de "ser verdadeiro" por outra – tal como a de "ser adaptado". A reação do sociólogo aqui é similar à do epistemólogo tradicional: algo foi deixado de fora. Uma análise completa da verdade deve fazer jus ao nosso sentimento de que ela possui um caráter especial e elevado, que a eleva acima da mera natureza e que gera a obrigação que sentimos para com ela. A última coisa que um relato sociológico da verdade pode permitir-se é uma insensibilidade para com, dentre todas as coisas, o seu *status*. Nossa resposta deve ser modelada na resposta de Durkheim ao pragmatismo: acolher todos os relatos naturalistas, mas corrigi-los à medida que deixem de explicar a autoridade especial que a verdade exerce sobre nós (Durkheim, 1972).

Mas não seria isso, afinal, idealismo? Não seria isso tudo uma forma disfarçada de dizer que a verdade está toda na mente daquele que acredita, ou que ela é apenas uma projeção de nossas atitudes coletivas? Se *for* uma espécie de idealismo, é, no máximo, um idealismo de certos aspectos das coisas ou um idealismo de coisas sob alguma descrição ou em alguma função. Seria, portanto, uma forma de "idealismo" compatível com um materialismo subjacente. Seria, no máximo, um idealismo acerca da dimensão semântica de formas atuais do realismo, mas não um ataque à sua dimensão ontológica. Seria, também, um idealismo de âmbito estritamente limitado. Pois repare: uma nota promissória é, em última instância, uma nota promissória porque coletivamente a consideramos como tal. Apesar disso, ela é uma coisa real com peso, substância e localização. Nada dessa materialidade foi negado pelo que foi dito em relação ao seu *status* social como uma nota promissória. O mesmo se aplica às pessoas que ocupam um papel social. Elas são de carne e osso. Essa realidade material não é negada, mas pressuposta pelo *status* social.

Com isso, como fica a acusação de que a abordagem sociológica negligencia o papel desempenhado pelos fatos como causas de nossas crenças a seu respeito? No primeiro sentido dessa ambígua acusação, em que fatos são objetos, mostrei que ela é falsa. No segundo sentido, em que fatos são conteúdos de crenças, a acusação é, de certo modo, correta. Deixando de lado certas sutilezas, o conteúdo de uma crença não deve ser tratado como a causa da crença. Mas isso porque ele *é* a crença. Ainda assim, os críticos podem achar, como Flew (p.370), que estão recebendo sinais contraditórios dos sociólogos sobre o papel causal dos fatos. Não o estão. Estão recebendo respostas consistentes a duas questões bem distintas – uma sobre o papel da realidade, outra sobre o *status* dos relatos sobre a realidade. Eles apenas tomam equivocadamente essas respostas como duas respostas inconsistentes à mesma questão.

Simetria perdida, simetria reconquistada

O postulado da simetria, que nos intima a buscar o mesmo tipo de causas para crenças verdadeiras e falsas ou racionais e irracionais, parece não estar de acordo com o senso comum. Nossas atitudes cotidianas são práticas e avaliativas, e, por sua vez, as avaliações são, por natureza, assimétricas. O mesmo ocorre com a curiosidade. Tipicamente, coisas não usuais ou alarmantes atraem nossa atenção. Em última análise, isso está radicado na psicologia da habituação, o processo pelo qual nosso cérebro adapta-se com rapidez a condições de fundo e preserva sua capacidade de processar informação diante do que quer que rompa a rotina local. Uma vez que muito de nosso conhecimento de fundo consiste de regularidades sociais, isso por si só é suficiente para assegurar que nossa curiosidade seja socialmente estruturada. A condição de simetria é o apelo a superar tais tendências e reestruturar nossa curiosidade. Felizmente, ela não exige que transcendamos as leis psicológicas de nossos próprios tecidos nervosos, mas requer que reconstruamos o conhecimento de fundo, social e local, ao qual nossa curiosidade se adapta. Podemos fazê-lo ao criar novos grupos especializados com perspectivas profissionais por eles próprios assumidas.

Duas formas residuais de assimetria permanecerão intocadas por essas novas estruturas de curiosidade. Eu as chamarei de "assimetria psicológica" e de "assimetria lógica". Nenhuma delas é inconsistente com a condição original que, a fim de diferenciá-la, pode ser chamada de "assimetria metodológica". Examinarei uma de cada vez. Quando os antropólogos estudam, digamos, uma cultura de bruxaria, implicitamente perguntam quais as circunstâncias que permitiriam a uma pessoa racional adotar tais crenças. Essa questão pode ser feita e respondida sem que com isso alguém se torne um crente. Ela é consistente com uma avaliação residual de que tais crenças são falsas. Essa é a assimetria psicológica aludida antes. É consistente com a *simetria* metodológica, pois o caráter da explicação desejada é independente da avaliação. Trata-se do mesmo tipo de explicação que seria adequado caso a crença institucionalizada sob estudo fosse uma que o antropólogo pudesse aceitar. O pressuposto aqui é o de que nenhum corpo institucionalizado de crenças depende de os partidários terem cérebros defeituosos ou carecerem de racionalidade natural.

Os membros de uma cultura de bruxaria dirão que acreditam em bruxos porque encontram bruxos. Um antropólogo pode dizer que isso se dá porque eles simbolizam a experiência social de viver em um grupo pequeno e desorganizado propenso a procurar por bodes expiatórios. A teoria antropológica irá implicar logicamente serem falsas as crenças em bruxaria (tomadas como o que parecem à primeira vista). Tal inconsistência é a assimetria lógica aludida antes. A existência de uma assimetria como essa foi salientada por Hollis (1982) no ataque à condição de simetria. Ele diz que o sociólogo

> tem também que produzir sua própria explicação do porquê de os atores acreditarem naquilo que acreditam. Ao fazê-lo, ele não pode deixar de endossar ou rejeitar as próprias razões dos atores ou, quando estes não concordam entre si, de alinhar-se a uns contra outros. Argumentarei (...) que endossar e rejeitar não são simétricos (p.77).

É verdade que endossar e rejeitar não são simétricos, não obstante isso deixa intacta a simetria metodológica. Explicarei por quê.

O sociólogo do conhecimento é comprometido com certa imagem do que de fato acontece. Deve ser oferecida alguma caracterização daquilo a que os atores reagem, de quais experiências têm de seu ambiente e sobre quais propósitos informam sua interação com ele e entre si. Tais pressupostos têm de estar presentes no início da explicação e, por vezes (mas nem sempre), podem trazer implicações lógicas para a verdade da crença dos atores. Mas, como pudemos ver, há outro passo na narração explicativa que vai além desses pressupostos. A questão relevante é como o mundo será descrito pelos atores sob estudo. Que o mundo não contenha bruxos deixa em aberto a questão de se será ou não crível que ele contenha bruxos. Ter escolhido a opção verdadeira não é menos problemático que ter escolhido a falsa: nisso é que consiste a simetria metodológica.

Newton-Smith (1981, p.250) diz que a ideia de "simetria metodológica" representa um enfraquecimento da condição de simetria original. A acusação é baseada na premissa segundo a qual originalmente a condição era um "ataque às próprias noções de verdadeiro e falso, razoável e irrazoável" (p.248). Ele sugere que o pressuposto por trás da condição de simetria é a de que tais distinções são todas, de um modo ou de outro, "engodos". Uma vez que reconhecer as assimetrias psicológica e lógica dificilmente pode ser consistente com tratar tais noções como engodos, pode parecer que eu tenha recuado. Entretanto, não há recuo algum, pois a posição original não tratava essas distinções como engodos. Longe de considerá-las assim, admiti que possuíssem grande utilidade e fiz um grande esforço para expor suas principais funções práticas (cf. p.63-73). Não há nada de errado em usar termos como "verdadeiro" e "falso": são as explicações desse uso que são suspeitas.

O problema que perpassa a maioria das discussões sobre o *status* da condição de simetria reside no embate entre uma perspectiva naturalista e uma não naturalista. A condição de simetria destina-se a impedir a intrusão de uma noção não naturalista da razão na história causal. Ela não é planejada para excluir um construto naturalista apropriado da razão, seja ele psicológico ou sociológico. Brown (1989), por exemplo, costuma confundir a rejeição, por parte do sociólogo, de uma noção não naturalista de razão com a rejeição do raciocínio como tal.

Tal diagnóstico pode ser rejeitado pelo motivo de alguns críticos da simetria considerarem as próprias posições como uma forma de naturalismo. Newton-Smith rejeita a condição de simetria em nome do racionalismo, mas de um racionalismo que ele busca fundamentar na teoria da evolução de Darwin. Quando alguém segue os ditames da razão, não precisamos investigar mais, mas isso ocorre porque é um "fato bruto" que ser razoável tem valor de sobrevivência. Temos, portanto, um "interesse permanente" em sermos razoáveis (p.256). Parece haver aqui uma aliança entre naturalismo e racionalismo. Entretanto, tais posições compostas são incoerentes. Elas tentam satisfazer uma condição impossível: fazer com que a razão seja e não seja uma parte da natureza. Se eles não a colocarem fora da natureza, perderão o controle de seu caráter privilegiado e normativo, mas, se a colocarem, negarão seu *status* natural. Não se pode tê-la de ambos os modos.

Os racionalistas que pensam com clareza sabem o que está em jogo. Worrall (1990) é firmemente contrário à condição de simetria e ao relativismo a ela relacionado, mas percebe as franquezas do recurso de Newton-Smith à evolução. Ela não pode ser a forma última para um racionalista, pois resta ainda a tarefa de justificar nossa crença nessa teoria e de dizer como sabemos que ela é verdadeira. Para fazê-lo, temos que supor que podemos intuir relações de evidência e algumas verdades lógicas. Mesmo aqui, portanto, precisamos de um acesso ao domínio dos fatos epistemológicos, ou seja, "fatos abstratos não físicos" (p.314). (O mesmo argumento é utilizado com uma intenção teológica explícita por Geach, 1977, p.51.) Tal domínio abstrato, não físico, tem que existir para além do fluxo das mudanças biológicas e culturais, caso seja utilizado para explicá-las e justificá-las. Se for baseado na evolução, não terá maior força probatória que qualquer outra tendência ou disposição natural. Acima de tudo, esse "código da razão" tem que ser o *correto* (p.315). "Tal como vejo", diz Worrall, "o que o racionalista aceita e seu oponente naturalista nega é um mundo de fatos lógicos para além de quaisquer fatos psicológicos" (p.316). (Teria sido melhor acrescentar: "psicológicos *e* sociais".) Worrall, corretamente, considera que seu argumento mostra que *qualquer* tentativa de utilizar a versão evolucionista da epistemologia naturalizada a fim de evitar o relativismo, e que, ao mesmo tempo, evite o comprometimento com verdades lógico-epistemológicas, está fadada ao insucesso (p.318). O quadro de Worrall fica mais caro com base na análise da inferência lógica. *A* e *B* refletem sobre um raciocínio lógico. Ele não é válido, mas *A* percebe isso, ao passo que *B*, não. O caso é tratado de modo análogo à percepção visual. *A* apenas vê o que está ali porque os processos perceptivos relevantes estão funcionando de modo adequado. A visão de *B*, ao contrário, está "encoberta" ou "obstruída" por algum fator que interfere. Dado que, no caso lógico, a intuição de *A* refere-se a um domínio "não físico" de verdades epistemológicas, como fica a causalidade? Segundo essa concepção, causas ordinárias, como aquelas com as quais lidam psicólogos e sociólogos, poderiam ajudar a explicar por que a visão de *B* foi encoberta e por que *A* veio a estar em condições de ver a verdade (por exemplo, a educação, formação, inteligência etc. abriram o caminho para uma visão desimpedida da verdade). A causalidade não explicaria, no entanto, a apreensão final da verdade propriamente dita. O ato racional não é uma espécie de relação causal.

Temos aqui *exatamente* a imagem assimétrica e teleológica que sustentei desde o início tratar-se do modelo que dá base à oposição racionalista à sociologia do conhecimento. Não estive atacando extremistas implausíveis (como alega Chalmers, 1990, p.83). Em vez disso, tenho chamado a atenção para um argumento consistente que representa a única alternativa real ao programa forte.

A matemática e o domínio da necessidade

A fim de mostrar que um relato sociológico do conhecimento matemático era possível, argumentei que era concebível uma matemática alternativa. Críticos afirmaram que: (1) a evidência de qualquer matemática alternativa mostrou-se pouco convincente e (2) eu ignorei e não pude explicar a enorme extensão do acordo entre praticantes da matemática separados entre si tanto no tempo quanto no espaço. Veja Freudenthal (1979), Triplett (1986) e Archer (1987).

Freudenthal dispensa os exemplos de matemática alternativa por mim oferecidos (que vão desde a matemática grega ao relato de Lakatos do teorema de Euler). Ele diz que eles não têm "nada a ver com (...) a sociologia da matemática" (p.74). Sua alegação é a de que eles lidam apenas com a definição de conceitos e não com o próprio raciocínio da prova. Desse modo: ainda que as definições sejam, de fato, o objeto de um consenso por parte da comunidade, elas *não pertencem* (e *nunca se cogitou que pertençam*) *ao domínio da necessidade matemática* (p.74-5).

Negociar as definições é uma coisa; disputar a validade das provas é outra (p.80). Minha falha em perceber isso deriva da insensibilidade à distinção entre a matemática propriamente dita e a "metamatemática", que inclui todas as "pressuposições filosóficas subjacentes" (p.75). De modo independente, Triplett assinala a mesma questão e Archer endossa a "dissecação detalhada" de Freudenthal dos meus exemplos (p.238).

As respostas de Gellatly (1980) e Jennings (1988) localizam com eficiência as fraquezas desses argumentos. Ao servirem-se do limite entre a matemática e a metamatemática, os críticos fazem ressoar a questão. Defendi que tal limite é, ele próprio, uma convenção e uma variável histórica. Perceber como as pessoas decidem o que está dentro ou fora da matemática é parte do problema com o qual se depara a sociologia do conhecimento, e os modos alternativos de fazê-lo constituem concepções alternativas de matemática. O limite não pode apenas ser considerado do modo como os críticos fazem. Uma das razões pelas quais parece não haver uma matemática alternativa à nossa é porque rotineiramente proibimos o fato. Colocamos de lado a possibilidade, deixando-a invisível ou definindo-a como erro ou não matemática (logo darei um exemplo). Essas práticas interpretativas de reagir a alternativas ajudam a fortalecer nossa convicção em sua não existência. Por razões que não finjo compreender, somos capazes de participar da atividade interpretativa necessária sem nos darmos conta do que estamos fazendo. Fiz um esforço para chamar a atenção para tais práticas (cf. p.193). O que os meus críticos fizeram? Apenas *utilizaram* as práticas que descrevi e, em seguida, citaram o resultado de tal uso contra minhas conclusões. Isso é bastante audacioso, mas dificilmente é um bom argumento.

Consideremos o modo de Wallis de provar que a área do triângulo é metade da base vezes a altura. Ele utilizou infinitesimais e frações com denominadores e numeradores infinitos (cf. p.188). Não aceitamos mais essa prova, mas para Wallis ela estava no domínio da necessidade. Ou seja, era uma demonstração de que a fórmula era verdadeira. Ao chamar isso de candidata à "prova", utilizo a palavra tal como professores e praticantes de matemática o fazem. Freudenthal evita exemplos como esse alterando o significado de "prova" e utilizando-a de modo específico, a saber, tratando-a como um esquema de inferência abstrato. Influenciada pela lógica simbólica, tal caracterização carece do ingrediente essencial do pensamento matemático. Lakatos nos ensinou que tal ingrediente, a ideia da prova, é o modelo quase empírico que gera e organiza a manipulação simbólica (1976). A prova de Wallis, é claro, contém uma clara ideia da prova. A alteração de significado faz com que exemplos legítimos, como esse, sejam injustamente dispensados. Detectar esse artifício interpretativo não quer dizer, no entanto, que eu possa dispensar toda a objeção. A questão agora é: esse sentido específico e abstrato de prova estaria ao alcance da sociologia do conhecimento? Retornarei em breve à questão com um exemplo específico. Os três críticos tratam o amplo acordo entre os matemáticos e as continuidades na história da matemática como evidência contrária à sociologia do conhecimento. Tais fatos, alegam, seriam miraculosos caso o programa forte estivesse correto. Assim, Freudenthal diz que as condições nas quais se baseiam o pensamento matemático "são tão ubíquas que excluem qualquer papel para uma investigação *sociológica*, necessariamente diferencial" (p.70). A expressão "necessariamente diferencial" é decisiva. Archer infere algo similar quando diz que o programa forte é "relativista" (o que é correto) e em seguida trata "relativo" como o oposto de "universal" (por exemplo, p.235 e 237).

A lógica dessas inferências é questionável em dois aspectos. Primeiro, o oposto de "relativo" não é "universal": é "absoluto". A fim de refutar o relativismo, os críticos necessitam mais do que a mera generalidade de opinião: eles precisam que a opinião esteja certa. Mesmo a unanimidade não é uma garantia da qualidade que eles requerem. É como Worrall disse: o código da razão tem que ser o correto. Segundo, em que sentido a investigação sociológica é "necessariamente diferencial"? Se isso quer dizer que qualquer acordo convencional poderia ser diferente em princípio, ou seja, que deva ser *possível* para ele ser outro que não este, então está correto. Mas não quer dizer que na prática, ou empiricamente, um acordo convencional deva exibir variação em vez de constância. Seria, mais uma vez, desprezar a possibilidade da regularidade que surge por razões exclusivamente contingentes.

A dificuldade, comum tanto aos apoiadores do programa forte quanto aos críticos, é saber qual grau de variação cultural seria esperado no conhecimento matemático se a análise sociológica for correta. Com segurança, há razões para esperar certa uniformidade e há recursos para explicá-la. São eles: (1) propensões ao raciocínio partilhadas, que são inatas e comuns; (2) um ambiente comum que proporciona os modelos empíricos para as operações matemáticas elementares; e (3) o contato entre as culturas e a herança de recursos culturais. Por outro lado, a variação seria esperada, digamos, nas respostas a contraexemplos e anomalias e nas dimensões descritas no capítulo 6. Até que o programa se transforme em uma teoria propriamente dita (para uma tentativa, ver Bloor, 1978), tudo o que pode ser discutido com alguma certeza é a questão da possibilidade. É *possível* haver o tipo de variação permissível em um relato sociológico? Em particular, tais possibilidades de variação poderiam ser encontradas no "domínio da necessidade", no âmago lógico de uma prova concebida em sua forma mais abstrata e rigorosa?

Como exemplo, considere o esquema lógico denominado *modus ponens*. Ele diz que, se você assume *p*, e se *p* implica *q*, então você tem que assumir *q*. Simbolicamente:

$$p$$
$$\underline{p \supset q}$$
$$\therefore q$$

Há algum modo de escapar dessa compulsão e necessidade? Se as premissas forem verdadeiras, a conclusão não *tem que* ser verdadeira? Essa, é claro, é a definição de uma forma de inferência *válida* e temos aqui, com segurança, um exemplo de uma forma tal que nossa faculdade racional pode intuir diretamente, desde que nossas mentes não estejam perturbadas. Parece que temos aqui o universal, o racional, ou o absoluto, diante do qual o programa forte deve mostrar-se impotente. Como poderia uma abordagem naturalista e sociológica esclarecer tais elementos de nossa vida cognitiva?

Eis aqui como: primeiro, seguindo a linha tomada em Barnes e Bloor (1982), sugiro que a tendência difundida para argumentar dessa forma se deva ao fato de o padrão ser inato. Sua representação interna ainda não é conhecida, mas de algum modo é um aspecto da nossa racionalidade natural (sugere-se que ela estaria presente também nos animais, o que é o caso). Os críticos tratam esse passo como uma abdicação: "Eles passam para a biologia", diz Archer (p.241). De um ponto de vista naturalista, no entanto, é perfeitamente adequado, mas pode apenas ser o começo da história. Em seguida vem a sociologia. A linha a ser seguida deve ser familiar. A generalidade de um padrão como o *modus ponens* em nossa racionalidade natural dará a ele uma destaque. Quando viermos a erigir convenções cognitivas, estaremos propensos, portanto, a utilizar tais soluções destacadas no problema de organizar e coordenar nosso pensamento coletivo. Em suma, é provável que ele seja elevado ao nível de uma instituição cognitiva. Como uma convenção lógica, ele estará agora sujeito à proteção especial, por exemplo, contra anomalias e contraexemplos em sua aplicação.

Poderia haver contraexemplos de formas de inferência válidas como o *modus ponens*? Na verdade, eles são conhecidos há séculos, mas tiveram uma vida estranha na periferia da nossa consciência cultural, meio conhecidos, meio desconhecidos. Os lógicos há muito perceberam que algumas aplicações do *modus ponens* nos levam de premissas verdadeiras a conclusões falsas, mas chamaram tais aplicações de "paradoxos". Refiro-me ao "paradoxo sorites", por exemplo – ao problema do monte de areia. Se tiver um monte de areia e remover um grão, ainda terá um monte de areia. Então remova um grão. Você ainda tem um monte. Se tiver um monte de areia e remover um grão... Temos aqui uma inferência da forma *modus ponens*, mas, se continuarmos a aplicá-la, os grãos de areia irão acabar afinal e a conclusão será falsa: não terminaremos com um monte, terminaremos sem grão nenhum. As premissas são verdadeiras, o raciocínio é *modus ponens* e a conclusão é falsa. Portanto, ela não é uma forma válida, afinal. Ou diremos: ela *é* válida (porque podemos *ver* sua validade), por conseguinte a culpa *tem que* estar em outro lugar, e o exemplo é um mero "paradoxo", um enigma, uma excentricidade? A resposta tradicional é colocar a culpa no uso de predicados "vagos", como "monte". Supostamente, a lógica só seria aplicável a conceitos claros ou bem definidos. Apenas recentemente tem sido feito o experimento de tomar a outra via e revisar nossas ideias quanto ao que ocorre quando usamos o *modus ponens* (Sainsbury, 1988).

Seguramente, existem outros candidatos, assim como o *modus ponens*, cuja necessidade absoluta cogitou-se incorporar. Archer (1987) propôs a "lei da não contradição" segundo a qual um enunciado não pode ser, ao mesmo tempo, verdadeiro e falso: ~(*p*.~*p*). De novo, foram os lógicos que forneceram aos sociólogos do conhecimento o material necessário para defender o caso em prol do relativismo. Eles idealizaram sistemas lógicos formais que violam a "lei", por exemplo, a lógica trivalente (cf. Makinson, 1973). A questão passa a ser o significado desses sistemas técnicos. O sociólogo descobrirá que diversos artifícios retóricos são usados com o fim de marginalizá-los. Não nos dizem que são paradoxos, mas que são "parasitários" dos sistemas bivalentes que alegadamente estão em suas bases, ou seja, de sistemas nos quais *está* incorporada a lei da não contradição. (É algo análogo aos argumentos mais antigos que buscavam marginalizar as geometrias não euclidianas: eram consideradas parasitárias da nossa única e exclusiva intuição espacial, a euclidiana. Cf. Richards, 1988.) Essa forma de depreciar os sistemas lógicos trivalentes está longe de ser persuasiva. Como sistemas formais, os sistemas trivalentes e bivalentes estão em pé de igualdade. A maquinaria formal do primeiro não precisa ser vista como se utilizasse a maquinaria do segundo. Os dois sistemas funcionam independentemente e lado a lado. Os sistemas formais trivalentes pressupõem, no entanto, nossa racionalidade natural, ou seja, nossos processos de pensamento informal e nossas habilidades mentais de manipular seus símbolos. Mas isso também é necessário para sustentar a maquinaria formal dos sistemas bivalentes.

As habilidades inatas podem ser gerais, ou mesmo contingentemente universais, mas não conferem *status* absoluto algum à lei da não contradição. As alternativas anunciadas aos "universais absolutos" foram, portanto, expostas. Uma previsão contraintuitiva, mesmo que profundamente implausível, do programa forte foi assim corroborada. Outra lei geral de cobertura foi posta a teste e sobreviveu. A tese que emerge é a de que a aura de absoluto ao redor desses candidatos tem que se originar dos artifícios sociais que estabeleceram seu *status* especial. Ao sentirmos seu caráter persuasivo e obrigatório, é à tradição cultural e à convenção que reagimos. O "domínio da necessidade", portanto, mostrou ser o domínio social.

Conclusão: ciência e heresia

Há não muito tempo, descobri, para minha surpresa, que os argumentos que acabo de expor – inclusive os meus – são apenas a repetição de uma controvérsia ocorrida há mais de um século (Bloor, 1988). O debate em torno do programa forte já foi conduzido antes em outro contexto, a saber, a teologia e a história do dogma religioso. Quando expus no capítulo 3 que protegemos a ciência do escrutínio social por tratá-la como sagrada, fui mais preciso do que imaginava. O programa forte surgiu antes com relação às crenças sagradas, em vez das científicas; e os argumentos então levantados contra ele foram exatamente os mesmos utilizados agora. Hoje em dia, debatemos o modo adequado de escrever a história da ciência. Antes, foi o modo apropriado de escrever a história do dogma religioso, mas todos nos sentiríamos em casa com o argumento.

O programa forte é o análogo da posição associada à chamada escola de Tubinga de historiografia da igreja. Sob a liderança de Ferdinand Christian Baur (1792-1860), esses estudiosos começaram a aplicar impiedosamente as técnicas historiográficas de exegese e interpretação à história das doutrinas cristãs. Rejeitaram o antigo paradigma da história da igreja que Baur chamou de "sobrenaturalismo". Como exposto por Baur em suas "Epochs of Church Historiography" (1852) (ver Hodgson, 1968, p.53), os "sobrenaturalistas" dividiam a história do dogma em duas partes a serem tratadas de modos diferentes. Uma parte é o registro da verdade apostólica autêntica. Esta emana de fontes divinas e não carece de outra explicação além de sua divindade. A outra parte é o registro da heresia e do afastamento doutrinário. Eles devem ser explicados por tudo aquilo que possa obscurecer a visão do fiel e pervertê-lo. A explicação é dada aqui em termos de ambição, cobiça, ignorância, superstição e mal. Somos criaturas caídas e isso explica o afastamento do caminho do verdadeiro desenvolvimento dogmático.

Os pressupostos por trás do sobrenaturalismo são claramente idênticos àqueles que informam a historiografia dos racionalistas de hoje quando refletem sobre a ciência. No lugar do desenvolvimento histórico da inspiração divina, temos o desenvolvimento da investigação racional: a historiografia "interna" da ciência. No lugar da heresia, temos a irracionalidade e os afastamentos de caráter sociopsicológicos causados pelo verdadeiro método científico: a história "externa" da ciência. O erro doutrinário na teologia deu lugar ao viés ideológico na ciência. Os racionalistas de hoje dizem: *Quando um pensador faz aquilo que é racional fazer, não precisamos mais investigar as causas de sua ação*, ao passo que, quando ele faz o que na verdade é irracional – ainda que acredite ser racional –, exigimos alguma explicação ulterior (Laudan, 1977, p.188-89).

A posição dos sobrenaturalistas de ontem pode ser precisamente caracterizada com as mesmas palavras, com algumas poucas substituições. Assim: Quando um cristão acredita naquilo que é ortodoxo, não precisamos mais investigar as causas da sua crença, ao passo que, quando ele acredita naquilo que na verdade é herético – ainda que acredite ser ortodoxo –, exigimos alguma explicação ulterior.

Baur substituiu essa visão admirável, mas estultificante, por um estudo dos conflitos políticos e negociações entre as partes concorrentes na igreja primitiva. Ele analisou as doutrinas em termos de "tendências", ou seja, dos interesses nelas presentes, e recusou-se a estruturar suas investigações em torno de juízos doutrinais anteriores a respeito de quais dentre essas tendências estava teologicamente correta. Em suma, estudou a construção social de nossos dogmas mais estimados e o fez como um crente devoto e respeitável (Hodgson, 1966).

Baur e a escola de Tubinga foram verdadeiros pioneiros da sociologia do conhecimento. Pena que sua grande realização não alimentou a consciência comum dos filósofos, sociólogos e historiadores da ciência, de modo que o mesmo debate teve que se repetir. Esperemos, piedosamente, que tais paralelos históricos não prossigam. Baur e seus colegas fracassaram, por fim, nos esforços para modificar o modo pelo qual os membros da tradição teológica refletiam historicamente sobre as próprias crenças e práticas. Por que prestar tanta atenção às disputas teológicas?, perguntaram seus críticos. Acaso as disputas não chegam a um fim, e isso não prova que a realidade divina e a verdade do dogma da Igreja, afinal, sempre se afirmam (por exemplo, Mathelson, 1875)? Apesar das investigações detalhadas e extensivas, e da riqueza das evidências que produziram, a escola de Tubinga foi vista meramente como que denegrindo aquilo que estudava. Ao fim, sua influência foi esmagada sob o peso do obscurantismo, da intolerância e de uma teologia reacionária encorajada por um governo autoritário.

Referências bibliográficas

ARCHER, M. Resisting the Revival of Relativism. *International Sociology*, v.2, n.3, p.219-23, setembro, 1987.

ARISTÓTELES. *Metaphysics* (traduzido por J. Warrington). Londres: Dent, 1956. [Edição brasileira: *Metafísica*. Trad. Giovanni Reale. São Paulo: Loyola, 2002.]

ARTHUR, B. Positive Feedbacks in the Economy. *Scientific American*, p.92-99, fevereiro, 1990.

AUSTIN, J. *Philosophical Papers*. Oxford: Clarendon Press, 1961, cap.5.

BARBER, B. Resistance by Scientists to Scientific Discovery. *Science*, v.134, n.3.479, p. 596-602, 1961.

BARBER, B., FOX, R. The Case of the Floppy-Eared Rabbits. *American Journal of Sociology*, n.64, p.128-36, 1958.

BARKER, S. *Philosophy of Mathematics*. Englewood Cliffs, N.J.: Prentice-Hall, 1964. [Edição brasileira: *Filosofia da matemática*. Rio de Janeiro: Zahar, 1969.]

BARNES, B. *Scientific Knowledge and Sociological Theory*. Londres: Routledge & Kegan Paul, 1974.

_____. Natural Rationality: a Neglected Concept in the Social Sciences. *Philosophy of the Social Sciences*, v.6, n.2, p.115-26, 1976.

_____. *T. S. Kuhn and Social Science*. Londres: Macmillan, 1982.

_____. Problems of Intelligibility and Paradigm Instances. In: BROWN, J. (ed.). *Scientific Rationality:* the Sociological Turn. Dordrecht: Reidel, 1984, p.113-25.

BARNES, B., BLOOR, D. Relativism, Rationalism and the Sociology of Knowledge. In: HOLLIS, M., LUKES, S. (eds.). *Rationality and Telativism*. Oxford: Blackwell, 1982, p.21-47.

BARTLETT, F. C. *Remembering*. Cambridge: Cambridge University Press, 1932.

BARTLEY, W. W. III. Alienation Alienated: the Economics of Knowledge *versus* the Psychology and Sociology of Knowledge. In: RADNITZKY, G., BARTLEY, W. W. (eds.). *Evolutionary Epistemology, Rationality and the Sociology of Knowledge*. La Salle: Open Court, 1987, p.423-51.

BAUR, F. C. Epochs of Church Historiography. In: HODGSON, P. (ed.). *Ferdinand Christian Baur on the Writing of Church History*. Nova York: Oxford University Press, 1968.

BEN-DAVID, J. *The Scientist's Role in Society*. Englewood Cliffs, N.J.: Prentice Hall, 1971.

_____. Sociology of Scientific Knowledge. In: SHORT, J. E. (ed.). *The State of Sociology:* Problems and Prospects. Beverly Hills: Sage Publications, 1981, p.40-59.

BLOOR, C., BLOOR, D. Twenty Industrial Scientists. In: DOUGLAS, M. (ed.). *Essays in the Sociology of Perception*, Londres: Routledge and Kegan Paul, 1982, p.83-102.

BLOOR, D. Two Paradigms for Scientific Knowledge? *Science Studies*, v.1, n.1, p.101-15, 1971.

_____. Wittgenstein and Mannheim on the Sociology of Mathematics. *Studies in the History and Philosophy of Science*, v.4, n.2, p.173-91, 1973.

_____. Popper's Mystification of Objective Knowledge. *Science Studies*, v.4, p.65-76, 1974.

_____. Psychology or Epistemology? *Studies in the History and Philosophy of Science*, v.5, n.4, p.382-95, 1975.

_____. Polyhedra and the Abominations of Leviticus. *British Journal for the History of Science*, v.11, p.243-72, 1978. [Reproduzido em DOUGLAS, M. (ed.). *Essays in the Sociology of Perception*, Londres: Routledge and Kegan Paul, 1982, p.191-218.

_____. Durkheim and Mauss Revisited: Classification and the Sociology of Knowledge. *Studies in the History and Philosophy of Science*, v.13, p.267-97, 1982.

_____. *Wittgenstein:* A Social Theory of Knowledge. Londres: Macmillan, 1981.

_____. Rationalism, Supernaturalism, and the Sociology of Knowledge. In: HRONSKY, I., FEHER, M., DAJKA, B. (eds.). *Scientific Knowledge Socialized*. Budapest: Akedemiai Kiado, 1988.

BOSANQUET, B. *The Philosophical Theory of the State*. Londres: Macmillan, 1899.

BOSTOCK, D. *Logic and Arithmetic*. Oxford: Clarendon Press, 1974.

BOTTOMORE, T. B. Some Reflections on the Sociology of Knowledge. *British Journal of Sociology*, v.7, n.1, 1956, p.52-58.

BOYER, C. B. *The History of Calculus and its Conceptual Development*. Nova York: Dover Publications, 1959.

BRADLEY, F. H. *Ethical Studies*. Oxford: Clarendon Press, 1876.

BROWN, J. *The Rational and the Social*. Londres: Routledge, 1989.

BURCHFIELD, J. D. *Lord Kelvin and the Age of the Earth*. Londres: Macmillan, 1975.

BURKE, E. Reflections on the Revolution in France (1790). In: *The Works of the Right Honourable Edmund Burke*, v.5. Londres: Rivington, 1808. [Edição brasileira: *Reflexões sobre a Revolução em França*. Brasília: Editora da UNB, 1982.]

CAJORI, F. *A History of Mathematics*, 2.ed. Nova York: Macmillan, 1919.

CARDWELL, D. S. L. *From Watt to Clausius*. Londres: Heinemann, 1971.

CARRUCCIO, E. *Mathematics and Logic in History and in Contemporary Thought* (traduzido por I. Quigley). Londres: Faber & Faber, 1964.

CASSIRER, E. *The Problem of Knowledge* (traduzido por W. H. Woglom e C. W. Hendel). New Haven: Yale University Press, 1950.

CHALMERS, A. *Science and its Fabrication*. Milton Keynes: Open University Press, 1990.

COLEMAN, W. Bateson and Chromosomes: Conservative thought in Science. *Centaurus*, v.15, n.3-4, 1970, p.228-314.

COLLINS, H. *Changing Order:* Replication and Induction in Scientific Practice. Londres: Sage, 1985.

CONANT, J. B. The Overthrow of Phlogiston Theory. In: CONANT, J. B., Nash, L. K. (eds.). *Harvard Case Histories in Experimental Science*. Cambridge, Mass.: Harvard University Press, 1966.

COWAN, R. S. Francis Galton's Statistical Ideas: the Influence of Eugenics. *Isis*, v.63, p.509-28, 1976.

DEDEKIND, R. *Essays on the Theory of Numbers* (traduzido por W. W. Berman). Nova York: Dover Publications, 1963.

DEGRÉ, G. *Science as a Social Institution*. Nova York: Random House, 1967.

DESMOND, A. *The Politics of Evolution:* Morphology Medicine, and Reform in Radical London. Chicago: University of Chicago Press, 1989.

DIENES, Z. P. *Building up Mathematics*. Londres: Hutchinson, 1960.

_____. *The Power of Mathematics*. Londres: Hutchinson, 1964.

DOUGLAS, M. *Purity and Danger:* an Analysis of Concepts of Pollution and Taboo. Londres: Routledge & Kegan Paul, 1966.

_____. *Natural Symbols*. Londres: Barrie & Jenkins, 1973.

DURKHEIM, E. *The Elementary Forms of the Religious Life* (traduzido por J. W. Swain). Londres: Allen and Unwin, 1915. (As citações são da edição de 1961 da Colher Books.) [Edição brasileira: *As formas elementares de vida religiosa*. São Paulo: Paulus, 1989.]

_____. *The Rules of Sociological Method* (traduzido por S. A. Soloway e J. H. Mueller). 8.ed., Nova York: The Free Press, 1938. [Edição brasileira: *As regras do método sociológico*. São Paulo: Martin Claret, 2002.]

_____. GIDDENS, Anthony (ed.). *Selected Writings*. Cambridge: Cambridge University Press, 1972, p.251-53.

EVANS-PRITCHARD, E. E. *Witchcraft, Oracles and Magic Among the Azande*. Oxford: Clarendon Free Press, 1937. [Edição brasileira:

Bruxaria, oráculos e magia entre os azande. Rio de Janeiro: Zahar, 1978.]

FLEW, A. A Strong Programme for the Sociology of Belief. *Inquiry*, v.25, p.365-85, 1982.

_____. Must Naturalism Discredit Naturalism?. In: Radnitzky, C., BARTLEY, W. W. *Evolutionary Epistemology, Rationality and the Sociology of Knowledge*, La Salle: Open Court, 1987, p.402-21.

FORMAN, P. Weimar Culture, Causality, and Quantum Theory, 1918 -1927: adaptation by German physicists and mathematicians to a hostile intellectual environment. In: MCCORMMACH, R. (ed.). *Historical Studies in the Physical Sciences*. Philadelphia: University of Pennsylvania Press, 1971, v.3, p.1-115.

FREGE, G. *The Foundations of Arithmetic* (traduzido por J. L. Austin). Oxford: Blackwell, 1959. [Edição portuguesa: *Fundamentos da Aritmética*. Wook, 1992.]

FRENCH, P. *John Dee*. Londres: Routledge & Kegan Paul, 1972.

FREUDENTHAL, C. How Strong is dr. Bloor's 'Strong Programme'? *Studies in History and Philosophy of Science*, v.10, p.67-83, 1979.

GEACH, P. *The Virtues*. Cambridge: Cambridge University Press, 1977.

GELLATLY, A. Logical Necessity and the Strong Programme for the Sociology of Knowledge. *Studies in History and Philosophy of Science*, v.11, n.4, p.325-39, 1980.

GIDDENS, A. *Emile Durkheim:* Selected Writings (edição e introdução de A. Giddens). Cambridge: Cambridge University Press, 1972.

GOOCH, G. P. *Studies in German History*. Londres: Longmans, 1948.

HALEVY, E. *The Growth of Philosophical Radicalism* (traduzido por M. Morris). Londres: Faber & Faber, 1928.

HAMLYN, D. W. *The Psychology of Perception*. Londres: Routledge & Kegan Paul, 1969.

HANEY, L. H. *History of Economic Thought*. Nova York: Macmillan, 1911.

HEATH, Sir T. *Diophantus of Alexandria:* a Study in the History Of Greek Algebra. 2.ed. Cambridge: Cambridge University Press, 1910.

_____. *A History of Greek Mathematics*. Oxford: Clarendon Press, 1921, v.2.

HESSE, Mary. *Models and Analogies in Science*. Notre Dame: University of Notre Dame Press, 1966.

————. *The Structure of Scientific Inference*. Londres: Macmillan, 1974.

————. The Strong Thesis in the Sociology of Science. In: *Revolutions and Reconstructions in the Philosophy of Science*. Brighton: Harvester, 1980, p.29-60.

HOBHOUSE, L. T. *The Metaphysical Theory of the State*. Londres: Allen & Unwin, 1918.

HODGSON, P. *The Formation of Historical Theology*: a Study of Ferdinand Christian Baur. Nova York: Harper & Row, 1966.

————. *Ferdinand Christian Baur on the Writing of Church History*. Nova York: Oxford University Press, 1968.

HOLLIS, M. The Social Destruction of Reality. In: HOLLIS, M., LUKES, S. (eds.). *Rationality and Relativism*. Oxford: Blackwell, 1982, p.67-86.

JACOB, J. Boyle's Atomism and the Restoration Assault on Pagan Naturalism. *Social Studies of Science*, v.8, p.211-33, 1978.

JANIK, A., TOULMIN, S. *Wittgenstein's Vienna*. Londres: Weidenfeld & Nicolson, 1973.

JENNINGS, R. Truth, Rationality and the Sociology of Science. *British Journal for the Philosophy of Science*, v.35, p.201-11, 1984.

————. Alternative Mathematics and the Strong Programme: Reply to Triplett. *Inquiry*, v.31, p.93-101, 1988.

KANTOROWICZ, H. Savigny and the Historical School of Law. *Law Quarterly Review*, v.53, p.326-43, 1937.

KITCHER, P. *The Nature of Mathematical Knowledge*. Oxford: Oxford University Press, 1984.

KLEIN, J. *Greek Mathematical thought and the Origin of Algebra* (traduzido por E. Brann). Cambridge, Mass.: MIT Press, 1968 (publicado primeiramente em 1934 e 1936).

KUHN, T. S. *The Copernican Revolution*. Cambridge, Mass.: Harvard University Press, 1957. [Edição portuguesa: *A revolução copernicana*. Edições 70, 2002.]

_____. Energy Conservation as an Example of Simultaneous Discovery. In: Clagett, M. (ed.). *Critical Problems in the History of Science*. Madison: University of Wisconsin Press, 1959.

_____. The Historical Structure of Scientific Discovery. *Science*, v.136, p.760-64, 1962a.

_____. *The Structure of Scientific Revolutions*. Chicago: University of Chicago Press, 1962b.

LAKATOS, I. Infinite Regress and the Foundations of Mathematics. *Proceedings of the Aristotelian Society*, sup., v.36, p.155-84, 1962.

_____. Proofs and Refutations. British Journal for the Philosophy of Science, v.14, p.1-25, 120-39, 221-43, 296-342, 1963-64. [Edição brasileira: Provas e refutações: a lógica da descoberta matemática. Rio de Janeiro: Zahar, 1978.]

_____. A Renaissance of Empiricism in the Recent Philosophy of Mathematics. In: LAKATOS, I. (ed.). *Problems in the Philosophy of Mathematics*. Amsterdã: North Holland Publishing Company, 1967, p.199-220.

_____. History of Science and its Rational Reconstructions. In: Buck, R. C., COHEN, R. S. (ed.). *Boston Studies*. Dordrecht: Reidel, 1971, v.8.

_____. *Proofs and Refutations*. Cambridge: Cambridge University Press, 1976.

LAKATOS, I., MUSGRAVE, A. (eds.). *Criticism and the Growth of Knowledge*. Cambridge: Cambridge University Press, 1970. [Edição brasileira: *A crítica e o desenvolvimento do conhecimento*. São Paulo: Cultrix, 1979.]

LANGMUIR, I., HALL, R. N. (ed.). *Pathological Science*. Nova York: General Electric R & D Centre Report, n.68, cap.35, 1968.

LAUDAN, L. *Progress and its Problems:* Towards a Theory of Scientific Growth. Londres: Routledge & Kegan Paul, 1977.

LOVEJOY, A. O. Reflections on the History of Ideas. *Journal of the History of Ideas*, v.1, n.1, p.3-23, 1940.

LUKES, S. Relativism: Cognitive and Moral. *Proceedings of the Aristotelian Society*, sup., v.48, p.165-89, 1940.

David Bloor

LUMMER, O. M. Blondlot's N-ray Experiments. *Nature*, v.69, p.378-80, 1904.

MACKENZIE, D. *Statistics in Britain, 1865-1930:* The Social Construction of Scientific Knowledge. Edimburgo: Edinburgh University Press, 1981.

MAKINSON, D. *Topics in Modern Logic*. Londres: Methuen, 1973.

MANDER, J. *Our German Cousins:* Anglo-German Relations in the 19th and 20th Centuries. Londres: John Murray, 1974.

MANICAS, P., ROSENBERG, A. Naturalism, Epistemological Individualism and the 'Strong Programme' in the Sociology of Knowledge. *Journal for the Theory of Social Behaviour*, v.15, p.76-101, 1985.

MANNHEIM, K. *Ideology and Utopia* (tradução e introdução de L. Wirth e E. Shils). Londres: Routledge & Kegan Paul, 1936. [Edição brasileira: *Ideologia e utopia*. Rio de Janeiro: Zahar, 1976.]

————. *Essays on the Sociology of Knowledge*. Londres: Routledge & Kegan Paul, 1952.

————. Conservative thought. In: *Essays on Sociology and Social Psychology*. Londres: Routlege & Kegan Paul, 1953.

MATHESON, Rev. G. *Aids to the Study of German Theology*. Edimburgo: Clark, 1875.

MCDOUGALL, W. *The Group Mind*. Cambridge: Cambridge University Press, 1920.

MERTON, R. K. Priorities in Scientific Discoveries. *American Sociological Review*, v.22, n.6, p.635-59, 1957.

————. *Social Theory and Social Structure*. Londres: Collier-Macmillan, 1964. [Edição brasileira: *Sociologia: teoria e estrutura*. São Paulo: Mestre Jou, 1949.]

————. *The Sociology of Science:* Theoretical and Empirical Investigations. Chicago: University of Chicago Press, 1973, cap.1.

MILL, J. S. *A System of Logic:* Ratiocinative and Inductive. Londres: Longmans, 1848. [Todas as citações são da impressão de 1959 da 8.ed. As referência são feitas citando o livro, capítulo, seção e número.]

MILLIKAN, R. *Language, thought and Other Biological Categories*. Cambridge, Mass.: MIT Press, 1984.

MONTMORENCY, J. E. C. de. Friedrich Carl von Savigny. In: MAC-DOWELL, J., MASON, E. (ed.). *Great Jurists of the World*. Londres: John Murray, 1913.

MORREL, J. B. The chemist Breeders: The Research Schools of Liebig and Thomas Thomson. *Ambix*, v.19, n.1, 1972, p.1-46.

NASH, L. K. The Atomic-Molecular Theory. In: CONANT, J. B., NASH, L. K. (eds.). *Harvard Case Histories in Experimental Science*. Cambridge, Mass.: Harvard University Press, 1966.

NEWTON-SMITH, W. *The Rationality of Science*. Londres: Routledge & Kegan Paul, 1981.

NISBET, R. A. *The Sociological Tradition*. Londres: Heinemann, 1967.

PASCAL, R. Herder and the Scottish Historical School. *Publications of the English Goethe Society*, New Series, v.14, 1939, p.23-42.

PETERS, R. S. *The Concept of Motivation*. Londres: Routledge & Kegan Paul, 1958.

PIAGET, J. *The Child's Concept of Number* (traduzido por C. Cattegro e E. M. Nodgson). Londres: Routledge & Kegan Paul, 1952.

PICKERING, A. *Constructing Quarks:* a Sociological History of Particle Physics. Edimburgo: Edinburgh University Press, 1984.

PINCH, T. *Confronting Nature:* the Sociology of Solar-Neutrino Detection. Dordrecht: Reidel, 1986.

POINCARÉ, H. *Science and Method* (traduzido por F. Maitland). Nova York: Dover Publications, 1908.

PÓLYA, G. Analogy and Induction. In: *Mathematics and Plausible Reasoning*. Princeton: Princeton University Press, 1954, v.1.

POPPER, K. R. *The Logic of Scientific Discovery*. Londres: Hutchinson, 1959 (primeiramente publicado em 1934).

_____. *The Poverty of Historicism*. Londres: Routledge & Kegan Paul, 1960. [Edição brasileira: *A miséria do historicismo*. São Paulo: Cultrix, 1980.]

_____. *Conjectures and Refutations*. Londres: Routledge & Kegan Paul, 1963. [Edição portuguesa: *Conjecturas e refutações*. Coimbra: Almedina, 2000.]

_____. *The Open Society and its Enemies*. Londres: Routledge & Kegan Paul, 1966, v.2. [Edição brasileira: *A sociedade aberta e seus inimigos*. Villa Rica.]

_____. *Objective Knowledge*. Oxford: Clarendon Press, 1972. [Edição brasileira: *Conhecimento objetivo*. Minas Gerais: Itatiaia, 1975.]

REISS, H. S. *The Political thought of the German Romantics, 1793-1815*. Oxford: Blackwell, 1955.

RICHARDS, J. *Mathematical Visions:* the Pursuit of Geometry in Victorian England. Londres: Academic Press, 1988.

RUDWICK, M. J. S. *The Meaning of Fossils*. Londres: Macdonald, 1972.

_____. Darwin and Glen Roy: a "Great Failure" in Scientific Method? *Studies in the History and Philosophy of Science*, v.5, n.2, p.97-185, 1974.

_____. *The Great Devonian Controversy:* the Shaping of Scientific Knowledge among Gentlemanly Specialists. Chicago: University of Chicago Press, 1985.

RUSSELL, B. *Portraits from Memory*. Londres: Allen & Unwin, 1956.

RYLE, C. *The Concept of Mind*. Londres: Hutchinson, 1949.

SAINSBURY, R. *Paradoxes*. Cambridge: Cambridge University Press, 1988.

SCHEFFLER, I. *Science and Subjectivity*. Nova York: Bobbs-Merrill, 1967.

SHAPIN, S. Phrenological Knowledge and the Social Structure of Early Nineteenth-Century Edinburgh. *Annals of Science*, v.32, p.219-43, 1975.

_____. The Politics of Observation: Cerebral Anatomy and Social Interests in the Edinburgh Phrenology Disputes. In: WALLIS, R. (ed.). On the Margins of Science. *Sociological Review Monograph*, n.27, 1979.

_____. Homo Phrenologicus: Anthropological Perspectives on an Historical Problem. In: BARNES, B., SHAPIN, S. (eds.). *Natural Order:* Historical Studies in Scientific Culture. Beverly Hills: Sage, 1979.

_____. History of Science and Its Sociological Reconstructions. *History of Science*, v.20, p.157-211, 1982.

SHAPIN, S., SCHAFFER, S. *Leviathan and the Air-Pump*. Princeton: Princeton University Press, 1985.

SKINNER, B. F. The Operational Analysis of Psychological Terms. *Psychological Review*, v.52, 1945, p.270-77.

SLEZAK, P. Scientific Discovery by Computer as Empirical Refutation of the Strong Programme. *Social Studies of Science*, v.9, n.4, p.563-600, novembro, 1989.

SPENGLER, O. *The Decline of the West* (traduzido por C. F. Atkinson). Londres: Allen & Unwin, 1926.

STARK, W. Liberty and Equality or: Jeremy Bentham as an Economist. *Economic Journal*, v.51, p.56-79, 1941; v.56, p.583-608, 1946.

_____. *The Sociology of Knowledge*. Londres: Routledge & Kegan Paul, 1958.

STAUDE, J. R. The Genius of the War. In: *Max Scheler, 1874-1928*. Nova York: The Free Press, 1967, cap.3.

STORER, N. W. *The Social System of Science*. Nova York: Holt, Rinehart & Winston, 1966.

STRAWSON, P. Truth. *Proceedings of the Aristotelian Society*, sup., v.24, p.129-56, 1950.

STRONG, E. W. *Procedures and Metaphysics*. Hildersheim: Georg Olms, 1966 (primeiramente publicado em 1936).

TOULMIN, S. Crucial Experiments: Priestley and Lavoisier. *Journal of the History of Ideas*, v.18, p.205-20, 1957.

TRIPLETT, T. Relativism and the Sociology of Mathematics: Remarks on Bloor, Flew, and Frege. *Inquiry*, v.29, p.439-50, 1986.

TURNER, R. S. The Growth of Professorial Research in Prussia, 1818 to 1848 – Causes and Context. In: MCCORRNMACH, R. (ed.). *Historical Studies in the Physical Sciences*. Philadelphia: University of Pennsylvania Press, 1971, v.3, p.137-82.

VAN DER WAERDEN, B. L. *Science Awakening* (traduzido por A. Dresden). Groningen: Noordhoff, 1954.

WARRINGTON, J. *Translation of Aristotle's Metaphysics*. Londres: Dent, 1956.

WATKINS, D. S. Blondlot's N-rays: a History of a Notable Scientific Error. Unpublished Paper from Department of Liberal Studies, University of Manchester, 1969.

WILLIAMS, R. *Culture and Society 1780-1950*. Londres: Chatto & Windus, 1958.

WINCH, P. Understanding a Primitive Society. *American Philosophical Quarterly*, v.1, p.307-24, 1964.

WITTGENSTEIN, L. *Remarks on the Foundations of Mathematics*. Oxford: Blackwell, 1956.

_____. *Philosophical Investigations* (traduzido por G. E. M. Anscombe). Oxford. Blackwell, 1967. [Edição brasileira: *Investigações filosóficas*. Petrópolis: Vozes, 1994.]

WOLLF, K. H. (ed.). *Essays on Sociology and Philosophy by Emile Durkheim et al*. Nova York: Harper & Row, 1964,

WOOD, R. W. The N-rays. *Nature*, v.70, p.530-31, 1904.

WORALL, J. Rationality, Sociology and the Symmetry Thesis. *International Studies in the Philosophy of Science*, v.4, n.3, p.305-19, 1990.

YATES, Frances A. *The rosicrucian enlightenment*. Londres: Routledge & Kegan Paul, 1972.

YEARLEY, S. The Relationship between Epistemological and Sociological Cognitive Interests. *Studies in History and Philosophy of Science*, v.13, p.253-88, 1982.

YOUNG, R. M. Malthus and the Evolutionists: the Common Context of Biological and Social Theory. *Past and Present*, v.43, p.109-45, 1969.

ZNANIECKI, F. *The Social Role of the Man of Knowledge*. Nova York: Octagon Books, 1965.

Índice remissivo

SOBRE O LIVRO

Formato: 14 x 21
Mancha: 23x39 paicas
Tipologia: IowanOldSt BT 10/14
Papel: Pólen Soft 80g/m² (miolo)
1ª edição: 2009

EQUIPE DE REALIZAÇÃO

Capa: Andrea Yanaguita

Edição de texto
Samuel Grecco (Copidesque)
Gabriela Trevisan (Preparação de original)
Alessandra Miranda de Sá (Revisão)

Editoração Eletrônica
Estúdio Bogari

Impressão e Acabamento

FARBE DRUCK
gráfica e editora ltda.